roman

Jean-Pierre Bélanger

ÉDITION DU CLUB QUÉBEC LOISIRS INC.
© Avec l'autorisation des Éditions Québec/Amérique

Dépôt légal — 4e trimestre 1991
ISBN 2-89430-001-8
(publié précédemment sous ISBN 2-89037-528-5)

À Andrée Boucher,
celle par qui les grands rêves se concrétisent.

Sans eux, ce livre n'aurait pas vu le jour.
Merci, mes amis, pour votre aide.

Arlette Cousture
Diane Martin
Jean-Pierre Leroux
Gisèle Clermont
Jeanine Loyer
Valérie Guibaud
Carole Noël
Michel Beaudry

Chapitre 1

— Il m'a encore volée. Je vais le tuer. Je vais le tuer, le sale rat!

Ainsi parlait Irène de son petit-fils. Tous les matins elle hurlait cette tyrannique litanie, parce qu'il refusait une fois de plus de lui remettre ses économies. Irène, matriarche despote, confisquait l'ensemble des salaires que gagnait sa famille, sous prétexte qu'elle seule avait une tête assez solide pour gérer un budget.

Tous se soumettaient à cet ignoble abus de pouvoir. Tous, à l'exception de Potter, son petit-fils. Celui-ci refusait de se laisser dépouiller; ce matin encore, il avait crié qu'un jour cette somme lui servirait à fuir ce trou minable.

Ils vivaient dans un endroit morbide, un village perdu dans la toundra du 52e parallèle du Grand Nord canadien. Parvenir à cet enfer était une épopée qu'on n'oubliait pas: on empruntait la Nationale 167 jusqu'à ce qu'elle s'épuise, puis le chemin du lac à l'Ours, puis le chemin de la Montagne coupée. Là on se heurtait à un panneau de signalisation indiquant «cul-de-sac». On fonçait quand même. On traversait d'abord un mur de feuillage, pour se retrouver ensuite sur une piste forestière défoncée: une course à obstacles de vingt kilomètres, à peine deux traces de pneus qui plongeaient dans une jungle d'épinettes plantées serré. Les arbres engorgeaient à ce point la piste qu'un bras laissé ballant hors de la portière aurait été arraché en moins de deux. Les ponts étaient de billes de bois pourri, les accotements avaient été emportés par les crues printanières, on s'embourbait à tout moment dans des marécages qui sautaient au visage. Cette piste conduisait à un village appelé à l'origine Notre-Dame-du-Buton.

Seuls une bande d'innocents pouvaient vivre dans un pareil endroit. La solitude était totale, les ondes de télévision refusaient de se rendre jusque-là, le téléphone s'y traînait de peine et de misère, et quel téléphone! Il fallait «hurler dans le cornet», comme on disait, pour entendre comme réponses des bouts de phrases télégraphiques, toujours les mêmes, entrecoupées de grésillements parasitaires.

— ... Terrible... Loin... Bout du monde.

On devinait le reste.

Apercevoir le village dans son ensemble pour la première fois faisait l'effet d'un coup de poing sur la gueule. Ce n'était qu'un entassement de baraques préusinées, de constructions décrépites dont les murs chambranlants attendaient d'être rafistolés, le royaume du papier goudron. Rongé par le cancer du laisser-aller et du je-m'en-foutisme, il avait toujours été promis au désespoir. Il prenait assise sur une terre marécageuse, et les calamités s'étaient à ce point abattues sur lui qu'une pluie de grenouilles n'eût pas outre mesure étonné ses habitants.

Un moulin à papier avait à l'origine constitué la seule source de revenus du village. Mais depuis longtemps ce moulin avait dû fermer ses portes, la forêt ayant été grugée par les pluies acides charriées depuis les grandes cités industrielles américaines. La forêt ne nourrissait plus la communauté, elle était clairsemée ainsi qu'une tête chauve. Le gouvernement fédéral avait bien tenté de redonner espoir à la région: il avait, à coups de millions, tenté de recycler le village en base d'observation antimissile. En vain. Même les missiles soviétiques refusaient de venir s'ennuyer dans ce ciel navrant et désert, l'armée s'était finalement résolue à plier armes et bagages, abandonnant tout au plus quelques baraquements derrière elle.

Depuis, on ne vivait plus à Notre-Dame-du-Buton, tout au plus on y vivotait, de braconnage, mais surtout grâce à l'esprit d'entreprise du maire, Fred Saint-Georges.

Saint-Georges était un *self-made man* dans la pure tradition, une tête grouillante de projets tous aussi malhonnêtes qu'ambitieux; pour couper court, c'était un esprit véreux. Devant lui, il fallait plier ou il vous piétinait impitoyablement. Il avait su se bâtir une solide fortune. On le surnommait «l'homme qui achète vos vieux parents». Il avait monté un racket qui était devenu une entreprise florissante, pour ne pas dire une ignoble poule aux œufs d'or, un racket de vieillards. Il parcourait la province au volant de sa longue limousine noire afin de visiter les hospices, les centres d'accueil et les cités de retraités de seconde zone. Ces institutions ne demandaient pas mieux que de se débarrasser d'un trop-plein de pensionnaires. Usant d'une bonhomie qui mettait tout de suite en confiance, d'un physique rondouillard et jovial, il soudoyait les directeurs de ces institutions. Avec leur complicité, il organisait de vastes assemblées au cours desquelles il enjoignait aux retraités de venir s'établir dans sa municipalité de rêve. Il décriait l'engorgement des institutions gouvernementales, garantissait une qualité de vie sans pareille, s'engageait à faire construire pour chacun une adorable maisonnette, en plus de leur procurer les soins d'un chirurgien réputé. L'adorable maisonnette se révélait n'être qu'un tas de planches absolument temporaire; quant au chirurgien, c'était le Doc MacNicoll, un ivrogne sans conscience qui avait depuis longtemps perdu son droit de pratique. La verve de Saint-Georges était dangereusement persuasive: quelques naïfs se laissaient prendre à tous coups, apposant leur signature au bas d'un contrat qui léguait à Saint-Georges la totalité de leurs maigres économies. Une fois qu'ils avaient émigré à Notre-

Dame-du-Buton, ils ne tardaient pas à déchanter. La réalité était, hélas, définitive.

La municipalité de rêve de Fred Saint-Georges, c'était trois cents mètres d'une rue principale en terre battue, parcourus jour et nuit par des escadrilles de maringouins vampiriques, gorgés de sang, gros comme des taons. Sans compter les mouches à chevreuils qui allaient dévorer plus loin le morceau de chair qu'ils venaient de vous arracher. On se grattait au sang toute la nuit, on en grinçait des dents, il fallait changer son râtelier aux six mois pour cause d'usure. Plusieurs préféraient retirer une fois pour toutes leurs dentiers. La population autochtone se composait d'ivrognes et de sans-emploi, derniers descendants d'une courageuse race de pionniers. Durant la crise économique qui s'était abattue sur l'Amérique en 1929, des colons étaient arrivés ici armés d'un bel optimisme, croyant fuir la misère; le pays s'était montré ingrat, il les avait brisés sans pitié. La terre était stérile comme un carré d'asphalte; il n'y avait que deux saisons, l'hiver et le mois de juillet. Juillet d'une suffocante moiteur; quant à l'hiver, il était mort, blanc, sibérien. La population passait onze mois à écouter le vent siler entre les fenêtres, tressaillant la nuit au vacarme des clous qui éclataient de froid dans les murs. À la longue le vent rendait fou, c'est pourquoi on se soûlait comme nulle part au monde. Se soûler était devenu l'ultime préoccupation du village. À cause de ce vice généralisé, avec le temps on en était même venu à changer le nom du village: de Notre-Dame-du-Buton, celui-ci s'était peu à peu métamorphosé en Notre-Dame-du-Soûlon. Les gars s'enivraient à rouler par terre. On avait déjà vu de ces beuveries où, à court d'alcool, des types avaient terminé par de suicidaires rasades d'alcool à bois. Certains en étaient devenus aveugles, d'autres avaient dû êtres amputés. On faisait aussi l'amour mû par un même désespoir, pour tromper l'ennui. On ne pensait qu'à cela. La vie sociale était un chassé-croisé d'adultères, d'infidélités, de tromperies et de règlements de comptes. Maris et femmes, amants et maîtresses s'accrochaient l'un à l'autre sans plaisir, ils s'envoyaient en l'air puis, après leur brève échauffourée, allumaient une cigarette en s'écriant:

— V'là au moins cinq minutes de passées!

Les esprits de Notre-Dame-du-Soûlon s'échauffaient pour un rien. La population marchait sur des œufs, tout se réglait à coups de poing sur la gueule, dans la pure tradition du Far West mais avec un réalisme moins hollywoodien, plus cru, moins déformé par le romantisme. On frappait d'abord, pour s'expliquer ensuite. Les gars se tiraient dessus pour un oui pour un non, ils dormaient avec une Winchester enfouie sous l'oreiller, pataugeant dans des cauchemars éclaboussés d'une violence animale.

L'emplacement du village n'offrait rien de reluisant: à la limite d'une toundra semi-désertique, il était coincé entre deux montagnes au fond d'une cuve humide. Il donnait sur un lac vaseux qui faisait à peine une centaine de mètres. Ce lac était si endormant que des chasseurs américains de passage l'avaient surnommé Chloro Lake, ou lac Chloroforme. Ce nom lui était resté.

La route sinueuse qui ceinturait le lac était dans un état pitoyable, la municipalité ne l'entretenant pas. Elle la laissait ainsi pour la simple raison que ses nids-de-poule, ses bosses et ses affaissements servaient à ralentir les tacots ivres et fous qui s'y précipitaient. Car tous les gars du village possédaient un tacot bringuebalant. Et ils avaient inventé un sport national: au volant de leurs tacots déglingués, ils essayaient après la pluie d'écraser le plus grand nombre possible de crapauds sur la terre trempée du chemin. Ils conservaient ensuite les dépouilles des animaux, pour en faire le décompte une fois la semaine lors d'un grand concours. Des hordes de tacots zigzaguaient donc sur les routes au prix d'embardées spectaculaires causant des hécatombes. Depuis le temps que durait ce sport insensé, des générations de jeunes hommes, de poteaux téléphoniques et de batra-

15

ciens avaient été décapités. Mais il en aurait fallu beaucoup plus pour stopper l'esprit de compétition des gars du village.

Sur une des rives du lac s'entassaient les nombreuses maisonnettes que le maire Saint-Georges avait promises aux retraités venus s'établir au pays. Toutes possédaient une véranda grillagée. Pas de cheminée, que des tuyaux qui émergeaient de toitures plates et sans fantaisie. Entre les cabanes, des enchevêtrements de cordes à linge se disputaient un mince espace vital. Comptant économiser sur le terrain, le maire Saint-Georges avait fait tasser les cabanes au point que, de sa fenêtre, un rentier pouvait aisément, rien qu'à tendre le bras, s'introduire dans la cuisine du voisin.

Plus loin, à l'écart du lac, s'étendait ce que l'on appelait le centre-ville de Notre-Dame-du-Soûlon. Dans un désordre indescriptible, des maisons s'agglutinaient autour d'une église, d'un presbytère, d'une pompe à essence, d'une épicerie, d'un restaurant servant jour et nuit des hamburgers de viande d'orignal (des mooseburgers) et d'un hôtel appelé l'Hôtel-Taverne-Bordel. On ne connaissait à ce dernier d'autre nom, et ce nom indiquait sa fonction: il était le théâtre répété d'incroyables orgies.

Dans tout le village, une seule maison était en état de tenir debout; il s'agissait d'un cottage victorien en déclin de bois blanc, frais peint, aux corniches dentelées, qui dominait une rive du lac. L'escalier qui menait à sa véranda était le seul qui parût sûr à quelques kilomètres à la ronde. On ne pouvait pas manquer cette maison, de la route elle arrachait le regard, à cause d'un bardeau de cèdre poli cloué au-dessus de sa porte.

LE TIGRE, y était-il pyrogravé en caractères grossiers.

Le Tigre, c'était Irène Desmeules, une femme dont la réputation n'était plus à faire, celle-là même qui confisquait les salaires de tous les membres de sa famille. Malgré son grand âge, elle était considérée au village comme une autorité tyrannique, et tous la craignaient.

Son sang bouillonnait, elle cherchait sans cesse querelle à son entourage, passant ses journées assise dans sa berceuse, le canon de sa Winchester fiché entre les jambes. Elle ne laissait aucun étranger franchir sa porte ou s'approcher de sa maison, elle tirait à vue. Elle forçait ainsi les membres de sa famille à vivre repliés sur eux-mêmes, retirés du monde. Ceux-ci disaient qu'elle était une tortionnaire, et que vivre dans sa maison était comme vivre dans un camp de concentration. On ne l'appelait pas maman ou grand-maman, simplement Irène. Si elle avait un visage plutôt harmonieux, la nature l'avait toutefois accablée d'un corps puissant qui, avec l'âge, s'était davantage charpenté. Sa carrure était impressionnante, ses hanches s'enfonçaient de justesse dans le creux des fauteuils. Atteinte d'arthrose, elle boitait et s'aidait d'une canne, traînant péniblement une jambe malade derrière elle. Elle était disgracieuse et c'était là la source de ses tourments. Rien que de penser à son corps, elle n'en fermait pas l'œil de la nuit. Elle se serait damnée trois fois, elle se serait vendue à rabais, elle se serait jetée dans les feux brûlants de l'enfer simplement pour être née gracile. La recherche d'un corps harmonieux avait rempli toute sa vie. Dès l'âge de quinze ans, constatant avec amertume que son corps était baraqué comme celui d'un homme et qu'elle n'y pouvait rien changer, elle avait pensé acquérir un corps gracieux par personne interposée. Elle avait planifié de mettre au monde une enfant dotée d'une élégance qui lui ferait oublier son abominable carrure. Elle s'était tout de suite mise à la tâche et s'était fait expliquer par sa mère les mystères de la procréation. Puis, malgré son jeune âge, avec détermination, elle s'était lancée à la recherche d'un géniteur, c'est-à-dire d'un homme qu'elle voulait tout petit et délicat. Pas question de trouver un mari, un amant, ou un père pour son enfant, tout au plus lui fallait-il des spermatozoïdes, considérait-elle. Pendant plus d'une année, avec la ténacité d'un fin limier, elle avait fréquenté toutes les soirées, les beuveries et les épluchettes de blé d'Inde qu'avait tenues le village. À ces occasions elle avait traqué les jeunes mâles, classant ceux-ci d'après la finesse de leurs traits, la délicatesse de leurs attaches et la soumission de leur regard. Elle notait tout dans un carnet. Sa détermination avait fini par porter des fruits, elle avait trouvé l'étalon qu'elle cherchait. Elle avait jeté son dévolu sur Lucien, un jeune homme aux mains délicates, un jeune homme dont les hanches étroites rappelaient celles d'un toréador. Elle n'avait pas manqué de s'extasier devant son visage classique et bien découpé.

— Quels beaux spermatozoïdes! s'était-elle exclamée en le voyant.

Elle avait alors saisi la main de Lucien pour l'entraîner dans les toilettes. Une fois la porte refermée, elle avait retourné la lèvre supérieure de Lucien, cherchant à voir la qualité de sa dentition. Une bête de race se reconnaît à sa dentition, se disait-elle. Les dents de Lucien resplendissaient comme des rangs de perles; elle s'était donc empressée de le demander en mariage. Afin de l'appâter, elle lui avait fait miroiter l'assurance d'une vie confortable. En effet, Irène avait bon espoir de posséder un jour quelque fortune, car elle était l'enfant unique d'un géomètre réputé.

Lucien était tombé dans le panneau, lui qui était sans le sou et qui cherchait depuis un bon moment un lit confortable sous lequel glisser ses pantoufles; il avait accepté. Mais un sentiment de gêne l'avait submergé, le sang lui montant à la tête tel le mercure d'un thermomètre.

Voyant Lucien s'empourprer, Irène l'avait baptisé Lucien-le-Sanguin. Ce nom devait lui coller à la peau jusqu'à la fin de ses jours.

La cérémonie de mariage à peine terminée, Irène s'était employée à la procréation de l'enfant qu'elle désirait tant. Il n'y avait qu'un hic, elle avait horreur du sexe; rien qu'à la pensée qu'un homme puisse la prendre d'assaut, son cœur battait la chamade. Effrayée à l'idée de faire l'amour, elle avait d'abord fait languir Lucien.

Or Lucien était un chaud lapin. Au bout de quelques nuits, affamé, il avait écarté les draps pour lui montrer ses testicules, qui atteignaient la taille de deux pruneaux gorgés d'eau.

Irène s'était encore une fois refusée.

Le jour où les testicules de Lucien avaient atteint la grosseur de deux œufs, Irène avait songé à se donner, mais ce n'est vraiment que lorsque les organes avaient dépassé la taille de deux citrons prêts à éclater qu'en catastrophe elle s'était laissé faire. Elle avait toutefois pris soin d'avaler précédemment un somnifère afin de ne pas voir Lucien se jeter sur elle.

Lucien avait grimpé sur Irène comme on monte aux barricades, il lui avait fait l'amour avec emportement. Apercevant le tube de somnifères posé sur la table de nuit, il avait toutefois fait son deuil de ce qu'il avait espéré être un échange de corps, un échange de plaisir avec sa femme. Sans demander d'explications, il avait fait l'amour à une Irène abrutie. En ce temps-là, on ne parlait pas de ces choses, on les subissait.

Au bout de quelques semaines, Irène était enceinte.

À l'annonce de cette nouvelle, elle avait aussitôt chassé Lucien de son lit. Comme on balaie des miettes d'un drap du revers de la main, elle lui avait demandé d'aller coucher dans la cave. Considérant que Lucien avait fait son devoir d'étalon, elle estimait qu'il n'avait plus sa place auprès d'elle. Elle ne lui avait pas intimé l'ordre de descendre d'une façon directe et cavalière, mais plutôt à coups de doubles messages finement envoyés. Elle avait commencé par lui suggérer:

— Lucien, tu salis mon plancher. Va travailler ton bois à la cave.

Puis avaient vite succédé les:

— T'en as de la chance de pouvoir descendre. Moi... avec mon ventre énorme, je peux à peine voir les marches.

Quand ce n'était pas:

— Pourquoi ne fais-tu pas ta sieste en bas? L'air y est plus frais.

Et finalement:

— Couche donc là.

Lucien s'était soumis à l'incompréhensible volonté d'Irène, il avait rempli quelques boîtes d'effets personnels, puis les avait descendues à la cave.

La cave étant à cette époque un insalubre réduit en terre battue, il s'était vu dans l'obligation de l'aménager. Il y avait entrepris de vastes travaux, avait installé lui-même l'électricité, la plomberie, coulé un plancher en béton, recouvert les murs de pierre de laine minérale et de feuilles de contre-plaqué, puis appliqué quelques généreuses couches de peinture. Afin de chauffer l'endroit, il y avait fait descendre un petit poêle à bois.

Les travaux avaient duré plusieurs mois, ce qui avait permis à Irène de mener sa grossesse à terme sans être incommodée par la présence de Lucien.

Le jour de l'accouchement, Irène n'avait cessé de prier le ciel afin qu'il lui envoie une fille gracile et menue. Le ciel était malheureusement resté sourd à ses prières: elle avait accouché d'une fillette dont la charpente lui rappelait en tous points la sienne. Rien qu'à regarder, on constatait la ressemblance, l'enfant était affligée des mêmes attaches, poignets solides, doigts larges et boudinés, épaules carrées, chevilles lourdes.

— Christ! Qu'est-ce que c'est ça? s'était écriée Irène.

En plus, l'enfant semblait lente d'esprit et de mouvements. Irène s'était empressée de s'en débarrasser, elle l'avait appelée Margot, à cause de la consonance avec le mot escargot, puis l'avait confiée à une voisine, rémunérant grassement celle-ci afin qu'elle l'emporte hors de sa vue.

Margot ne devait plus remettre les pieds dans la maison d'Irène avant les premiers jours de son adolescence.

Bien qu'elle fût la proie d'une profonde amertume, Irène ne s'était pas tenue pour battue; dès le lendemain elle s'était remise à la tâche, comptant donner naissance à une autre enfant. Elle avait replacé son tube de somnifères bien en vue sur sa table de nuit, puis avait rappelé l'étalon et le concours de ses précieux spermatozoïdes.

— Lucien! Remonte coucher en haut. Une cave, c'est malsain, s'était-elle écriée à travers les lattes du plancher.

Évidemment qu'une cave, c'est malsain. Il était toutefois un peu tard pour y penser; Lucien était remonté perclus d'arthrite, le dos recourbé comme un manche de parapluie. Car en plus de l'humidité qui régnait dans la cave, le plafond mesurait un mètre soixante, tandis que Lucien faisait un mètre quatre-vingts. À force de se cogner contre les solives du plafond, Lucien avait le crâne cabossé comme un vieux pot de chambre, couvert d'ecchymoses et de sparadraps. Sur l'ordre d'Irène, Lucien était donc remonté dormir auprès d'elle. Il ne s'était pas fait prier longtemps pour la prendre d'assaut, soumis depuis des mois à une abstinence des plus éprouvantes. Il s'était jeté sur elle comme la misère sur le pauvre monde. Il croyait avoir réintégré pour toujours les bonnes grâces d'Irène quand, un beau matin, celle-ci avait de nouveau annoncé qu'elle était enceinte.

— Lucien, tu peux redescendre à la cave. Après tout, en bas ce n'est pas si humide que ça.

Et de nouveau Lucien s'était conformé à la volonté d'Irène, il avait gagné la cave, remportant ses quelques boîtes d'effets personnels.

Cette fois, Irène avait passé les neuf mois de sa grossesse à parcourir des magazines de mode pour enfants, s'emplissant les yeux d'images de fillettes élégamment vêtues, avec la conviction que le ciel lui accorderait la faveur d'un poupon délicat et bien proportionné. Elle désirait à ce point cette fillette que, dans l'espoir de conjurer le sort, elle avait été jusqu'à la baptiser d'avance. Elle l'appellerait Mignonne. Elle se montrait certaine du résultat de l'accouchement, affirmant déjà à ses voisines qu'elle donnerait bientôt le jour à la plus ravissante petite fille que Notre-Dame-du-Soûlon eût contemplée. Hélas, trois fois hélas! Elle avait malgré cela accouché d'une fillette baraquée au tempérament brusque et volontaire.

Cette fois, elle n'avait pas pu surmonter sa déception; ce coup du sort l'avait littéralement démolie. Victime d'une dépression nerveuse, elle s'était retranchée dans sa chambre où elle avait vécu en recluse une année entière. Lucien-le-Sanguin se chargeait de la nourrir, déposant des plateaux sur le pas de sa porte: soupe à l'orge, rôti de porc, patates rissolées, graisse de rôti ou œufs sur le plat, une nourriture à l'image d'Irène, lourde et consistante.

Irène avait finalement consenti à sortir de sa retraite, mais avec la décision de ne plus jamais enfanter. Cependant, elle désirait toujours autant cette enfant menue dont elle avait rêvé. Seulement, elle comptait maintenant en confier la maternité à quelqu'un d'autre, en l'occurrence sa fille Margot. Elle se fit le serment que dès que sa fille aînée parviendrait à l'âge adulte, elle la mettrait dans le coup de la fillette gracile et la ferait accoucher à sa place. Elle se promettait déjà de trouver elle-même les précieux spermatozoïdes.

Irène avait donc dû faire preuve de patience et attendre que Margot atteigne sa majorité. Elle avait à l'œil tous les jeunes garçons de Notre-Dame-du-Soûlon, dont elle observait de près la croissance. Elle les considérait déjà comme des étalons potentiels chargés d'ensemencer sa fille. Avant même que Margot ait atteint l'âge adulte, elle avait trouvé le procréateur idéal. Il s'appelait Fridolin et possédait toutes les qualités requises: non seulement une taille de guêpe, mais encore un nez à peine plus important qu'une arachide et une voix de crécelle située quelque part entre le sifflet du soprano et le falsetto du ténor. Il souffrait de rachitisme; vêtu d'un maillot de bain, on aurait pu suivre un véritable cours d'anatomie sur son ossature et sur ses veines apparentes. Le jour des vingt et un ans de Margot, Irène avait invité chez elle toute la population de Notre-Dame-du-Soûlon, sous le prétexte d'une épluchette de blé d'Inde monstre. Fridolin s'était présenté. Irène avait d'abord laissé couler l'alcool à profusion puis, une fois tout le monde enivré, elle avait entraîné Fridolin à l'écart. Estimant qu'il ne lui restait plus qu'à vérifier un détail d'importance, elle l'avait jeté sur son lit et avait enfourché son organe dressé, pour en constater les dimensions et l'efficacité. Elle l'avait carrément violé. Après s'être assurée que sa fille avait toutes les chances de recevoir la précieuse semence, elle s'était déclarée satisfaite; elle avait poussé Margot et Fridolin dans les bras l'un de l'autre, puis avait proclamé la date de leurs fiançailles.

Quelques semaines plus tard, le ventre de Margot s'était mis à gonfler avec la régularité d'un pain de ménage.

Mais le ciel allait punir Irène d'avoir forcé le cours naturel des choses, car au terme de sa grossesse Margot avait donné naissance à un garçon de trois kilos.

Un garçon! Mais qu'est-ce qu'Irène avait à foutre d'un garçon? Elle était hors d'elle-même. La fureur l'aveuglait. Un garçon! Un autre mâle qui venait grossir le troupeau d'étalons de Notre-Dame-du-Soûlon. Un autre mâle qu'elle devrait ensuite mettre à sa main. Elle fustigeait le ciel. Nom de Dieu! Christ de Christ! Elle avait pourtant demandé une fille! Comment se faisait-il qu'elle se ramassait avec un garçon? Elle s'était alors insurgée contre Dieu le Père lui-même; levant un poing vengeur vers le ciel, elle lui avait hurlé:

— Je te réserve un chien de ma chienne, toi!

Puis elle avait déchargé sa Winchester sur le crucifix de sa chambre.

Ensuite elle était montée à la chambre de Margot, fonçant sur le lit de sa fille tel un paquèbot fou. Sans laisser à Margot le temps de se remettre de ses couches, elle l'avait alors pressée d'enfanter à nouveau.

— Et hop, ma fille! On remet ça. Et cette fois ne t'avise pas de manquer ton coup.

Quelques semaines plus tard, Margot et Fridolin se remettaient à la tâche. Les assauts de Fridolin devaient finalement porter leurs fruits: après une période de neuf mois, jour pour jour, Margot avait mis au monde un autre enfant. Cette fois, Irène avait flambé de joie: c'était une fillette, un poupon minuscule né prématurément. Irène avait remercié le ciel, se raccordant avec Dieu le Père.

— Oublie mes menaces, toi! l'avait-elle prié sur un ton plus conciliant.

Puis elle s'était précipitée sur l'enfant, l'arrachant des bras de Margot, la faisant sienne pour toujours, la considérant désormais comme sa chose.

Une vingtaine d'années s'étaient écoulées depuis, l'enfant était devenue une femme, mais Irène la considérait toujours comme une enfant, comme «sa chose». Elle l'appelait La Petite, ne lui ayant jamais donné d'autre nom.

Or la naissance prématurée de La Petite n'avait été qu'une manœuvre du ciel pour faire oublier qu'une autre femme baraquée était née dans la famille. Avec les années, La Petite était devenue un véritable phénomène de cirque, elle avait acquis la puissante carrure d'un footballeur. Elle pesait maintenant plus de soixante-quinze kilos, ses jambes massives rappelaient la circonférence de colonnes doriques, ses bras noueux faisaient penser à ceux d'un quart-arrière. Elle chaussait du dix et demi. Son front était large et buté comme celui d'un taurillon, une barbe noire poussait dru sur ses joues; dotée d'une musculature d'athlète ouest-allemande soufflée aux anabolisants, elle avait une force qui aurait pu infliger une solide raclée à n'importe quel truand de Notre-Dame-du-Soûlon.

Mais malgré l'aspect physique de La Petite, Irène persistait à la considérer comme une petite fille. Elle s'acharnait à prouver qu'elle était demeurée la délicate enfant qu'elle avait été dans sa prime jeunesse. Et le premier qui eût osé prétendre le contraire aurait risqué une mortelle décharge de Winchester au milieu du front. Sur ce sujet, Irène ne souffrait pas les plaisanteries, on se le tenait pour dit. Afin de garder La Petite près d'elle, c'est-à-dire sous sa totale dépendance, Irène ne lui avait jamais appris à parler. La Petite s'exprimait par des grognements, des coups de poing sur la table, des coups de coude qui vous broyaient les côtes, ou par des éructations qui laissaient ses interlocuteurs stupéfaits. Irène forçait aussi La Petite à revêtir une ridicule robe d'enfant, un vêtement orné de dentelles, de style Shirley Temple, confectionné expressément pour elle. Le vêtement était grotesque, il s'arrêtait à mi-cuisses, exposant la musculature de La Petite, taillée à même le roc. Et La Petite profitait sans cesse, elle faisait constamment sauter les coutures de sa robe. Irène reprenait le vêtement, l'agrandissait avec une minutie de microchirurgienne, travaillant la nuit afin que ça ne se voie pas. Elle ajoutait du tissu, consolidait les coutures, espaçait les boutons... et prétendait que La Petite portait toujours le vêtement original. La Petite n'a pas grandi, tout au plus a-t-elle forci, soutenait-elle.

Nul n'aurait osé contredire cette affirmation péremptoire, surtout sous la menace d'une Winchester laissée bien en vue sur la table de cuisine.

Si La Petite ne se montrait pas récalcitrante aux traitements que lui infligeait Irène, c'est que celle-ci la bourrait de tranquillisants. Elle lui faisait ingurgiter une Valium de 2,5 milligrammes toutes les quatre heures. La Petite était complètement abrutie. Irène était arrivée à cette solution expéditive depuis qu'un jour, sans qu'on en connût la raison, La Petite avait refusé qu'on la mette au lit de bonne heure, c'est-à-dire à l'heure des petites filles, comme l'avait décrété Irène. Cette dernière avait alors reçu au menton une pluie de coups de poing propres à assommer un bœuf. Depuis, Irène préférait s'en remettre aux tranquillisants.

La mise au lit de La Petite se déroulait chaque soir selon un cérémonial bien précis. Au souper, Irène faisait absorber à La Petite une forte dose de tranquillisants dissous dans son potage. Quelques minutes à peine, quelques cuillerées vite absorbées, et La Petite s'écroulait, le nez au fond de son bol. Vu son poids, on ne parvenait plus depuis longtemps à la porter jusqu'à son lit, à l'étage. On s'y prenait donc autrement. Lucien-le-Sanguin, Fridolin et Potter* (le fils de Margot) ouvraient une trappe pratiquée dans le plafond de la cuisine, puis déplaçaient la table. Ils sanglaient La Petite et, à l'aide d'un système de cordages et de poulies, la hissaient là-haut. La manœuvre se déroulait dans un grincement de trois-mâts fantôme qui hisse ses voiles. Irène veillait à ce qu'on n'oublie pas le cran de sûreté, qui avait pour but d'empêcher La Petite de s'écraser par terre si jamais on laissait malencontreusement échapper un cordage. Chaque soir, c'était la même chose: dans un premier temps on tirait comme des forçats afin de hisser le corps, puis on immobilisait celui-ci à la hauteur du plafonnier afin de souffler un peu; on enclenchait alors le cran de sûreté, laissant La Petite se balancer au bout de sa corde comme dans une valse du pendu. On s'épongeait le front, on avalait une rasade de whisky local (tord-boyaux de cassonade et de pommes de terre fermentées), puis on s'y remettait, empoignant les cordages avec encore plus de vigueur. La Petite disparaissait finalement dans le terrifiant trou noir du plafond. Passé le trou, c'était l'affaire d'Irène. Celle-ci montait à l'étage, tirait un lit à roulettes sous La Petite, puis déclenchait le cran d'arrêt. La charge tombait lourdement dans un fracas de ressorts suppliciés qui déchirait le silence.

Ce soir encore, on avait ainsi mis La Petite au lit. Une paix précaire régnait sur la maison.

Irène profitait de ce moment de répit en se berçant sur la véranda. Appuyée sur sa Winchester posée en travers des accoudoirs de sa chaise, elle contemplait le lac monotone, pour une fois insensible à l'effet soporifique de ses eaux dormantes. Elle était étreinte par un sentiment d'angoisse: depuis peu, des comportements étranges étaient apparus chez La Petite, elle manifestait une irascibilité grandissante. Les tranquillisants y étaient-

---

* Prononcer Putter, à l'américaine, comme le bâton de golf.

ils pour quelque chose? s'interrogeait Irène. Son angoisse croissait au rythme accéléré de sa berceuse qui filait à l'étourdissante vitesse de trois balancements à la seconde. Elle lançait parfois un regard méprisant à sa fille Margot, assise au bout du quai sur pilotis en face de la maison. Elle lui déchargeait alors des tirs de haine dans le dos, n'arrivant pas à croire qu'elle-même eût pu mettre au monde un monstre aussi disgracieux. Par tous les saints du ciel, que sa fille était massive! s'indignait-elle. Elle n'éprouvait ni respect ni amour pour elle, elle la considérait tout juste comme une esclave souffre-douleur chargée de torcher ses merdes.

Margot trempait ses pieds dans l'eau. C'était une femme de quarante ans de nature placide et soumise. Comme à un cheval de trait on lui disait «va à droite», et elle allait à droite sans se poser de questions. Son corps gras et flasque se répandait comme un camembert laissé au soleil.

Elle était à ce moment parvenue à oublier la terrible présence de sa mère, son attention s'étant portée ailleurs: le ciel s'assombrissait, une tempête se dessinait à l'horizon. Au-dessus du village, des nuages gorgés de noir s'apprêtaient à étrangler le clocher de l'église, le plafond était bas, l'humidité pesante. On avait du mal à respirer. Les éléments meurtriers allaient bientôt se déchaîner, le ciel allait de nouveau cracher sa fureur. Notre-Dame-du-Soûlon était reconnue pour subir des ouragans dévastateurs qui broyaient les nerfs en moins de deux; la foudre exacerbée se concentrait alors au-dessus de la vallée, elle matraquait la cuvette, y déversant ses trombes d'eau. Des vents contraires s'y engouffraient pour fouetter le village au sang, des massifs d'arbres étaient abattus, la gorge tranchée, les toits des maisonnettes étaient éventrés, les ruisseaux se gonflaient de crues qui emportaient la route. Les tacots garés en permanence devant l'Hôtel-Taverne-Bordel étaient arrachés de terre et s'empilaient en un amas de tôles tordues. Il fallait éviter de mettre le nez dehors, des pluies de débris volaient au ras du sol, des panneaux de contre-plaqué fauchaient les têtes tels des rasoirs. Le temps que durait le cataclysme, il fallait s'encabaner. Les gens priaient alors. Ou ils buvaient. Ou ils baisaient, leurs ébats épousant la brutalité des éléments. Si le toit de leur cambuse était emporté pendant qu'ils forniquaient, eh bien c'était tant pis pour eux, à la grâce de Dieu, l'enfer les happait tout nus.

À la vue de l'orage qui grondait, Margot décida de regagner la maison. Elle leva péniblement son corps chargé de graisse puis se dirigea vers la véranda. D'un instant à l'autre, Notre-Dame-du-Soûlon allait y goûter, se disait-elle. Au loin des meutes de chiens-loups hurlaient à la mort, annonçant un désastre prochain. Les murs de la maison allaient-ils résister au déferlement?

Margot escalada l'escalier qui menait à la véranda, puis se heurta à sa mère qui s'y berçait.

Irène dardait sur elle son regard méprisant.

Margot croisa Irène, franchit la porte puis, entendant Irène se lever et la suivre à l'intérieur, se dit qu'encore une fois, victime et bourreau dormiraient sous le même toit.

Chapitre 2

Des vents d'une rare intensité s'étaient levés, soufflant avec démence. Ils secouaient, tordaient, torturaient
le faîte des arbres autour de la maison.

Irène fermait les fenêtres à guillotine du rez-de-chaussée, elle les faisait claquer à tour de rôle. Soudain elle
aperçut son mari.

Lucien-le-Sanguin surgissait d'un large trou pratiqué
au milieu du jardin.

— Tu parles d'un temps pour sortir! s'empressa-t-elle
de l'interpeller.

Ce trou constituait l'unique voie d'accès à la cave de
Lucien. Irène avait depuis longtemps fait condamner
l'escalier qui reliait la cave au rez-de-chaussée; Lucien
s'était vu dans l'obligation de percer cette entrée. Il y
était arrivé au prix d'incroyables efforts. À coups de
pioche, il avait d'abord défoncé les fondations de pierre
de la maison, puis s'était mis à creuser devant lui. Par un
mauvais coup du sort, les obstacles s'étaient multipliés
sur sa route: tour à tour il était tombé sur une fosse sep-
tique, un ruisseau souterrain et finalement l'ancien cimetière des Attisawins convertis, ces Indiens nobles et pa-
cifiques qu'on avait expédiés plus au nord après les avoir
payés d'un simple coup de pied au cul cinquante ans
plus tôt. Une voie d'accès avait finalement vu le jour, mais
sous la forme d'un interminable serpent de tunnel qui
jaillissait à plus de vingt mètres de la maison.

Lucien rabattait sur l'ouverture du tunnel un lourd panneau de fer rongé par la rouille, couvercle qui faisait songer à un panneau d'écoutille de sous-marin. Il avait bourré celui-ci de boulettes de plomb, le rendant quasi insoulevable, dans le but de décourager les indésirables qui auraient pu vouloir s'introduire chez lui.

À vivre toutes ces années à la cave, Lucien s'était voûté, son cou se cassait, sa tête ployait, entraînée dans un dramatique plongeon vers l'avant. L'arthrite avait fait son œuvre; son regard allait se jeter sur la pointe de ses souliers. Ses jambes étaient arquées, on eût dit des jambes de cow-boy déformées par des années de chevauchées fantastiques. Il portait un vieux panama troué, il mâchonnait un cigare qu'il broyait entre ses dents. Ce cigare ne s'éteignait jamais, il le renouvelait sans cesse.

Des trombes d'eau tombaient du ciel.

— Effrayant! Jésus, protégez-nous! marmonna Lucien.

Bien qu'il en eût vu d'autres, il sentait monter en lui un réel sentiment de terreur: encore une fois le ciel agitait sur Notre-Dame-du-Soûlon le spectre d'une fin du monde prochaine. La tempête s'ouvrait les veines sur le village, des torrents d'eau sarclaient le sol, le niveau du lac grimpait à vue d'œil. Sans avertissement, dans un fracas épouvantable, la foudre tomba à quelques mètres de lui. Blessée à mort, la terre frémit.

Le vent croissait de seconde en seconde, des rafales d'une rare violence s'apprêtaient à tout emporter. On avait déjà vu des tourbillons arracher des maisons entières pour les précipiter sauvagement au milieu du lac. La maison d'Irène n'était pas à l'abri de ce danger. Aussi, comme lors de chaque tempête, Lucien entreprit d'attacher la maison à l'énorme rocher qui la jouxtait. Il s'engouffra sous la véranda et en ressortit en tirant une lourde chaîne en fonte derrière lui. Chaque maillon faisait quelques centimètres de diamètre, la chaîne aurait pu retenir à quai un transatlantique. Lucien tirait avec l'énergie du désespoir. Afin qu'elle ne rouille pas, il rentrait celle-ci après chaque tempête, il l'enroulait après l'avoir soigneusement nettoyée et huilée. Malgré les bourrasques qui lui fouettaient le visage, il parvint à l'attacher autour de la maison, solidement retenue au rocher.

Autour, des débris de toutes sortes sillonnaient l'air, une chaise de jardin, un piquet de clôture, quelques assiettes faillirent assommer Lucien. Des cris déchirants retentissaient un peu partout dans la tourmente, des appels au secours, des suppliques désespérées, des noms de disparus qu'on cherchait déjà à tirer des décombres. Lucien escalada en quatrième vitesse l'escalier qui menait à la véranda, puis se précipita à l'intérieur de la maison. Une fois la porte refermée sur lui, il s'appuya contre elle.

— Trou à rats! grogna-t-il.

Malgré son âge avancé, il se promettait de quitter un jour ce pays maudit. Il était trempé jusqu'à l'os, on aurait pu le mettre à sécher sur une corde.

Considérant la boue collée à ses semelles, il essuya longuement ses bottes sur le paillasson de l'entrée.

La voix d'Irène retentit alors:

— Lucien, arrête! Tu vas passer à travers la carpette.

Lucien préféra retirer ses bottes plutôt que d'affronter sa femme. Il savait qu'elle n'était pas d'humeur à plaisanter, qu'à la moindre contrariété elle l'accablerait de reproches, en profiterait pour le reléguer à la cave. Lucien gagna le salon.

Avec la chambre d'Irène, la salle de bains et la cuisine, cette pièce complétait le rez-de-chaussée. C'était un bric-à-brac de meubles victoriens défraîchis qu'Irène avait reçus en héritage de son père: quelques tables d'appoint au vernis écaillé, un canapé chambranlant, deux fauteuils crevés et une chaise en rotin.

Lucien fit son chemin jusqu'à la chaise en rotin et s'y laissa tomber. Il retira son panama trempé.

Il s'apprêtait à le déposer sur l'abat-jour d'une lampe afin de le mettre à sécher, quand Irène amputa son geste.

— Tu vas finir par mettre le feu!

Docile, Lucien ramena son panama sur ses genoux.

Il ralluma le moignon de son cigare, mais dut gratter plusieurs allumettes d'affilée car le tabac humide grésillait sans prendre feu.

— T'allumes ou t'allumes pas? s'impatienta Irène.

Un assourdissant roulement coupa Irène. On eût dit que Belzébuth lui-même venait de laisser tomber un chargement de cadavres sur la pente du toit.

Irène pestait que la foudre était par trop bruyante, qu'elle risquait de réveiller La Petite. Sans attendre, appuyant chacun de ses pas boitillants sur sa Winchester, elle se rendit à la commode de sa chambre. Elle fit glisser le dernier tiroir du meuble et déterra une bouteille d'alcool à friction qu'elle y cachait sous une pile de corsets fatigués. Cette bouteille contenait de l'eau bénite. Irène trempa son doigt dans le goulot. Puis elle se mit à tracer des croix sur chaque carreau, dans toutes les fenêtres du rez-de-chaussée. Sa mère avait toujours prétendu qu'il s'agissait là d'un moyen efficace pour contrer les fureurs du ciel. Irène constata vite que la tempête ne lui obéissait pas; bien au contraire, elle redoublait de violence.

À l'arrière de la maison, contre le mur extérieur, un cèdre se frappait obstinément la tête, les coups saccadés résonnaient comme le tam-tam régulier d'un obsédant battement de cœur.

— Monte voir si La Petite dort toujours, ordonna Irène à sa fille Margot.

Margot était à la cuisine, occupée à dévorer un sandwich au rôti de porc. Elle abandonna à contrecœur son sandwich puis se dirigea vers l'escalier. Elle avait toujours considéré celui-ci comme son ennemi mortel. En effet, il grimpait en pente raide, les marches étaient si étroites qu'elle devait les escalader de côté, avec l'impression d'être un éléphant malhabile gravissant son escabeau de cirque. Torturé, le bois des marches gémit sous son poids, de sinistres craquements se répercu-

tèrent à travers la maison. Un sentiment de honte accablait Margot. Elle ne pouvait s'empêcher de penser qu'en
ce moment sa mère tournait secrètement son poids en
dérision. Et comme chaque fois qu'elle gravissait l'escalier, une obsession lui martelait la tête: à sa mort, elle
refuserait qu'on l'enterre, elle exigerait d'être incinérée.
Car rien que d'imaginer les croque-morts des pompes fu-
nèbres lever péniblement son cercueil, rien que de les
imaginer jurant, suant à grosses gouttes dans l'allée centrale de l'église, elle aurait voulu s'enfoncer six pieds
sous terre. Elle prenait déjà plaisir à l'idée des flammes
du crématorium dévorant ses graisses, elle croyait entendre le gras crépiter au fond du cercueil comme du
lard dans la poêle quand, parvenue à l'étage, elle pénétra dans un four. Afin que La Petite ne subisse pas de
courant d'air, Irène avait tenu les fenêtres fermées toute
la soirée; un soleil de plomb avait brûlé le toit de tôle
une partie de la journée, il régnait dans la chambre une
humidité et une chaleur tropicales; l'endroit était irrespirable.

Margot suffoquait. Elle allait ouvrir une fenêtre
quand elle entendit la voix d'Irène bondir du rez-de-
chaussée et précéder son geste. Irène avait deviné son
intention.

— N'ouvre pas, c'est dangereux.

Par crainte d'éveiller La Petite, Irène avait chuchoté.
Mais ses chuchotement avaient retenti comme des cris.

La tempête se montra à cet instant l'ignoble complice
d'Irène; comme pour confirmer les craintes de celle-ci,
elle dégueula un coup de tonnerre dont les chapelets de
détonations ébranlèrent jusqu'à la charpente du toit. Le
sol sembla s'entrouvrir pour engouffrer la maison.

Les entrailles nouées par la peur, Margot s'appuya au
chambranle de la porte qui menait à la chambre de La
Petite. Noyée dans l'obscurité menaçante, elle haletait et
commençait à paniquer: elle se trouverait bientôt à court
d'oxygène, croyait-elle. Des bouffées de chaleur lui montaient à la tête et inondaient son front.

Un éclair déchira l'obscurité de la chambre et illumina la silhouette fantomatique de La Petite étendue sur son lit. Elle ronflait bruyamment, la bouche grande ouverte; sa mâchoire inférieure décrochée rappelait la gueule béante d'un anaconda qui enfourne vivante sa proie. Elle aspirait l'air en grognant et le repoussait dans un sifflement de cocotte-minute. Encore abruti par les somnifères, son corps était resté affalé dans la position où il était tombé, c'est-à-dire en travers du matelas. On eût dit un sac de riz qu'on avait jeté là. Scrutant l'obscurité, les yeux de Margot s'habituaient maintenant à l'opacité de la nuit. Ils s'attardaient sur le spectacle sordide de La Petite étendue sur son lit. Margot ne reconnaissait plus l'enfant à qui elle avait donné le jour. Mais quelle sorte de créature La Petite était-elle donc devenue? Irène la lui avait arrachée des bras il y a si longtemps qu'elle n'arrivait plus à la considérer comme sa fille. À cause des traitements que lui infligeait Irène, Margot craignait que La Petite ne sombre bientôt dans un état de déséquilibre mental. Pathétique, La Petite gémissait dans son lit, elle se recroquevillait maintenant sur elle-même telle une enfant affligée. Elle se débattait dans ses cauchemars, cherchait à se libérer d'un *baby doll* trop étroit pour elle. Les boudins de sa chevelure s'étaient affaissés, de longues coulées de rimmel dégoulinaient sur ses joues, comme des rivières de sang jaillies de la profondeur de ses yeux.

La foudre crépita de nouveau en un chapelet de détonations.

— Je crois que c'est tombé chez le Doc MacNicoll, chuchota Irène du bas de l'escalier.

— Il peut bien crever celui-là, marmonna secrètement Margot.

Margot considérait le Doc MacNicoll comme le pire fléau qu'ait connu l'humanité. C'était un alcoolique qu'une peau grêlée, des cheveux huileux et des vêtements défraîchis rendaient absolument repoussant. Le Doc sifflait allègrement un quarante onces de gin par jour; une étourdissante haleine d'alcool le précédait toujours. Le Collège des médecins lui avait retiré son droit de pratique après avoir prouvé qu'il traitait en état d'ébriété ses patients. Brûlé par l'alcool, il ne pouvait exercer sa profession nulle part, il s'était donc ramassé à Notre-Dame-du-Soûlon, poubelle de la société où l'on acceptait sans discernement les déchets humains, d'où qu'ils viennent.

— Se laisser toucher par MacNicoll, affirmait Lucien-le-Sanguin, c'est léguer son corps à la science.

C'est le maire Saint-Georges qui avait déniché l'oiseau rare. Bien qu'il eût embauché le Doc en tant que médecin-chirurgien, il lui avait assigné une tout autre tâche, celle de mater l'esprit de révolte et la colère qui grondaient parmi la population de retraités. En effet, dès les premiers jours après leur arrivée, les retraités voulaient fuir ce trou minable et retourner à la civilisation.

— Arrange-toi comme tu veux, mais ils ne doivent pas quitter Notre-Dame-du-Soûlon, avait ordonné Saint-Georges.

Le Doc s'employait donc à cette mission de retenir les rentiers au village. Sans s'encombrer de moralité, il avait pris les grands moyens. Les retraités venaient chez lui à leur arrivée, il s'empressait de les assommer à coups de médicaments. Diabolique, il avait mis au point un élixir que tous appelaient «le cocktail du Doc MacNicoll», composé d'un anxiolytique, d'un analgésique et d'un euphorisant, dilués dans quelques onces de Sherry. L'accoutumance était immédiate, surtout chez ceux qui étaient d'une nature angoissée. Le Doc administrait ce cocktail à tout venant, que ce fût pour traiter les cas de névralgie, les fractures, les engelures, les piqûres de moustiques ou les durillons. Les patients ressortaient de son cabinet «gelés» comme des balles, convaincus qu'un nouveau Schweitzer de la médecine s'était installé à Notre-Dame-du-Soûlon. Plus personne ne voulait quitter le village, on ne parvenait plus à se passer de ce cocktail, on en redemandait, on ne savait plus que faire pour en recevoir. Certains allaient jusqu'à se mutiler dans le but de se faire administrer une dose. On voyait des gens se précipiter du toit de leur maisonnette afin de se fracturer une jambe. D'autres, au beau milieu de l'hiver, alors qu'il gelait à pierre fendre, n'hésitaient pas à dormir avec une fenêtre ouverte, les bras tendus hors des couvertures, espérant ainsi se retrouver avec une engelure. Avec les années, les éclopés s'étaient multipliés, on ne pouvait plus circuler dans les rues du village sans ressentir l'impression trouble d'arpenter les couloirs d'un hôpital ou d'être soi-même branché aux soins intensifs.

Margot fut soudain tirée de sa rêverie par le grognement d'un moteur. Elle contourna le lit de La Petite et fit son chemin jusqu'à la fenêtre. Malgré les furieuses bourrasques, elle réussit à apercevoir les phares d'un camion. Le véhicule luttait contre la tempête. Il frôla la maison puis se pressa de filer.

— Le Doc, conclut Margot.

Bien qu'elle fût étonnée de voir passer le véhicule par un temps pareil, elle sut tout de suite de quoi il retournait: le Doc descendait à la ville. Encore une fois il dirait que, privé de compagne pendant des mois, il «allait aux femmes». Certains «allaient aux fraises», d'autres «aux framboises», lui prétendait qu'il «allait aux femmes». Effectivement le Doc se rendait à la ville, seulement son voyage cachait un tout autre but. Avec l'approbation tacite du maire, il avait à son tour décidé de s'enrichir et s'était constitué un réseau de braconnage qui rapportait gros. Le poids lourd que Margot avait vu transportait de la viande de caribou. Des tonnes de caribou. Plus précisément, des pénis de caribou congelés, qui servaient à la fabrication d'un aphrodisiaque fort prisé des Orientaux; ils étaient destinés à un petit laboratoire de transformation œuvrant sous le couvert d'une société d'exportation, la Kam Fung Import-Export de Montréal. Ils allaient bientôt être broyés en une poudre brune et âcre. La production totale de ce laboratoire était destinée à des trafiquants de Hong Kong. Sur le marché le prix de cette poudre pouvait atteindre des sommes faramineuses. Les organes étaient braconnés par les Indiens de la réserve voisine. Le Doc avait réussi à les convaincre que chaque année, lors des grandes migrations de caribous, une mine d'or leur filait entre les doigts. Les Attisawins s'étaient donc lancés dans un braconnage intensif: lors des migrations saisonnières, ils s'installaient à proximité des points d'eau de la rivière aux Outardes, au nord du 52e parallèle, où, cachés derrière les bosquets et armés de longues perches au bout desquelles étaient fixées des lames effilées, ils attendaient que déferlent les troupeaux. Ils brandissaient alors leurs perches et les glissaient entre les pattes arrière des caribous mâles. Les lames sifflaient sournoisement, sectionnaient les organes avec la précision de bistouris. Rapides et sans pitié, elles tranchaient au vol pendant que les bêtes castrées meuglaient, une douleur incandescente au bas-ventre. Afin d'éviter que les organes ne soient piétinés, les Indiennes les attrapaient au vol à l'aide de passoires elles aussi fixées à l'extrémité de longues perches. En complète débandade, le troupeau fuyait, abandonnant sur le terrain l'assurance de sa progéniture.

Ce massacre durait depuis dix ans.

Margot avait toujours été outrée par la nature de ce commerce, car les hordes de caribous étaient peu à peu décimées.

Margot regarda le camion du Doc disparaître dans la tempête.

Elle dut ramener les mains à ses oreilles car les gouttes d'eau retentissaient sur le toit de tôle comme des millions de clous. Autour de la maison, des chiens-loups attirés par l'odeur des poubelles se déchiraient quelques maigres prises avec des hurlements sauvages. De la fenêtre, Margot croyait voir une scène du Jugement dernier. Des arbres déracinés étaient couchés sur le sol, une voiture avait été renversée dans un fossé, de la boue jusqu'aux portières. La maison grinçait sur ses fondations, tirait sur la chaîne qui la retenait à son rocher ainsi qu'un prisonnier attaché à son boulet. La chaîne se tendait, elle semblait devoir céder sous la pression.

Margot s'approcha de La Petite. Constatant que celle-ci était toujours agitée par des cauchemars, elle posa sur sa tête une main réconfortante. Les cheveux de La Petite étaient rigides, soudés les uns aux autres par du fixatif.

— C'est de la démence d'entretenir une créature pareille, marmonna-t-elle.

Elle ne supporta bientôt plus la vue tragique de La Petite qui se débattait dans son lit. De violents haut-le-cœur la prirent soudain, l'envie de régurgiter toutes ces horreurs. Elle gagna sa chambre avec l'intention d'ouvrir la fenêtre, malgré les ordres d'Irène.

Mais celle-ci interrompit son geste, dans un autre retentissant murmure:

— Laisse la fenêtre fermée.

Margot inspira profondément puis, contrôlant avec peine ses nausées, entreprit de se déshabiller. Elle abandonna sa robe sur le dossier d'une chaise.

Elle venait de laisser une ample chemise de flanelle s'abattre sur son corps quand, de nouveau, elle se vit accablée par Irène.

— Accroche ta robe. C'est pas un torchon.

Une sourde colère commençait de poindre en elle. Elle encaissa quand même. Elle serra les dents, puis se traîna péniblement jusqu'au placard afin de suspendre sa robe.

Dieu qu'il faisait chaud! Une véritable étuve! L'enfer ne pouvait pas être un pire supplice! Sa tête tourbillonnait, pleine de rancœurs envers sa mère. Ses poumons suppliaient qu'on les approvisionne d'un peu d'air frais, son corps ramolli et trempé dégoulinait de sueur, inondait son dos.

Elle se laissa choir dans son lit. Les ressorts gémirent sous son poids.

— T'as encore pris du poids, Margot. Tu devrais cesser de manger, la semonça Irène.

Cette fois, Margot réagit à l'accusation de sa mère. Elle se dressa dans son lit, submergée par la colère. Sa fureur avait atteint un tel sommet d'intensité que d'un mouvement sec elle arracha la lampe de chevet posée sur la table de nuit et la brandit à bout de bras. Elle s'apprêtait à la lancer dans l'escalier, comptant du même coup décapiter Irène, quand celle-ci, sans même la voir, lui lança du rez-de-chaussée:

— Éteins la lampe. Ça mange trop d'électricité.

Suffoquée, Margot interrompit son mouvement, s'étrangla, puis déposa la lampe sur la table. Elle s'enfouit enfin la tête sous l'oreiller pour étouffer un cri de rage.

Au même moment une panne d'électricité isolait le village du monde des vivants.

Chapitre 3

Potter et Fridolin étaient rentrés aux petites heures, car ils avaient dû attendre que la tempête se calme avant de regagner la maison. Tous deux travaillaient à l'Hôtel-Taverne-Bordel, Potter comme barman et Fridolin, son père, comme préposé à l'entretien. Au travail, Potter montrait une dextérité remarquable, les verres et les bouteilles valsaient littéralement sous ses mains.

Le réveille-matin venait de sonner, il était 7 heures.

Ouvrant les yeux, Potter se dit qu'il aurait donné dix ans de sa vie pour pouvoir se réveiller ailleurs. Vivre sous le même toit qu'Irène équivalait pour lui à vivre dans un pénitencier à sécurité maximum; Irène était sans cesse la proie de quelque démence. Si la maison pouvait brûler! se prenait-il à espérer ce matin encore. Il avait bien tenté d'y mettre le feu; maintes fois il avait laissé tomber des allumettes enflammées dans le panier à ordures de la cuisine ou derrière le cabinet d'aisances. Mais La Petite l'avait à l'œil, chaque fois elle s'était amenée, pour éteindre les premières flammes avec l'énergie d'un sapeur-pompier. Potter doutait d'arriver jamais à se débarrasser de cette famille qui pesait si lourd sur sa vie. Ce matin il était sous le coup d'un noir découragement. Ce n'était pourtant pas dans sa nature de se laisser abattre par l'adversité, car d'ordinaire il était armé d'un de ces petits courages qui n'ont l'air de rien mais qui viennent à bout de tout.

— Si elle me cherche encore, elle va me trouver, se promettait-il déjà, en songeant à Irène.

Physiquement, Potter avait l'allure d'une asperge. De son père, il avait hérité d'une démarche sautillante et disloquée; les gars de la taverne tournaient sa maigreur en dérision, ils le comparaient à un cure-dent. Ses yeux exprimaient l'étonnement, sa chevelure hirsute et son nez écrasé de boxeur envoyé au tapis lui donnaient un air de chien battu.

Potter avait son nom en horreur. Et celui-ci avait une longue histoire.

Dès sa naissance, Irène, qui désirait à tout prix une fille, avait refusé de le considérer comme un garçon; elle avait cherché à le transformer en jeune fille, lui avait fait revêtir une layette rose, l'avait étouffé sous une luxuriance de dentelles. Il n'avait pas tardé à ruer dans les brancards afin de retrouver son identité masculine; déjà animé d'un bel esprit de rébellion, il s'était mis à se soulager systématiquement dans ses vêtements. Ce petit manège avait duré jusqu'au jour où on lui avait fait abandonner son trousseau afin de l'asseoir sur un pot de chambre. Le caractère de Potter s'était immédiatement radouci. Une fois nu et libéré des bécots d'Irène, il s'était senti à l'aise, il n'avait plus voulu quitter ce pot sur lequel on l'avait assis. Il s'était mis à vivre dessus; il y jouait, y mangeait, y dormait, se déplaçait sur lui, sillonnant le rez-de-chaussée comme au volant d'une voiture d'enfant. Il pouvait rester de longues heures sous la table de cuisine, assis sur son pot, simplement afin d'échapper aux caresses d'Irène. L'été il campait sur la véranda, l'hiver à proximité du brûleur de la fournaise à l'huile. La nuit il se traînait dans l'armoire à balais sous l'escalier, cet endroit lui donnant l'impression d'habiter une maison bien à lui. Avec les années, ce pot était devenu un inséparable compagnon, un ami, un confident, un frère. Irène s'était évidemment offusquée qu'on préfère la compagnie d'un pot de chambre à la sienne; aussi avait-elle surnommé le rebelle Potter.

41

Vingt ans plus tard, Potter gardait des stigmates de sa sacro-sainte amitié pour son pot. Restées trop longtemps étranglées par l'ouverture exiguë du pot, ses fesses gardaient une forme légèrement conique.

Étendu sur son lit, Potter étira ses bras vers le plafond et fit bruyamment craquer les jointures de ses doigts. Il cherchait ainsi à signaler à ses parents, couchés dans le lit voisin, qu'il avait ouvert l'œil et qu'il s'apprêtait à se lever. Ses parents sommeillaient encore. Potter avait toujours partagé leur chambre et cette promiscuité le tuait. Il posait pied à terre quand il remarqua l'œil de verre de son père posé sur la table de nuit.

Fridolin avait coutume de laisser tremper cet œil toute la nuit dans un vieux bocal à poissons rouges rempli d'eau distillée. Il avait été victime d'un accident alors qu'il travaillait à l'Hôtel-Taverne-Bordel: un soûlon éméché n'avait pas apprécié l'épais collet qu'il avait laissé à la surface de sa chope de bière et lui avait flanqué celle-ci au visage. Fridolin avait été éborgné. Le Doc était accouru, il lui avait administré une double portion de son fameux cocktail, puis lui avait retiré de l'œil un éclat de verre de la dimension d'une lime à ongles. Irène s'était tout de suite enquise du prix d'un œil de verre. Il était malheureusement prohibitif, et il aurait coûté une petite fortune de descendre dans la métropole afin d'y trouver un œil identique, c'est-à-dire du même bleu ciel. Irène avait donc préféré y aller à l'économie et elle avait attendu que vienne à Chibouagamouk, la seule ville à mille lieues à la ronde, la «clinique volante». Il s'agissait d'une équipe de quelques médecins vaguement spécialistes qui débarquaient tous les trois mois dans la région grâce au concours d'un avion de brousse. L'ophtalmologiste qu'on avait dépêché n'avait pas emporté avec lui d'œil bleu, que du noisette. Mais ses prix étaient concurrentiels. Irène avait donc sauté sur l'occasion, elle avait acheté un œil noisette, et Fridolin portait depuis des yeux de couleurs différentes.

Potter n'arrivait pas à détacher son regard de l'œil

de verre de son père. Il était terrifié par la fixité de cet œil braqué sur lui avec la violence d'un coup de poignard, et qui semblait lui creuser un trou au travers du corps, qui lui glaçait la moelle. Il sentait ce regard le pénétrer jusque dans son sommeil. Il lui arrivait même parfois de ne pas dormir de la nuit, de peur que ce regard inquisiteur ne viole ses rêves. Il n'avait jamais pu supporter qu'on l'épie. Quelqu'un qui t'épie, c'est comme une lame qui te déchire le dos, pensait-il. Il était mal tombé, car en plus de cet œil, Irène enquêtait sur ses allées et venues et exigeait qu'il lui fournisse des explications sur ses moindres faits et gestes. Elle lui prêtait une vie sexuelle des plus actives, et sur ce point elle était d'une curiosité plutôt malsaine. Elle l'accusait constamment de dévoyer les jeunes filles du village.

— Quelles jeunes filles? protestait alors Potter.

— Tu sais de qui je parle.

— Mais voyons! Y'a pas une seule fille qui soit libre à Notre-Dame-du-Soûlon.

— Y'a les putains de l'hôtel.

— Oui, mais elles sont déjà dévergondées.

— Si jamais j'apprends que tu couches avec les putains de l'hôtel, tu ne rentres plus chez moi.

— Chez nous, rectifiait Potter.

— Chez moi, décrétait Irène.

Irène avait toujours cherché à prendre Potter en flagrant délit de débauche. Dès les premiers jours de son adolescence, elle lui avait reconnu tous les vices. Les jours de lessive, elle allait jusqu'à inspecter ses sous-vêtements afin d'y déceler des preuves compromettantes. Et chaque fois que Potter gagnait les toilettes, elle venait derrière la porte écouter d'une oreille suspicieuse.

— Qu'est-ce que tu fais?

— Rien.

— Je sais que tu fais quelque chose.

— Je ne fais rien. Mais qu'est-ce que vous voulez que je fasse?

— Je *t'entends* faire quelque chose.

— Je vous jure.

— Ne jure pas en plus.

Afin qu'Irène lui foute la paix, Potter avait un jour rétorqué:

— J'me masturbe, Christ! Êtes-vous contente?

Irène ne l'avait jamais plus importuné à ce sujet.

Les relations entre Irène et Potter avaient toujours dégénéré en altercations orageuses, en conflits sanglants. Irène n'hésitait pas à faire usage de sa Winchester, tous les murs de la maison en témoignaient. Lors de ces affrontements, Margot et Fridolin se rangeaient derrière Irène en chiots craintifs de perdre leur niche, Lucien-le-Sanguin observait la neutralité d'un drapeau de la Croix-Rouge; quant à La Petite, on l'enfermait là-haut dans sa chambre afin de lui épargner les horreurs de la guerre.

Potter s'était finalement levé, car son estomac retentissait de longs gémissements de boyaux torturés; la faim le dévorait.

Il jeta un coup d'œil furtif à ses parents: ils dormaient éloignés l'un de l'autre, séparés comme si la Grande Muraille de Chine eût irrémédiablement traversé leur matelas. Potter trouvait ses parents trop dociles, presque serviles. Cette docilité déclenchait en lui un sentiment de révolte. En les regardant, il émit un bêlement idiot.

— Bê-ê-ê-ê-ê!

Il se défoulait souvent ainsi. Quand il n'en pouvait plus de voir toute la maisonnée courber l'échine devant l'autorité d'Irène, certains matins, il lui arrivait de se glisser derrière la porte de la chambre de celle-ci et de crier de cette façon.

— Bê-ê-ê-ê-ê!

Irène se levait précipitamment pour marteler le plancher de ses pas courroucés. Mais quand elle surgissait, elle ne trouvait personne car Potter avait toujours filé. Même si ce stratagème durait depuis longtemps, elle n'avait jamais poussé l'enquête plus loin, car elle émettait encore des doutes quant à la provenance de ces bêlements idiots. Peut-être, après tout, provenaient-ils de

La Petite! Pour couvrir l'éventuelle connerie de La Petite, elle préférait se taire. Toutefois, avec l'âge, cette succession de bêlements commençait à l'exaspérer.

Potter se pressa de s'habiller. Il sentait l'œil de verre de son père qui surveillait ses moindres gestes. Éprouvant un moment d'impatience, il enfila ses bottes puis se dirigea vers l'œil, pour en retourner la pupille vers le mur. Il venait de plonger la main au fond du bocal et s'apprêtait à saisir l'œil quand la voix d'Irène retentit, tel le clairon sonnant le réveil d'un baraquement militaire.

— Tout le monde debout!

En vitesse Potter retira sa main du bocal, juste à temps pour éviter que Margot et Fridolin ne le prennent en flagrant délit. Il alla remonter le store effiloché.

La journée éclatait de soleil, des vapeurs blanches s'échappaient des bois comme des tapis magiques. La tempête s'était éloignée, après avoir fait une véritable hécatombe: la terre était inondée, la route encombrée de débris, la clôture qui ceinturait le jardin avait été emportée, la crue soudaine des ruisseaux avait crevassé la route qui s'effondrait par endroits, la tourmente avait décimé les arbres chétifs de la forêt, à tous les cinq pas gisaient des cadavres d'oiseaux, les ailes impitoyablement tordues.

Potter revint vers le grand miroir de la commode. Avec un orgueil un tantinet machiste, il admira le tatouage qu'arborait son avant-bras:

MARIE-SCAPULAIRE
BELLE DES BELLES

Au grand scandale d'Irène, il venait de se le faire graver.

Il descendit finalement au rez-de-chaussée; il parvenait à la cuisine quand un puissant vrombissement attira son attention. Un véhicule approchait sur la route, des grincements d'essieux mis à dure épreuve déchiraient l'air. Malgré l'état et l'encombrement du chemin, le conducteur du véhicule poussait l'accélérateur à fond, le moteur miaulait, s'emballait, rugissait. Les pistons semblaient sur le point de s'échapper du capot, le pot d'échappement avait vraisemblablement été arraché, aux rugissements du moteur se mêlait une assourdissante pétarade. Le véhicule allait passer en trombe sous les fenêtres. Potter appréhendait une catastrophe. Chaque fois qu'un véhicule s'approchait, la maison tremblait sur ses fondations et plusieurs cadres piquaient du nez pour se fracasser sur le sol. Et tout ça à cause du maire Saint-Georges qui, dans le but d'économiser sur le déboisement, avait donné l'ordre qu'on bâtisse les maisons en bordure de la route. Le tacot fou croisa la maison et, comme de fait, une photographie de La Petite se décrocha du mur.

Potter eut tout juste le temps de se précipiter, de la rattraper au vol et de la remettre en place. Il se jeta ensuite sur la plus proche fenêtre pour identifier le véhicule. Il reconnut sans peine le tacot de Tank, le propriétaire de l'Hôtel-Taverne-Bordel. Tank conduisait un véhicule qu'il avait lui-même construit à partir d'une carrosserie de Camaro 1977 greffée à un vieux châssis de Volvo, le tout attaché à la broche. L'engin diabolique était propulsé par un moteur d'avion Cessna recyclé qui buvait comme une éponge; il pouvait atteindre des vitesses phénoménales.

Potter regarda le tacot s'éloigner.

Le bolide serpentait entre les débris et les arbres allongés en travers de son chemin, s'enfonçait dans les fondrières, parvenait à s'en dégager et reprenait de plus belle sa course. Au prix d'embardées spectaculaires, il tentait parfois d'écraser quelque crapaud sautillant sur la terre trempée du chemin. Quand il y arrivait, il courait ramasser la dépouille, puis revenait la jeter dans son coffre arrière. Il démarrait de nouveau, regagnant de la vitesse.

— Maudit sport de fou! maugréa Potter.

Potter se dit qu'il valait mieux déjeuner au plus vite avant que La Petite ne s'amène; avec son estomac vorace, elle voudrait tout engouffrer. Gare à ceux qui se trouveraient alors sur le chemin de son appétit: si elle n'avait pas de quoi se mettre sous la dent dans les cinq minutes qui suivaient son réveil, elle pouvait faire preuve d'une irascibilité terrible. On l'avait déjà vue bousculer Lucien jusque dans l'évier afin de lui arracher des mains la dernière croûte qu'avait contenue le frigo. Potter se fit un sandwich au beurre d'arachides, puis alla s'asseoir sur le rebord d'une fenêtre du salon pour le manger. La fenêtre donnait sur le jardin. Il vit Lucien-le-Sanguin jaillir du tunnel qui donnait accès à sa cave. Malgré son épuisement, Lucien arborait un large sourire de satisfaction. Encore une fois il avait passé la nuit à travailler et il portait fièrement un épouvantail dont il venait de terminer la fabrication. Pour gagner sa vie, Lucien fabriquait des épouvantails, de véritables chefs-d'œuvre que s'arrachaient les habitants du village. Il découpait dans une feuille de contre-plaqué une silhouette humaine dont il peignait ensuite les traits, les membres et les vêtements. Dans un but de délicieuse moquerie évidemment, ces personnages caricaturaient les personnalités de Notre-Dame-du-Soûlon. Lucien se plaisait à les affubler de mentons en galoche, de nez en pied de marmite, de pneus à la taille, de postérieurs en gousses d'ail ou d'oreilles s'apparentant à des anses de cafetières. Parmi les chefs-d'œuvre les plus criants, on comptait le curé, un visage porcin où le vice semblait dormir telle une anguille sous sa roche, et le Doc MacNicoll, dont le nez d'ivrogne avait pris l'aspect d'une pomme de terre multipliant ses tubercules. Le talent de caricaturiste de Lucien avait atteint une grande renommée, tous les jardins de Notre-Dame-du-Soûlon possédaient au moins un de ses épouvantails. Au village, on réglait ses querelles de cette façon: on demandait à Lucien qu'il dessine un épouvantail aux traits de la personne dont on cherchait à se venger, puis on plantait cet épouvantail en terre, bien à la vue de tous. On attendait ensuite que tout le village hurle de rire, se tape sur les cuisses, ce qui ne manquait de se produire. Après dix ans, certaines querelles ne s'étaient pas encore éteintes, les adversaires ne cessant d'enchérir à coups d'épouvantails réciproques.

Potter trouvait au nouvel épouvantail qu'avait fabriqué Lucien une ressemblance frappante avec son modèle: La Dolores, l'épouse du maire Saint-Georges. À travers la fenêtre grillagée, il s'apprêtait à adresser quelques compliments à Lucien pour la qualité de son exécution, quand retentit à l'étage un terrible boucan.

Là-haut dans sa chambre, La Petite s'habillait. Elle devait encore nager dans les vapeurs des puissants somnifères qu'Irène lui avait administrés la veille, car ses mouvements semblaient empreints de gaucherie; elle renversait tout sur son passage, on eût dit un régiment d'artilleurs qui bouclait ses valises.

La Petite surgit bientôt de sa chambre, claqua la porte à toute volée. Puis elle descendit l'escalier avec la lourdeur d'un mastodonte, laissant s'écraser son poids sur chacune des marches.

La voyant apparaître au bas de l'escalier, Potter éprouva un choc: La Petite avait enfilé sa robe et ses crinolines de travers, une partie de sa poitrine était découverte, un de ses superbes nichons se balançait hors de son corsage. Elle ne semblait plus posséder toute sa tête. Potter ne l'avait jamais vu dans un tel désarroi, ses cheveux étaient hirsutes et cotonnés, des coulées de rimmel lui creusaient des cernes de neurasthénique sous les yeux. La tête inclinée vers le sol, le regard vaporeux, elle avançait au milieu du salon d'une démarche vacillante, elle laissait son puissant corps d'athlète se frayer un chemin parmi l'entassement de meubles. S'approchant de Potter, elle lui adressa un pâle sourire éthéré. Elle reprit ensuite son pas de bête égarée vers la cuisine et se planta devant le frigo.

Mais que lui était-il arrivé? s'interrogeait Potter. Était-elle en train de sombrer dans la folie? Rien ne semblait pouvoir la décrocher de cet état de zombi.

La Petite entreprit un rapide inventaire du contenu

du frigo. Elle saisit tour à tour une fesse de jambon, une jarre d'olives Calamata et un pot de confitures de fraises. Elle fit rouler la fesse de jambon sur la table, la déballa et se jeta dessus, déchirant la chair à l'aide de ses doigts. Elle arrachait des lambeaux graisseux qu'elle s'enfonçait ensuite goulûment au fond de la gorge. Elle avalait tout rond comme un chiot affamé. Puis elle se mit à lécher deux de ses doigts, l'index et le majeur, d'une façon équivoque, comme elle l'eût fait du sexe dressé d'un homme.

Potter en resta interloqué. Ça y était. La Petite était devenue cinglée!!! Un sourire extatique commençait d'éclairer le visage de La Petite, quand la voix d'Irène retentit de la pièce voisine.

— Qui est avec La Petite? J'ai déjà dit qu'elle devait manger seule.

La voix d'Irène eut sur La Petite l'effet d'un coup de cravache; instantanément elle arrêta de sucer ses doigts. Son regard fou s'assagit. La terreur que lui inspirait Irène semblait peu à peu la ramener à la raison.

Irène fit irruption dans la pièce, traînant sa jambe malade, sa canne battant la cadence avec autorité. Elle se montra aussitôt ulcérée à la vue de Potter qui tenait compagnie à La Petite.

— Qu'est-ce que tu fais là, toi? Qu'est-ce que tu attends pour partir travailler?

Potter croisa le regard belliqueux d'Irène, puis, cherchant à éviter que La Petite ne fasse les frais d'un nouvel affrontement, il fila sans demander son reste.

Chapitre 4

Potter marchait vers le village sans parvenir à effacer de son esprit la vision pathétique de La Petite. La journée était exceptionnelle, le ciel éclatait d'un bleu juvénile et franc, des volées d'hirondelles plongeaient en rase-mottes dans les blés sauvages et poursuivaient leur gracieux ballet jusqu'aux flancs des sablières. Avec dans les bras l'épouvantail de Lucien qu'il comptait vendre à l'un des clients de l'Hôtel-Taverne-Bordel, Potter pataugeait dans des mares de boue saumâtre, il enjambait des monceaux de débris, des arbres, des panneaux, des poutres et des meubles démembrés, que la tempête avait laissés derrière elle. Certaines maisons semblaient avoir été écrasées sous les semelles d'un géant. Partout les gens s'affairaient à reconstruire. Harcelé par des nuées de moustiques, Potter dut bientôt interrompre sa marche. Avant de se voir dévoré vivant, il déposa l'épouvantail de Lucien dans les herbes folles, puis tira de la poche arrière de son pantalon un flacon d'huile de citronnelle. Seul cet insectifuge était efficace. L'odeur qu'il dégageait était toutefois d'un telle ténacité qu'elle imprégnait les vêtements. Potter se frictionna le cou, le visage et les bras.

Il arriva au cœur du village.

— C'est pas un village, c'est une vaste entreprise de rafistolage, ne put-il s'empêcher de marmonner.

Une seule rue traversait l'agglomération. Une rue en terre battue. D'un côté se dressait une rangée de bâti-

50

ments, autour desquels se regroupaient quelques bicoques aux murs recouverts de papier goudron. Ces bâtiments constituaient ce qu'on appelait pompeusement le centre-ville de Notre-Dame-du-Soûlon. Laissés dans un état de délabrement total, leurs murs en déclin de bois décoloré, ils penchaient inexorablement vers le sud, comme autant de tours de Pise. Au début de la ligne s'érigeait une église. Celle-ci s'appuyait à son plus proche voisin, un presbytère lui-même appuyé au restaurant Chez Moose, à son tour appuyé au magasin général. Au bout de la ligne s'érigeait l'Hôtel-Taverne-Bordel, qui portait la responsabilité des prédécentes constructions. Or il n'était lui-même qu'un dangereux tas de planches qui penchait d'un côté, son flanc droit s'enfonçant dans la terre. Certaines de ses fenêtres se trouvaient maintenant au ras du sol, et on se demandait par quel miracle il tenait encore debout. Les clients qui s'aventuraient chaque jour sous son toit le faisaient à leurs risques et périls. Le propriétaire avait fait condamner la partie de l'hôtel qui s'enfonçait, on ne faisait usage que de la partie opposée. Au rez-de-chaussée, c'était la taverne. Aussitôt entrés, les clients se voyaient diriger vers la partie sûre de l'hôtel, c'est-à-dire la partie émergeante. Le propriétaire prétendait que le poids des clients regroupés dans cette partie maintenait l'équilibre du bâtiment et l'empêchait de sombrer. Si par hasard des clients s'aventuraient dans la partie affaissée, le propriétaire tirait de sa poche un sifflet qui les rappelait à l'ordre. Les clients devaient se regrouper autour du bar sous peine de se voir interdire l'accès des lieux. Aux étages supérieurs, c'est-à-dire aux étages du bordel, les filles de joie étaient soumises à la même réglementation et devaient, lors de leurs ébats, veiller à ce que les poussées de leurs amants n'épousent pas le mouvement de chute du bâtiment. On recommandait aux clients de contrôler leurs élans passionnés; il fallait faire l'amour avec réserve, les hystériques qui se laissaient emporter par la déflagration de leurs orgasmes étaient expulsés séance tenante. En pareil cas, on ne remboursait pas.

Devant l'Hôtel-Taverne-Bordel, Potter constata que la plupart des gars du village s'y trouvaient déjà. En effet, la quasi-totalité des tacots qui avaient échappé aux fureurs de la tempête étaient garés devant la porte; le concours de crapauds écrasés avait sans doute déjà commencé. Les tacots avaient la même mine que leurs propriétaires, c'étaient de véritables épaves. Les carrosseries étaient mutilées, la majorité amputées de leurs ailes. Les portières tenaient grâce à des enchevêtrements de fils de fer, des capots éventrés laissaient voir des blocs-moteurs déboulonnés qui touchaient presque terre. De grandes flaques d'huile étaient répandues sur le sol et rendaient l'allumage d'une cigarette aussi périlleux que celui d'un bâton de dynamite.

Les coffres arrière des véhicules étaient restés ouverts, vides. Potter gravit les quelques marches menant à la véranda, qui faisait toute la façade du bâtiment. Marie-Scapulaire, la pute en chef du bordel comme on l'appelait, y était assise en compagnie de quelques-unes de ses filles. Voyant Potter s'engouffrer par la porte centrale, elle lui lança.

— Oh, oh, oh!... Ça va pas ce matin, hein?

Elle avait remarqué l'expression rembrunie de Potter. Elle-même semblait d'une bonne humeur contagieuse. Son sourire avait toujours su conduire les hommes vers elle, comme un phare.

C'était une splendide Métisse au teint cuivré, dont la bouche pulpeuse suggérait une profusion de baisers brûlants. Il était étonnant de rencontrer une beauté aussi sculpturale dans un trou comme Notre-Dame-du-Soûlon. La jambe effilée et le déhanchement lascif, elle avait un parfum des plus grisants. Elle prenait grand soin d'elle, passait des heures dans des bains moussants, se parfumait, se bichonnait, s'enduisait de produits de beauté. Chacune des parties de son corps se voyait accorder un traitement particulier; se succédaient les applications de crèmes de jour, de crèmes de nuit, de crèmes régénératrices à base de plancton, de collagène ou de liposomes. Elle recouvrait le tout d'un nuage de Paco Rabane. Elle était animée d'un incroyable appétit de vivre, et ses yeux de braise vous fouillaient l'âme dès le premier regard. Elle avait un instinct très sûr qui lui faisait comprendre les motifs qui poussaient tous et chacun à venir se réfugier dans ses bras; elle considérait les hommes comme de petits garçons. Elle avait ses lubies et ses croyances; ainsi, même si elle était reconnue comme faisant les plus joyeuses parties de jambes en l'air au nord du 52e parallèle, au moment de baiser elle ne retirait jamais les scapulaires qui pendaient à son cou.

Plongé dans le désarroi, Potter s'approcha d'elle.

— Qu'est-ce qu'il y a, mon beau? l'interrogea Marie.

Potter et Marie étaient amants. Potter était le seul homme de Notre-Dame-du-Soûlon qui ne payait pas pour faire l'amour avec elle.

Il prit place à ses côtés mais détourna la tête. Marie-Scapulaire se dit qu'elle devait sans tarder crever l'abcès.

— Allez, les filles! Au travail! Montez à vos chambres! Lui et moi, on a à se parler.

Les filles gagnèrent le bordel, piaillant comme des volatiles. Marie-Scapulaire interrogea de nouveau Potter.

— Qu'est-ce qu'y a qui tourne pas rond?

Après un moment d'hésitation, Potter laissa échapper:

— J'en peux plus.

— De quoi?

— De vivre.

Marie-Scapulaire parut soudain inquiète.

— Qu'est-ce que tu veux dire?

— J'en peux plus de vivre ici.

— Ah! ce n'est que ça! Mais, mon vieux, tu n'es pas le seul. J'entends ça tous les jours.

— Moi, c'est différent. Si je ne quitte pas Notre-Dame-du-Soûlon maintenant, je me tire une balle dans la tête.

— T'en es rendu là?

— Oui.

— Mais alors, qu'est-ce que tu attends? Pars! Fous le camp!

— C'est ça, le problème. Partir pour aller où?

— N'importe où! Ça ne peut pas être pire qu'ici.

— ... C'est bête, hein, mais j'ai peur de quitter le village. Je ne connais rien du monde. Je n'ai jamais mis le pied à l'extérieur. Qu'est-ce qui m'attend une fois sorti de ce trou merdeux?

— Si tu savais... Ailleurs, c'est comme ici. Tous les endroits se ressemblent. C'est à toi de trouver dans l'univers un endroit où tu voudras vivre, un endroit qui sera le tien. Y'a une destinée qui t'attend quelque part, et c'est à toi de la trouver.

Potter paraissait songeur.

— Dis-moi... Si tu penses comme ça... pourquoi n'es-tu jamais partie refaire ta vie ailleurs? Qu'est-ce que tu attends? Qu'est-ce qui te retient ici?

— Ah! ça, c'est une autre histoire. Moi, je ne fais jamais rien par moi-même. J'attends toujours que quelqu'un me donne un coup de pied au cul. J'attends qu'un homme m'emmène avec lui... Qu'est-ce que tu veux, je suis comme ça. Depuis des années j'attends que quelqu'un me sorte d'ici.

— Ça te dirait de partir avec moi? lui proposa Potter.

Marie-Scapulaire fut décontenancée par la soudaineté de la proposition. Elle ne savait que répondre. Elle s'était toujours montrée lente à prendre des décisions, car toute décision lui pesait.

— Hum! Peut-être! fit-elle, l'air vague.

— Peut-être!!! C'est pas une réponse, ça.

— On s'en reparlera.

Marie-Scapulaire se leva alors et entraîna Potter derrière elle.

— Allez! Viens! On rentre! Faut gagner sa croûte.

Et, main dans la main, ils entrèrent dans l'hôtel, lui se dirigeant vers le bar situé dans la partie sûre de l'hôtel, elle gagnant l'étage du bordel.

La taverne consistait en une pièce unique aux fenêtres obstruées par du contre-plaqué noirci, misérablement éclairée par quelques néons blafards. Des haut-parleurs dissimulés derrière le bar diffusaient une musique country qui multipliait sanglots longs et couplets langoureux. Une prenante odeur d'urine jaillissait des toilettes pour se mêler aux relents de houblon et de fond de tonneau. Les murs en lattes de bois dégoulinaient de crasse. La pente accentuée du plancher provoquait des vertiges, son inclinaison rappelait celle du *Titanic* dans sa descente tragique vers le fond.

Même s'il était tôt en ce dimanche, l'état d'ivresse était déjà généralisé; une centaine de soûlons ventrus, puants, vérolés, les yeux bouffis, se pressaient autour du bar. Vêtus de leurs sempiternelles chemises à carreaux, engoncés dans des jeans trop grands pour eux, ils enfilaient verre sur verre. Tous exhibaient une casquette de baseball aux couleurs des Flyers de Philadelphie. De seconde en seconde le ton montait, dans une cacophonie de bouches molles où chacun semblait mâcher quelque patate chaude. On se soûlait à la Miller High Lite. On s'apprêtait à décerner le titre tant convoité d'Écraseur du Grand Nord à celui qui avait trucidé le plus grand nombre de crapauds sous les pneus de sa voiture. En guise de trophée, le vainqueur gagnerait une monstrueuse chope de bière contenant plus de deux litres de liquide, qu'il devrait ingurgiter d'une traite sous peine de se faire copieusement huer. En cas d'échec, les quolibets s'abattraient en série sur sa tête.

Potter constata qu'une dizaine de piles de crapauds écrasés s'alignaient déjà sur le bar. Les soûlons comptaient le nombre de dépouilles de chaque pile. Ce concours hebdomadaire aurait dû consolider la fraternité des gars du village, mais en réalité il ne faisait que susciter une compétition malsaine. En désaccord à propos du nombre de crapauds que comptaient différentes piles, deux soûlons se mirent à s'invectiver, déjà prêts à se taper sur la gueule.

— On voit bien rien qu'à voir, espèce d'innocent! criait l'un.

— Ouvre tes yeux, trou-de-suce! clamait l'autre.

L'atmosphère sentait le baril de poudre sur le point d'exploser.

Dans leur emportement, les deux soûlons s'étaient distraitement éloignés du bar et se dirigeaient vers la partie condamnée de l'hôtel. Tank, le propriétaire, crut entendre gémir les fondations de l'hôtel et il tira son sifflet de sa poche. Quelques coups secs et stridents, et les deux soûlons revinrent se parquer devant le bar.

Potter rangea l'épouvantail de Lucien dans la chambre froide attenante au bar afin qu'il ne soit pas manipulé par quelque soûlon éméché. Puis il entreprit de laver le lot de verres sales qui s'accumulaient dans l'évier. Celui-ci était placé directement derrière le bar. Penché au-dessus de l'évier, Potter avait les piles de crapauds en plein sous les yeux, toutes leurs têtes orientées vers lui. Sous la pression des pneus, les crapauds étaient devenus aussi minces que des feuilles de papier, et leurs yeux éjectés de leurs orbites se balançaient au bout de leurs nerfs optiques, fixant sur Potter un regard d'horreur.

Moose*, un truand à l'allure de montagne menaçante, offrit alors une tournée générale. Une clameur de reconnaissance monta du troupeau de soûlons.

Le nom de Moose lui venait des arcades sourcilières particulièrement proéminentes qui gonflaient son front. Comme chez l'orignal, ces arcades semblaient annoncer la poussée prochaine d'un puissant panache. Il était prodigieusement bâti et doté d'une force herculéenne, ses bras massifs laissaient voir des muscles noueux, sa charpente aurait pu aisément tenir lieu de pilier à un pont. Il mesurait plus de deux mètres. Son intelligence ne dépassait pas, hélas, le quotient intellectuel d'un orignal. Et il était d'une susceptibilité qu'il fallait éviter d'éveiller, car la moindre contrariété le mettait en rogne. Il était propriétaire du restaurant Chez Moose, celui qui servait les hamburgers de viande d'orignal. Il avait déjà passé à tabac un client qui l'avait accusé de servir de la

---

* Moose: orignal en anglais.

viande avariée. Il servait effectivement de la viande avariée. De plus, afin d'étirer son profit, il passait l'orignal entier dans son hache-viande, graisse, nerfs, queue et oreilles compris. Ne manquaient que les sabots et les dents. Il n'était pas rare de découvrir des poils entre les pains de ses mooseburgers.

À l'hôtel, on s'était donné le mot afin que personne ne mette jamais en doute la qualité de la viande que servait le restaurant de Moose; on mangerait des asticots à s'en rendre malade plutôt que de déclencher les fureurs du monstre.

Moose vint s'accouder au bar.

— Une bière! meugla-t-il à l'adresse de Potter.

Potter n'était pas d'humeur à se faire apostropher de la sorte, d'autant plus qu'il était déjà occupé à laver des verres.

— Demande à Tank, répondit-il sur un ton qui trahissait une certaine impatience.

De fait, à ses côtés, le propriétaire de l'hôtel était en train de servir de la bière aux clients.

— Tu m'as compris, donne-moi une bière. Une Miller, insista Moose.

— Tu vois pas que j'suis occupé?

Moose commençait à fulminer.

— Une Miller! rugit-il, martelant le bar de son poing dévastateur.

— J'ai pas le temps, viens la chercher toi-même.

Moose explosa.

— Mon enfant de chienne! Ou tu me sers tout de suite, ou je te fends le crâne sur le comptoir.

Potter n'entendait pas céder. Il fixa le truand d'un air de défi et l'envoya promener. Moose resta d'abord interdit puis, contournant le bar, se prépara à charger Potter. Il ne contenait plus sa rage.

C'est alors que Tank s'époumona sur son sifflet. Au grand étonnement de tous, Moose se soumit à l'avertissement de Tank et bloqua l'élan de sa course. Il semblait se calmer.

Si Moose obtempérait ainsi aux ordres de Tank, c'est que Tank et lui s'entendaient comme larrons en foire; ils étaient d'ailleurs associés dans de multiples combines. Et puis Tank pouvait se permettre de tenir tête à Moose, car il avait lui-même une carrure de géant. Il était toutefois beaucoup plus terrifiant à regarder. Il avait été affreusement mutilé à la suite d'une querelle de ménage avec Marie-Scapulaire, qui se trouvait à l'époque sa première femme. Il traitait alors celle-ci comme une esclave. Marie devait sans cesse le torcher, entre autres repasser ses chemises qu'il n'endossait qu'une fois. Un jour qu'il avait avec mauvaise foi lancé une chemise propre par terre en décrétant: «C'est mal repassé. Recommence», Marie-Scapulaire lui avait rétorqué: «En vlà une que tu vas apprécier. Attrape!» Se retournant vers Marie, Tank s'était vu lancer au visage le fer à repasser incandescent qu'elle tenait encore à la main. Le projectile avait heurté Tank de plein fouet, le brûlant atrocement, lui rongeant la peau au troisième degré. Le fer chauffé à blanc lui avait à ce point écrasé le visage qu'il en avait effacé les traits. Les lèvres, le nez et les joues du truand avaient fondu sous l'impact; seuls ses yeux qui s'étaient refermés à temps étaient restés intacts. Sa bouche était aussi plissée qu'une bouche de vieille femme, deux trous minuscules au pourtour boursouflé étaient tout ce qui restait de ses narines. L'empreinte du fer à repasser était gravée dans sa peau, la pointe de l'instrument s'étant fichée entre ses yeux. La peau s'était colorée d'un rouge vif qui rappelait celle d'un écorché. Si Tank n'avait pas par la suite occis Marie-Scapulaire, c'est qu'elle gérait le bordel et que ses talents de fille de joie constituaient son fonds de commerce.

Moose lança un regard courroucé à Potter et s'approcha lentement de lui, le coinçant contre le bar.

— Tu me sers, *oui* ou *non*? le pressa-t-il.

Sa large main hérissée de poils s'abattit sur le bar et fit tinter la pyramide de verres qui se trouvait à proximité. Tank craignait que l'altercation ne dégénère en combat singulier. La survie de son établissement était en jeu. Aussi ordonna-t-il à Potter:

— Allez! Donne-lui à boire! Niaise pas!

Mais Potter s'obstinait. Il tourna plutôt la tête vers la salle. Pour la première fois, il lui semblait poser un regard lucide sur elle, comme si l'endroit se révélait soudain à lui. Les murs étaient sales, défoncés, malades, patinés par le passage de milliers de mains ivres qui s'y étaient accrochées afin de ne pas sombrer. Les fenêtres placardées faisaient régner une obscurité de catacombes, une humidité poisseuse suintait des murs, la fumée bleue et âcre des cigarettes sautait à la gorge, se mêlant aux odeurs de transpiration.

Potter perçut un moment l'expression accablée de tous ces soûlons tournés vers lui. Il réalisa alors qu'à plus ou moins long terme, il deviendrait semblable à ces hommes, une loque rongée par l'alcool. Lui aussi se mettrait à boire afin d'oublier qu'il moisissait à Notre-Dame-du-Soûlon. C'est pourquoi, dans l'espoir d'échapper au plus vite à ce trou minable, de provoquer des événements qui l'en chasseraient à jamais, il affronta le regard de Moose. Puis il lui envoya insolemment:

— Sers-toi toi-même.

Et il ajouta, sans mesurer pleinement la portée suicidaire de ses paroles:

— Un gars qui fait avaler de la viande avariée à ses clients ne mérite pas que je lui serve à boire.

Les événements se déchaînèrent alors. Une expression de stupeur envahit le visage blêmissant des soûlons, qui éprouvèrent soudain l'envie de se jeter sur la sortie avant qu'il ne soit trop tard.

Moose bondit sur Potter et lui appliqua un solide coup de poing au bas des reins. Potter tomba à genoux, ses jambes se dérobèrent sous lui. Le visage noyé de larmes, mais armé d'une farouche détermination, il rassembla la totalité de ses forces, puis envoya son poing percuter le plexus solaire de Moose. Moose recula d'un pas en poussant un râle. Au passage, son bras balaya la surface du bar et faucha des piles de crapauds écrasés. Potter bondit par-dessus le bar et atterrit de l'autre côté. Il se retourna aussitôt vers Moose et vit que celui-ci s'apprêtait à lui sauter dessus. Il saisit le plateau de verres posé sur le bar et le lui jeta au visage.

Moose reçut la volée de verres en rugissant. Mais il franchit quand même le bar et, en quelques enjambées cyclopéennes, il fut sur Potter. Il l'empoigna à bras-le-corps et le souleva de terre. Il s'apprêtait à traîner Potter vers la sortie quand, tout à coup, un craquement inquiétant parcourut les étages supérieurs. Le bâtiment avait réagi aux secousses provoquées par l'échauffourée; le plancher frémissait. L'hôtel allait-il basculer? S'agissait-il là d'un ultime avertissement?

— Arrêtez, les gars! Vous allez jeter l'hôtel par terre, hurla Tank.

Effrayés, les soûlons fixaient le plafond et s'attendaient à ce que des tonnes de planches s'écrasent bientôt sur leurs têtes.

Moose ne tint pas compte de l'avertissement et continua de presser Potter contre lui. Prisonnier des bras puissants de Moose, la respiration bloquée, Potter n'arrivait plus à respirer. Il avait beau cogner de toutes ses forces sur le truand, celui-ci le tenait solidement. Moose traîna Potter en direction des toilettes. Ils avaient à peine disparu que des gargouillis et des halètements suffoqués se firent entendre, laissant croire que Moose s'acharnait à plonger et replonger la tête de Potter au fond d'une cuvette. Plusieurs râles retentirent, puis un hurlement, bref et aigu.

«Ça y est, Potter a eu son compte!» se disaient les soûlons.

À la grande stupeur de tous, Potter apparut quelques instants plus tard dans le cadre de la porte. Il marchait d'un pas chancelant. Mais Dieu-du-ciel-de-saint-chrême-de-saint-simonac, que s'était-il passé? Potter était-il venu à bout de Moose? Était-ce là l'histoire de David et Goliath qui se répétait?

Potter paraissait drôlement sonné, son visage dégoulinait de l'eau du cabinet. Il ne devait plus avoir pleinement conscience de ce qu'il faisait car, de sa démarche toujours vacillante, il se dirigeait vers la partie condamnée de l'hôtel.

Un grondement monta à ce moment des fondations. Les verres posés sur le bar se mirent à tinter, une bouteille de gros gin glissa d'une tablette pour se fracasser sur le sol.

— On est faits! hurla d'épouvante un des soûlons.

— J'veux pas crever ici! lança un autre.

— Les gars! Tout le monde dehors! alerta un troisième.

Mais avant qu'ils n'aient eu le temps de bouger, Tank donna un long coup de sifflet.

— Minute, les gars! cria-t-il. Pensez avec votre tête, saint sacrement! On n'est pas pour se jeter sur la sortie tous en même temps.

Les soûlons figèrent sur place, conscients que le moindre mouvement pouvait désormais s'avérer lourd de conséquences.

À l'étage au-dessus, dans une des chambres du bordel, un couple d'amants, non au fait de la tragédie qui se préparait, était occupé à faire l'amour. Leur emportement paraissait sauvage et bestial, la tête de leur lit frappait en cadence un mur contigu, les pattes du lit râclaient le plancher comme des serres.

— Arrêtez de baiser, en haut! hurlèrent les soûlons d'un même mouvement de protestation.

Cet avertissement refroidit instantanément la fougue des amants.

Tout à coup, l'Hôtel-Taverne-Bordel versa sur ses flancs. Ses fondations s'enfoncèrent dans le sol, ses planchers tanguèrent, les murs éclatèrent, la charpente du toit céda dans un craquement apocalyptique. Les poutres se détachèrent une à une du toit pour s'écraser sur le dernier étage, qui entraîna dans sa chute les étages inférieurs. Les escaliers s'effritèrent en tas d'allumettes, un tourbillon de poussière pénétra dans la taverne, saisissant les soûlons à la gorge. Le plafond de la taverne s'affaissa, les lavabos et les bains des étages supérieurs tombèrent en chute libre, se fracassant dans un tonnerre de bombes incendiaires. L'eau se mit à gicler de la tuyauterie tordue, des gerbes d'étincelles jaillirent des fils électriques.

Quelques secondes à peine et l'Hôtel-Taverne-Bordel ne fut plus qu'un amas de planches fumantes.

Un silence funeste planait maintenant.

Par miracle, Potter était toujours vivant. Enseveli sous les débris, il cherchait à se dégager sans trop comprendre la raison de cette obscurité menaçante qui l'enveloppait. Il ne se souvenait de rien et ne voyait rien. Que lui était-il arrivé? Son cerveau s'embrouillait; il cherchait désespérément à savoir où il se trouvait quand des échos de voix lointaines parvinrent jusqu'à lui.

— Sortez-moi d'ici! suppliait-on.

— À l'aide!

— Je suis encore vivant. Je suis vivant.

Ces suppliques permirent aussitôt à Potter de conclure qu'il venait de se produire un événement dramatique. Mais lequel? Une vague de souvenirs émergea dans son esprit. Il se rappelait maintenant le violent corps à corps qui l'avait opposé à Moose. Un horrible doute l'assaillit alors, qui devint une certitude: l'hôtel s'était écroulé sous les secousses occasionnées par le combat. Dieu de Dieu! Se pouvait-il qu'il fût lui-même la cause d'un pareil désastre!

Il s'accorda quelques minutes afin de remettre ses idées en place, puis il entreprit de se sortir de là au plus vite. Si des blessés étaient prisonniers sous les décombres, il devait sans tarder leur porter secours. Il commença par dégager ses pieds, pris dans des tuyaux emmêlés. Puis il souleva avec effort l'enchevêtrement de planches qui s'étaient abattues sur son corps. Il scrutait vainement l'obscurité à la recherche d'un point de lumière quand lui parvint la voix furibonde de Tank.

— Potter, t'es mieux d'être mort. Si je te retrouve vivant, je t'achève.

Moose renchérissait derrière lui.

— Laisse-le-moi. Je veux l'achever moi-même.

Potter comprit que ses jours étaient comptés. Tout le village allait désormais le tenir responsable de la destruction de l'hôtel; à partir de maintenant il pouvait s'attendre à ce que Tank et Moose le traquent à mort. Tout ce qui lui restait à faire était de trouver une voie de passage parmi les décombres, de courir se réfugier à la maison, puis de fuir le village. Il tira de sa poche un paquet d'allumettes. Une première flamme jaillit.

Il comprit la chance dont le ciel l'avait gratifié; en tombant, d'énormes poutres s'étaient croisées au-dessus de sa tête et formaient une voûte providentielle qui avait empêché qu'il soit enseveli sous les décombres.

Il gratta une deuxième allumette. Cette fois il aperçut devant lui une sorte de tunnel qui plongeait parmi les enchevêtrements de poutres mal équarries. Il décida de s'y risquer. Il se mit à ramper sur le sol, se tortillant comme un ver, tirant sur ses coudes. Il franchit de cette façon quelques mètres et se retrouva devant un âtre de pierres. C'était la cheminée de l'hôtel.

Elle ne semblait pas avoir souffert du désastre, ses pierres étaient toujours en place, le mortier à peine fissuré. Il retira les quelques bouts de planches qui obstruaient l'âtre, puis risqua sa tête à l'intérieur. Il jeta un coup d'œil vers le sommet. Il se mit à croire à sa chance car la cheminée était intacte et là-haut apparaissait un vaste pan de ciel bleu. Il entreprit aussitôt de l'escalader. Prenant appui sur des aspérités, il agrippa les briques et se colla à la paroi. La montée s'avéra plus difficile qu'il ne l'avait d'abord cru, une épaisse couche de créosote recouvrait la paroi. À plusieurs reprises ses pieds glissèrent, manquant de le précipiter dans le vide. Une fois au sommet, il constata l'ampleur du désastre qu'il venait de causer. L'Hôtel-Taverne-Bordel n'était plus qu'un amas de ruines en flammes que les habitants du village essayaient d'éteindre à l'aide de minuscules seaux d'eau. Seules quelques filles de joie rescapées du désastre montraient assez de courage pour grimper sur les décombres et tenter de dégager les blessés. Marie-Scapulaire était de celles-là. Elle piochait une porte à l'aide d'un de ses talons aiguilles, dans l'espoir de tirer le malheureux qui se trouvait coincé dessous.

Potter entreprit de redescendre de la cheminée. Tank et Moose apparurent à ce moment; ils avaient réussi à se dégager des ruines. Ils invitèrent tous ceux qui se trouvaient là à les suivre afin de les aider à arracher des décombres le réservoir d'huile situé à l'arrière de l'hôtel. Si les flammes y parvenaient, une terrible déflagration s'ensuivrait. Tous leur emboîtèrent le pas. Potter profita du fait qu'il se trouvait seul à cette extrémité des décombres pour redescendre de la cheminée. Il se cramponna à la brique puis, fermant les yeux, centimètre par centimètre, il réussit à atteindre le sol. Il détala aussitôt. Il fendit un flot de curieux qui accouraient en sens inverse, puis regagna la maison.

Il parvint sur une hauteur qui dominait Notre-Dame-du-Soûlon. De là il prit le temps de se retourner vers le sinistre. Des flammes d'une terrible intensité consumaient les ruines de l'Hôtel-Taverne-Bordel, des volutes de fumée noire tourbillonnaient vers le ciel.

Le vrombissement d'un moteur se fit alors entendre du bout de l'horizon: un hélicoptère des Forces armées canadiennes, probablement demandé par le maire Saint-Georges, arrivait sur les lieux. L'hélicoptère s'immobilisa au-dessus du village et chercha un endroit où se poser. Il descendit et coupa les gaz. Lorsqu'il se posa, le souffle puissant de ses pales souleva les jupes des filles de joie et découvrit leurs cuisses voluptueuses et leurs pubis dénudés.

Potter se dit que c'était là l'ultime vision qu'il garderait de Notre-Dame-du-Soûlon, celle des filles de joie et de leurs chauds pubis. Considérant qu'elles avaient toujours constitué le seul bonheur de ce village, il ferma les yeux, emportant leur doux souvenir à jamais.

Chapitre 5

Neuf morts et sept grands brûlés, tel était le bilan de la tragédie qui avait dévasté Notre-Dame-du-Soûlon. La presse de tout le pays avait relaté l'événement. Tank et Moose avaient tout perdu, ils se demandaient avec quoi ils allaient désormais gagner leur vie. Il n'était pas question de reconstruire.

Ils comptaient plutôt s'établir ailleurs, à Montréal probablement. En attendant, ils n'avaient plus qu'une idée en tête, trouer la peau de Potter. Chaque matin, armés de leurs Winchesters, ils garaient leurs tacots à quelque distance de la maison d'Irène. Quand ils n'en pouvaient plus de contenir leur rage, ils se mettaient à hurler:

— Sors de là, mon enfant de chienne! Ça sert à rien de te cacher, on finira par te pincer!

S'ils n'avaient pas encore forcé la porte de la maison, c'est qu'ils craignaient Irène. En effet, elle savait tout aussi bien qu'eux manier la Winchester. Elle était reconnue pour la précision de son tir, on l'avait vue décapsuler une bouteille de bière à cinquante mètres sans en faire éclater le goulot. Ce matin encore elle avait semoncé les truands.

— Fermez vos gueules, bande de colons! Si vous réveillez La Petite, je vous décharge ma Winchester dans le front!

Depuis, Tank et Moose s'étaient tus.

Potter, lui, attendait toujours l'occasion qui lui permettrait de quitter le village. Depuis trois semaines il n'avait pas mis le nez dehors, il tournait comme un lion en cage.

Bien qu'Irène fût au courant des événements, elle se fichait éperdument de l'état de terreur dans lequel vivait Potter. Si Tank et Moose l'avaient descendu sous ses yeux, elle aurait assisté à l'assassinat avec indifférence. Elle interdisait l'accès de sa maison aux truands dans le seul but d'éviter que La Petite soit témoin d'un meurtre.

Ce jour-là, c'était justement l'anniversaire de La Petite: elle avait vingt et un ans. Potter se trouvait une fois de plus contraint d'assister à un spectacle insolite: du salon il observait Irène qui s'affairait à la cuisine à bander les seins de La Petite. Docile, celle-ci se tenait assise sur une chaise droite, les bras levés. Irène tournait autour tel un cheval de manège, elle déroulait sur elle des bandelettes de gaze. De plus en plus saucissonnée, La Petite regardait impassiblement les couches de gaze s'accumuler sur sa poitrine. Chaque matin depuis les premiers jours de sa puberté, Irène redessinait ainsi à La Petite une silhouette asexuée d'adolescente. Mais là, Irène avait beau vouloir aplatir les seins de La Petite, ceux-ci ne lui obéissaient pas, ils gonflaient superbement, cherchaient à échapper aux bandelettes, ils pointaient vers le ciel et semblaient chercher une main caressante.

Devant ce spectacle, Potter ne pouvait s'empêcher de songer aux rumeurs qui couraient depuis un moment au sujet de La Petite. Certaines langues de vipères racontaient que l'appétit sexuel de La Petite s'était éveillé, qu'elle s'installait parfois sur le bord du chemin pour adresser aux gars du village qui passaient au volant de leur tacot des gestes obscènes. Quelle part tenait là-dedans la réalité? Devait-on croire ces racontars?

Irène était au courant de ces rumeurs, et comme un malheur est vite arrivé, elle doublait depuis les doses de Valium administrées à La Petite.

Ces tranquillisants avaient sur La Petite l'effet d'un

assommoir: on la retrouvait maintenant assoupie partout, au salon, dans la chaloupe, dans la balançoire du jardin; à maintes reprises il avait fallu enfoncer la porte des toilettes car la Petite s'y était endormie.

Potter attendit qu'Irène eût terminé de bander les seins de La Petite et lui eût fait enfiler sa robe et son lot de crinolines pour s'approcher d'elle. Pénétrant dans la cuisine, il remarqua le gâteau d'anniversaire posé sur la table. Irène avait délibérément omis d'y planter des bougies, cherchant ainsi à faire oublier l'âge véritable de La Petite. Le moindre détail qui eût risqué de rappeler cet âge la mettait en rogne; elle avait déjà vidé le chargeur de sa Winchester sur un gâteau d'anniversaire qui arborait dix-huit bougies.

Potter allait examiner de plus près le gâteau quand les voix de Tank et de Moose retentirent de l'extérieur.

— Potter! On t'attend! Sors! clamait Tank.

Deux détonations déchirèrent le silence. Potter tressaillit. Puis on frappa à la porte. Des coups brutalement martelés. Le cœur de Potter battait à tout rompre; Tank et Moose avaient sûrement décidé de venir le déloger. Potter n'alla évidemment pas répondre, c'est Irène qui se rendit à la porte. Winchester au poing, elle ouvrit avec aplomb.

— Ah! C'est toi! s'exclama-t-elle aussitôt, une volée de balles dans la voix. Je t'ai déjà dit que je ne voulais plus te voir ici.

Au simple ton d'Irène, Potter comprit qu'elle parlait à Mignonne, sa fille cadette. Elle s'adressait toujours à elle de cette façon. Il arrivait parfois que Mignonne débarque ainsi à l'improviste pour rendre visite à Lucien. Irène avait décrété que jamais elle ne mettrait les pieds dans la maison, elle la considérait comme un sujet de honte, sinon comme un reproche vivant. Il faut dire que l'aspect physique de Mignonne ne correspondait pas aux canons de beauté d'Irène. Mignonne était un cheval. En plus d'avoir les cheveux gominés à la Elvis Presley, son idole, elle affichait son homosexualité d'une façon provocante. Un pantalon et un blouson de cuir noirs constituaient sa tenue vestimentaire, il ne lui manquait que des favoris pour qu'on la prenne pour un motard. Elle semblait équarrie à la hache. Elle gagnait sa vie à chanter et traînait derrière elle une guitare électrique branchée à un unique et misérable haut-parleur. À longueur d'année elle parcourait le pays, se produisant dans des campings et des hôtels de passe minables. Une seule chanson composait son répertoire, *Love Me Tender*, d'Elvis Presley. De nombreux hôtels lui refusaient l'accès de leur bar-salon, lassés d'entendre toujours la même complainte.

— Est-ce que je peux entrer? demanda Mignonne.

— Non.

— Torrieu! Je veux voir p'pa.

— Il est en bas à la cave, répondit Irène qui lui claqua la porte au nez.

De la cuisine, Potter avait entendu la conversation. Il avait toujours éprouvé une profonde amitié pour Mignonne; il appréciait sa franchise et sa générosité. Il n'avait pas osé s'approcher de la porte de peur que Tank et Moose ne l'aperçoivent, mais il aurait souhaité parler à Mignonne. Il se dirigea vers une des fenêtres du salon, espérant au moins l'apercevoir.

Au milieu du jardin, Mignonne soulevait le lourd panneau qui donnait accès à la cave de Lucien.

— Eh, p'pa! C'est moi! Je suis venue faire ma p'tite visite annuelle.

Lucien jaillit de l'ouverture du tunnel, un éclatant sourire aux lèvres. Mignonne considéra son père. Elle était sidérée par la dégradation de son état physique. Elle le trouvait autrement plus voûté que la dernière fois qu'elle l'avait vu.

— Torrieu, p'pa, tu vieillis! Si tu continues à voûter, ton menton va toucher à terre. Faut que tu sortes de c'te maudite cave, p'pa, c'est trop humide là-dedans.

Non consciente de son étonnante force physique, Mignonne décocha alors à son père une claque amicale qui le fit vaciller. Lucien en resta quelque peu ébranlé. Mignonne s'apprêtait à demander à son père des nouvelles de Potter quand retentit derrière elle de formidables détonations. Elle se retourna prestement et vit Tank et Moose avachis dans leurs voitures garées le long du chemin. Les Winchesters des truands fumaient encore, leurs canons jaillissant des portières.

— Mais qu'est-ce qu'ils viennent faire ici? s'enquit-elle.

— Ils... ils attendent Potter, fit Lucien avec de grands yeux effarés.

— Mais pour quelle raison?

— Ils veulent sa peau... un règlement de comptes. Ce serait trop long à expliquer.

Mignonne ne put s'empêcher d'exploser.

— Quoi??? Qu'est-ce que j'entends? Se faire la peau de Potter! Ben, torrieu de torrieu! Le premier qui touchera à un cheveu de Potter aura affaire à moi.

— T'énerve pas, Mignonne. Je pense que les esprits sont déjà assez échauffés comme ça. Et puis... je ne crois pas que tes menaces vont les intimider.

— Ah, non? Eh bien, c'est ce qu'on va voir.

Dans un élan de rage, Mignonne mit alors le cap sur les truands. Au passage elle s'empara de sa guitare qu'elle avait laissée appuyée contre l'escalier de la véranda. Cette guitare pesait plus de cinq kilos, elle avait été coulée dans l'acier exprès pour elle. Mignonne fulminait, des éclairs d'une rare violence jaillissaient de ses yeux fauves. Le premier gars qui allait lui flanquer la trouille n'était pas encore de ce monde. L'écume aux lèvres, elle parvint aux tacots des truands.

— Qu'est-ce qu'on peut faire pour toi, la gouine? railla Moose.

— Chante-nous donc un petit quelque chose, Elvis, s'esclaffa Tank.

Mignonne ne laissa pas aux truands le temps de poursuivre leurs moqueries; avec une fureur qui l'aveuglait, elle brandit sa guitare et en assena des coups retentissants sur leurs véhicules. Elle émietta les pare-brise, éventra les capots, fit voler en éclats les rétroviseurs. Les carrosseries cabossées parurent bientôt avoir été mâchées par une monstrueuse mécanique. Moose et Tank crurent bon de battre en retraite et s'enfuirent sans demander leur reste.

— Y'a pas un gars en ce bas monde qui va m'apprendre à me battre! hurlait Mignonne.

Lucien était devenu pâle de frayeur, il ne supportait aucune forme de violence; le moindre conflit lui chamboulait les tripes pendant plusieurs jours.

— C'est le temps de manger. Tout le monde à la maison, venait de décréter Irène à partir de la véranda.

Lucien protesta.

— Je peux tout de même parler à ma fille, bon Dieu!

— C'est l'anniversaire de La Petite, on n'a pas de temps à perdre. Viens m'aider.

— Je pourrais peut-être vous donner un coup de main, proposa Mignonne.

— Toi, comprends-le une fois pour toutes, il n'est plus question que tu mettes les pieds chez moi.

Lucien se résigna à rentrer et abandonna à regret Mignonne au milieu du jardin.

Le repas fut sinistre.

Abrutie par les tranquillisants, La Petite trônait à l'extrémité de la table, face à Irène. Elle fixait le gâteau, luttait péniblement afin de garder les yeux ouverts. Autour, Potter, Lucien, Fridolin et Margot ne la lâchaient pas des yeux, chacun essayant de prévoir de quel côté il se lancerait si elle venait à s'écraser tel un arbre abattu par la foudre. Il n'y avait qu'Irène pour se réjouir de l'événement.

— Allez, princesse! C'est le moment de couper ton gâteau.

La Petite traîna une main tremblante jusqu'au couteau et le saisit. Elle s'apprêtait à crever l'épais glaçage du gâteau quand de mélodieux accords de guitare montèrent du jardin. À l'extérieur Mignonne chantait *Joyeux Anniversaire* et l'effet était des plus réussis.

Tous, à l'exception de La Petite, se levèrent de table et gagnèrent la véranda, d'où ils observèrent Mignonne qui chantait à pleins poumons. Potter revint seul à la cuisine. Il se rasseyait à table quand son attention fut attirée par une inscription fraîchement gravée dans le gâteau. Intrigué, il tira celui-ci vers lui et lut l'inscription grossièrement écrite: AIDE-MOI.

Il crut halluciner. Qui pouvait bien avoir tracé ces caractères? Seule La Petite était restée à table. *Or La Petite ne savait ni lire ni écrire. Se pouvait-il qu'elle ait appris à écrire?* Alors, elle devait aussi savoir parler. Potter était estomaqué. Un grand malaise s'installait en lui.

— C'est toi qui viens d'écrire ça? demanda-t-il à voix basse à La Petite.

Elle ne répondit pas, toujours assommée par les tranquillisants. Potter insista.

— Réponds-moi. C'est toi qui viens d'écrire ça?

Cette fois, La Petite esquissa un bref signe de tête affirmatif.

Potter faillit tomber à la renverse. Ainsi, La Petite n'était pas cette bête inarticulée qu'il croyait, les rouages de sa tête n'étaient pas morts, ils fonctionnaient encore. La Petite était *consciente de tout* ce qui se passait autour d'elle. C'était d'autant plus horrifiant. Potter n'avait jamais pensé que La Petite pût sentir la réalité des choses, il l'avait toujours crue indifférente à l'état d'aliénation auquel Irène la soumettait. Il se dit que si La Petite lui envoyait ce message, c'est que la situation était critique et qu'il devait agir au plus vite. Il lui fallait l'interroger plus doucement. Sans l'ombre d'un doute, celle-ci avait des révélations importantes à lui confier. Penché sur La Petite, il allait chercher à en apprendre davantage quand Irène pénétra dans la cuisine.

L'œil d'Irène paraissait déjà chargé de suspicion.

En catastrophe, Potter songea alors à l'inscription sur le gâteau. Quelle serait la réaction d'Irène si elle venait à l'apercevoir? Elle éclaterait d'une fureur terrible, elle accablerait La Petite, accroîtrait sa vigilance à son endroit, elle doublerait ses doses de Valium, l'entraînant peu à peu vers la mort.

Pour soustraire le gâteau à l'attention d'Irène, Potter lui donna une poussée qui le fit glisser sur la table, puis tomber par terre. Irène avait perçu le mouvement, mais elle n'arrivait pas à comprendre la raison de ce geste insensé. Quelle mouche venait de piquer Potter? Était-il victime d'un accès de folie? Elle se précipita dans sa chambre d'où elle revint avec sa Winchester.

Potter savait qu'Irène n'hésiterait plus à le trouer comme une passoire; il détala, gagna la véranda puis le jardin. Irène le poursuivit avec son arme. Potter n'attendit pas qu'elle tire sur lui comme sur un lapin; il souleva la trappe de Lucien-le-Sanguin et s'y engouffra.

— Salaud! hurlait Irène de la véranda. Que je ne te revoie plus! Ne t'approche plus jamais de La Petite sinon je te descends, tu m'entends?

Lucien, Margot et Fridolin avaient rejoint Irène et cherchaient à comprendre ce qui avait pu déclencher sa colère. Ils restaient derrière elle, pétrifiés, incapables d'articuler un mot. Fridolin était dans une agitation telle que la paupière qui retenait son œil de verre se contracta.

L'œil sauta sur le sol, roula sur le plancher. La pupille et l'iris disparaissaient et réapparaissaient en roulant et donnaient l'illusion de clins d'œil macabres. Une interminable trajectoire amena l'œil à traverser la pièce sur toute sa longueur et à revenir de lui-même vers Fridolin. L'œil s'immobilisa finalement aux pieds de Fridolin, comme un chien aux pieds de son maître.

Fridolin le ramassa. Il cracha dessus afin de le lubrifier, pencha sa tête vers l'arrière, souleva sa paupière du bout des doigts et laissa l'œil retomber dans son réceptacle.

Irène décréta alors:

— Tout le monde rentre. C'est le temps de faire la vaisselle.

Tous se soumirent à cet ordre impérieux.

Chapitre 6

Potter vivait en reclus dans la cave depuis plus d'une semaine. Il étouffait. Il ne pourrait survivre longtemps dans ces conditions; privé de tout contact avec l'extérieur, il avait le moral à plat. Il comptait misérablement les heures et passait ses journées à regarder Lucien fabriquer ses épouvantails. La nuit, il dormait assis dans la berceuse. En guise de nourriture, Lucien lui rapportait du frigo des bouts de pain et des pointes de fromage qu'il dissimulait dans ses poches. Pour toute activité, il jouait aux cartes avec Gérard, un épouvantail que Lucien venait de terminer. C'est lui qui lui avait donné ce nom. Il le coinçait entre une chaise et la table, puis se mesurait à lui dans d'interminables parties de poker. Il avait alors l'impression de jouer avec un adversaire réel. Dans le feu de l'action, il lui arrivait parfois d'oublier qu'il avait affaire à un épouvantail.

— Vas-y, Gérard! Joue!

— Bon coup, Gérard!

— Tu me fais chier, Gérard. Tu triches! s'emportait-il.

Ce qui n'aidait pas Potter à supporter sa condition, c'est que tous les matins Tank et Moose venaient tirer quelques coups de feu sur la maison afin de le terroriser. Irène faisait alors irruption sur la véranda et échangeait des tirs avec eux.

Une fois le silence revenu, Potter mettait plusieurs heures à retrouver son calme. Il savait maintenant qu'il ne pouvait plus compter que sur lui-même. La seule personne qui aurait pu lui venir en aide était Mignonne, et elle s'en était malheureusement retournée gagner sa croûte dans une autre tournée des hôtels de la province.

En haut, à la maison, un autre drame couvait. Depuis quelques jours, La Petite se montrait récalcitrante aux traitements d'Irène. Celle-ci avait beau lui administrer force Valium, La Petite lui résistait. Au vu et au su d'Irène La Petite s'échappait parfois de la maison, chose qui ne lui était jamais arrivée auparavant. Le plus inquiétant était qu'elle se transformait peu à peu en une véritable tigresse du sexe. On ne la reconnaissait plus; sa libido endiguée semblait s'employer à rattraper le temps perdu. Les commérages allaient bon train, on racontait partout que lors de ses escapades elle allait se faire sauter par les gars du village. La plupart des mâles de Notre-Dame-du-Soûlon se vantaient déjà de se l'être envoyée, affirmant qu'elle était le plus formidable brasier qu'un trousseur de jupons eût jamais pénétré. Mais même si Irène voyait La Petite revenir à la maison épuisée, sa robe déchirée, le cou marqué de suçons d'amour, elle niait tout. Irène qualifiait les colporteurs de langues sales; après tout, ces commérages restaient sans preuves, s'obstinait-elle.

Lucien-le-Sanguin, lui, commençait à s'inquiéter sérieusement. Il gardait assez de lucidité pour constater que depuis quelque temps une transformation radicale s'était effectuée chez La Petite. Celle-ci était méconnaissable. Elle refusait maintenant de manger, repoussait avec dégoût son assiette; elle avait considérablement maigri, et des heures durant elle languissait sur la véranda, le regard embué par une tristesse mortelle. Lucien craignait qu'un jour prochain elle ne s'ouvre les veines ou n'aille se jeter dans le lac. La Petite ne marchait plus, elle se traînait, se laissait choir dans les fauteuils ainsi qu'une tonne de roches. Elle n'avait plus l'allure d'un être humain, tout au plus celle d'une bête sauvage en quête d'un trou pour mourir.

Potter n'était pas au courant de la situation. Un soir qu'il jouait au poker avec Gérard, Lucien décida de lui en faire part.

— J'ai à te parler, commença-t-il, d'un ton empreint de tragédie.

— T'as l'air inquiet, grand-p'pa?

— Oui. Et j'ai de bonnes raisons de l'être. Ça ne va plus du tout pour La Petite. Elle a de graves problèmes.

— Moi, j'ai toujours trouvé que La Petite avait de graves problèmes.

— Oui, mais cette fois ce n'est pas pareil. Ça pourrait être fatal. À mon avis, La Petite court à sa perte. Si on ne fait pas bientôt quelque chose pour elle, elle s'en va droit au cimetière.

Et Lucien relata à Potter les événements qui avaient marqué les derniers jours. Potter était atterré.

— Faut la sortir d'ici tout de suite.

— Pour l'emmener où?

— J'en sais rien. Un endroit où on s'occupera d'elle. Ça doit sûrement exister. Il faut la faire admettre dans une institution. Je suis certain qu'avec des soins appropriés, on arriverait à lui redonner toute sa raison.

Potter ne savait évidemment pas de quoi il parlait. Il n'avait aucune idée de l'état de La Petite, pas plus qu'il n'avait de connaissances en matière de traitements psychiatriques.

— Mais où peut-on l'envoyer? demanda Lucien.

— À mon avis, à Saint-Jean-de-Dieu, à Montréal. C'est le plus grand hôpital psychiatrique de la province.

— Mais on ne pourra jamais la faire admettre là.

— Pourquoi?

— Ça prendrait un billet du médecin. Une sorte d'avis d'internement. Et puis le seul qui pourrait nous rédiger ça, c'est le Doc MacNicoll. Le Doc n'osera jamais prendre cette initiative sans en parler à Irène.

— Et la clinique Mon doux repos? suggéra soudain Potter, comme s'il venait de trouver là la solution au problème.

— Voyons! On ne peut pas la faire admettre dans un endroit pareil, c'est une clinique psychiatrique de troisième ordre.

— Peut-être, mais c'est tout de même mieux que de la laisser ici. Pensez-y, grand-p'pa. Ici, à plus ou moins longue échéance, c'est la mort pour elle. Je pense que dans cette clinique-là elle aurait au moins une chance de s'en sortir. Et puis il n'est pas question de la laisser indéfiniment à cet endroit, on irait la chercher une fois qu'elle serait guérie.

Lucien se rallia finalement à cette idée.

— Ouais!... Peut-être après tout as-tu raison. Si on ne peut pas trouver mieux... Bon... D'accord... Va pour la clinique Mon doux repos.

— Ne vous en faites pas, grand-p'pa, je m'occupe de tout, et je me charge d'aller la reconduire moi-même.

Potter et Lucien ignoraient encore la terrible réalité que cachait cette institution. C'était une grande bâtisse malade où l'on parquait ceux qui étaient sonnés et sans le sou, un établissement qui fonctionnait à l'écart des normes gouvernementales. S'y faire interner ne coûtait rien car on y expérimentait sur les patients des drogues non brevetées en provenance des grandes compagnies pharmaceutiques. L'établissement ignorait les principes fondamentaux des droits de la personne; il appartenait à Cléophas Bolduc, un chimiste raté qui, après une psychanalyse qui avait duré plus de sept ans, s'était lui-même attribué un doctorat en psychiatrie. L'endroit était situé à l'abri des regards indiscrets, en pleine forêt, à la porte du parc des Laurentides. Il était gardé par une équipe d'infirmiers aux bras forts qui faisaient régner sur les patients un régime de terreur. Entre ces murs on avait beau hurler, on n'attendrissait personne; il n'y avait là aucune âme pour écouter, que l'étouffante forêt d'épinettes qui épuisait les regards. Les vieux et les têtes fêlées qui y entraient n'en ressortaient jamais, tués à coups de chimie.

Dès le lendemain, Potter entreprenait des démarches afin d'y faire admettre La Petite.

Par l'intermédiaire de Lucien, il fit d'abord demander à Tchang, un ami culturiste reconnu pour sa force spectaculaire, de l'accompagner à la clinique. Il estimait en effet que si jamais La Petite manifestait une certaine opposition, il ne pourrait en venir à bout seul; il lui faudrait alors compter sur une aide musclée. À contrecœur, Tchang accepta; il poussa même la générosité jusqu'à lui prêter sa voiture.

Potter devait ensuite téléphoner à la clinique afin de prévenir le personnel de l'arrivée de La Petite. Les fils téléphoniques avaient été arrachés par la dernière tempête, il pensa au téléphone à ondes courtes du Doc MacNicoll. Il déjoua la surveillance de Tank et de Moose qui attendaient devant la porte, s'échappa de la cave, puis se rendit chez le Doc.

Celui-ci habitait une maison-roulotte rongée par la rouille. Les murs étaient recouverts de feuilles de contreplaqué, un fil électrique effiloché et tirebouchonné partait d'une ligne à haute tension et entrait par une fenêtre laissée entrouverte. La roulotte était privée de ses roues, ses essieux reposaient sur des blocs de ciment; un malamute d'une maigreur épouvantable gardait la porte.

Sitôt qu'il aperçut Potter, le malamute se mit à tirer sur sa chaîne et à aboyer.

Potter avait les chiens en horreur. Il n'avait jamais compris le culte que vouaient les habitants de Notre-Dame-du-Soûlon aux molosses; surtout qu'après avoir nourri ceux-ci pendant des mois, les gens finissaient par s'en désintéresser et les abandonnaient à leur triste sort. Les bêtes rejoignaient les meutes de chiens-loups qui sillonnaient le village en quête de nourriture. Dans la nuit montaient d'interminables concerts où se mêlaient la sonorité basse du labrador au jappement suraigu du chihuahua aux testicules serrés. Ces concerts ravageaient le sommeil; pour s'endormir on n'avait d'autre choix que de s'envoyer une rasade de whisky derrière la cravate.

Potter évita les crocs du malamute puis cogna timidement à la porte.

Le Doc ouvrit, les yeux bouffis, le teint brouillé; il était l'image même de la déchéance humaine: sa peau était couperosée, son nez puissant avait pris une teinte rougeâtre, de longs cheveux gras montaient de sa nuque pour dissimuler la partie supérieure de son crâne dévastée par la calvitie. Ses yeux jaunes ressemblaient à ceux d'un charognard.

Potter hésita à lui serrer la main. Peut-être, après tout, la déchéance s'attrapait-elle comme un virus?

Sans lui adresser un mot de bienvenue, le Doc le fit entrer.

Pour la première fois, Potter pénétrait dans l'univers sordide du Doc. Une odeur de renfermé empuantissait l'air. Quelques sacs d'ordures s'entassaient dans un coin, vraisemblablement depuis longtemps car leurs parois souillées se déchiraient sous le poids de détritus qui cherchaient à se répandre sur le sol. Des conserves ouvertes, spaghettis et ragoût irlandais, y moisissaient. Le formica du comptoir ainsi que le linoléum du plancher étaient marqués de centaines de brûlures de cigarettes.

— Est-ce que je peux téléphoner? demanda Potter.

Le Doc le conduisit à son cabinet, une pièce encombrée située à l'arrière de la roulotte. La pièce trahissait le même relâchement que la cuisine et servait également de chambre à coucher; un lit défait, aux draps mûrs et tachés, était coincé derrière un bureau chargé de paperasse.

Le Doc montra à Potter les quelques manipulations qu'exigeait l'appareil, puis se campa à ses côtés.

— Excusez-moi, mais si ce n'est pas trop vous demander, j'aimerais être seul. C'est personnel, le pria Potter.

Le Doc parut contrarié, mais il quitta quand même la pièce. Une fois la porte refermée, il y colla toutefois son oreille. Potter actionna le téléphone. Un sentiment de culpabilité pointait en lui, comme si soudain il se fût apprêté à donner à La Petite le coup de grâce. Il réussit à rejoindre Cléophas Bolduc, le pseudo-psychiatre qui dirigeait la clinique Mon doux repos.

Cléophas Bolduc posa d'abord quelques questions sur l'état général et le comportement de La Petite, puis, après un long battement qui laissait entendre le pire, il déclara que la situation était urgente et que La Petite nécessitait des soins immédiats. Il se lança ensuite dans une évaluation clinique de l'état de La Petite, description à laquelle Potter ne comprit pas un traître mot. Bien que Cléophas Bolduc eût adopté un ton doctoral et convaincant, Potter hésitait à lui accorder sa confiance; d'instinct il doutait de sa compétence.

— Écoutez... fit bientôt Potter avec l'impression de marcher sur des œufs. Je sais que La Petite est récupérable, je la connais... Mais... je... comment vous dire? J'ai cependant une crainte en vous la confiant... Êtes-vous certain que La Petite ne ressortira pas de chez vous pire qu'elle n'y sera entrée? Est-ce que je peux vous la confier sans risque? Je veux dire... Après tout, on dit que vous avez parfois chez vous des patients jugés dangereux.

Loin de se laisser décontenancer, Cléophas Bolduc rappela à Potter d'un ton méprisant que son institution n'était pas un asile de fous, mais un établissement reconnu pour traiter les difficultés de comportement.

— Faites-moi confiance. Dans peu de temps, vous ne la reconnaîtrez plus.

Potter se laissa convaincre; il promit de lui emmener La Petite dès le lendemain, puis raccrocha.

Chapitre 7

Potter n'avait pas fermé l'œil de la nuit; c'était ce jour-là qu'il allait reconduire La Petite à la clinique. En se rasant, il se regardait dans le miroir lézardé accroché au-dessus de l'évier et pensait à elle, qui devait dormir encore sans se douter du sort qui l'attendait. Il ne pouvait s'empêcher de penser que La Petite était une erreur de la nature, qu'elle était devenue une monstruosité. Il souhaita tout à coup qu'elle meure dans son sommeil, mais il s'en voulut immédiatement d'une telle pensée; non, il y avait sûrement un espoir de la sauver. Il sortit finalement de la cave, feutrant ses pas pour ne pas réveiller Lucien. Dans le jardin, il constata avec soulagement que Tank et Moose ne l'attendaient pas. Il se pressa donc vers le village en se cachant, pour aller rejoindre Tchang comme convenu.

Tchang, dont le nom venait du fait qu'il était métissé d'Attisawin et qu'il en avait hérité des yeux plutôt mongoliens, de type asiatique, habitait une ancienne station-service, une bâtisse en ciment sans étage aux allures de bunker. Il gérait une petite affaire de débosselage de voitures et s'était aménagé une garçonnière dans ce qui avait jadis servi de bureau au garage. Dans un coin de l'atelier, il avait installé un studio d'entraînement où il pratiquait le culturisme, studio qui ne comptait pas moins d'une centaine d'haltères de formes et de poids différents. Tchang remportait chaque année le titre de Monsieur Muscles de Notre-Dame-du-Soûlon et il vouait à ses pectoraux un véritable culte; sa poitrine était une explosion de muscles, et un large cou de buffle supportait sa tête en forme de poire. L'entretien de ses muscles était devenu une telle obsession que Moose le truand tournait sans cesse en dérision le gonflement exagéré de ses pectoraux et comparait sa poitrine à celle d'une gonzesse.

— As-tu des montées de lait aujourd'hui? ne manquait-il de s'esclaffer chaque fois qu'il le croisait dans la rue.

Timide et replié sur lui-même, Tchang encaissait les sarcasmes sans mot dire. Potter était son seul ami et il ne parlait à personne. Avec le temps, à force de porter de l'attention à ses pectoraux, il en était venu à les considérer comme des êtres humains, comme ses seuls compagnons. Les jours où il n'en pouvait plus de jongler avec la solitude, il lui arrivait d'entretenir avec eux de longues conversations. Il leur confiait les tourments de sa vie de solitaire. S'enfonçant dans son délire, il s'était même lancé dans des cours de ventriloquie. Il était parvenu à composer à chacun de ses pectoraux une voix distincte, ce qui lui donnait réellement l'impression d'avoir des interlocuteurs. Exceptionnellement, poussé par quelques verres d'alcool, il lui arrivait de se rendre à l'Hôtel-Taverne-Bordel où il fournissait aux soûlons une étonnante démonstration de ses talents. Il déboutonnait sa chemise, exhibait ses volumineux pectoraux, puis les faisait parler. L'effet était saisissant! À tel point que certains se croyaient victimes de délirium tremens; ils repoussaient leurs bouteilles et se juraient de joindre dès le lendemain les rangs de la ligue de tempérance.

Potter pénétra à l'intérieur du garage.

Malgré l'heure matinale, Tchang était étendu sur un banc recouvert de vinyle et poussait un poids de soixante-dix kilos au-dessus de sa tête. Son torse nu ruisselait de sueur. Apercevant Potter, Tchang laissa retomber l'haltère avec fracas sur son support métallique.

— Ferme la porte, conseilla-t-il à Potter.

Il savait que depuis la destruction de l'Hôtel-Taverne-Bordel, tous les gars du village voulaient la peau de Potter. Celui-ci referma la porte.

— T'en fais pas pour moi. J'en ai plus pour longtemps à moisir ici, lança-t-il à Tchang.

— Comment ça?

— Je me tire de Notre-Dame-du-Soûlon.

— Maintenant?

— Non. Seulement quand La Petite sera sortie de la clinique.

— T'es sérieux?

— Comment donc!... Et j'ai l'intention d'emmener Lucien avec moi. On va monter tous les deux en ville.

— Mais tu vas vivre de quoi?

— Je ne sais pas. Je me trouverai du travail sur place.

Tchang s'épongea le front.

— Tu viens pour La Petite?

— Oui.

— Je te conseille d'aller d'abord la chercher. Repasse me prendre ensuite. Comme ça, on évitera de la rendre méfiante.

— O.K.

— Je te conseille aussi d'emmener Pépère Winter avec nous.

— Pourquoi?

— La Petite est costaude. Trois paires de bras ne seront pas de trop.

— Ouais. T'as raison.

— Les clefs de la voiture sont sur le frigo.

Potter s'empara du trousseau de clefs. Puis il gagna le véhicule de Tchang qui attendait devant la porte et prit le volant. Le véhicule démarra lourdement. Il était à ce point chargé de chrome que le moteur parvint tout juste à lui faire prendre de la vitesse. Au village on l'appelait le «cochon de chrome».

Potter se rendit jusqu'au panneau indicateur à l'entrée du village, sachant que La Petite viendrait à passer par là, puis gara le véhicule sur l'accotement. On prétendait que c'était à cet endroit que La Petite avait coutume de racoler les passants. Potter descendit, puis courut se réfugier derrière un bosquet de bouleaux nains, de façon que Tank et Moose ne puissent l'apercevoir de la route.

Il dut attendre plus de deux heures avant que se pointe La Petite. Celle-ci n'était pas seule. Elle marchait sur le chemin suivie de deux types à l'expression vicieuse, qui la sifflaient comme on siffle un chien.

La Petite se retournait constamment vers eux et leur faisait des gestes dont la grossièreté eût fait pâlir la plus audacieuse des prostituées. Elle invitait carrément les types à la sauter.

Potter était abasourdi. Il n'aurait jamais cru La Petite capable d'un tel comportement. Avec effarement il constatait que tout ce qu'on disait sur elle était vrai, qu'effectivement La Petite n'avait plus toute sa tête. Il se mit à craindre que les deux types n'assaillent sa sœur là, devant lui. Que ferait-il alors? Il n'oserait sûrement pas intervenir. Il regrettait de s'être aventuré jusque-là.

La Petite venait d'accomplir une brusque volte-face, elle relevait maintenant sa robe et ses crinolines et montrait son pubis nu. Elle caressait ses poils follets, se tortillait comme sous la décharge d'une jouissance électrique, elle faisait tournoyer sa langue hors de sa bouche, le visage incendié d'un étrange rayonnement.

Les deux types se regardaient et échangeaient des clins d'œil. Vraisemblablement, ils s'apprêtaient à se jeter sur La Petite quand Potter décida de signaler sa présence. Il jaillit du bosquet de bouleaux nains et afficha une expression menaçante. Les deux gars l'avaient à peine aperçu qu'ils prirent peur et déguerpirent.

À sa grande stupeur Potter vit alors La Petite le charger. Elle semblait prise d'une rage folle. Elle le saisit au collet et lui appliqua quelques coups de poings dévastateurs sur la gueule, l'arrachant de terre.

Potter n'osait pas cogner sur elle, tout au plus protestait-il.

— Arrête! Arrête!

Les cris de Potter ramenèrent La Petite à la raison; elle sembla soudain réaliser ce qu'elle était en train de faire et lâcha Potter. Puis, terriblement confuse, elle se laissa tomber dans l'herbe, ses jambes fléchissant sous son poids, et se mit à chialer. Son regard évitait celui de Potter. Elle semblait redouter qu'un châtiment céleste ne s'abatte sur sa tête.

Potter se dit qu'il devait éviter de l'accabler de reproches. Il se pencha plutôt sur elle, puis passa une main chargée de tendresse sur ses cheveux. Il lui dit calmement, sur un ton qu'il voulait complice:

— Je ne parlerai à personne de ce qui s'est passé... C'est un secret... D'accord?... Un secret entre nous... *Notre* secret.

Le visage de La Petite s'éclaira d'un sourire radieux.

— Ça te dirait de faire une balade? s'empressa de lui proposer Potter.

Elle laissa échapper quelques grognements de satisfaction, puis se releva. Elle avait déjà effacé de sa mémoire le dur moment qu'elle venait de passer. Plus que tout au monde elle adorait les balades en voiture. Le ronron du moteur agissait sur elle à la façon d'un tranquillisant, et puis tout ce vert qui défilait sous ses yeux apaisait son esprit.

La Petite s'assit aux côtés de Potter sur la banquette avant, puis, comme l'avait proposé Tchang, Potter se dirigea vers la maison de Pépère Winter.

Pépère Winter était un albinos au caractère épicurien. Il aimait la bonne chère et faisait métier de séduire l'une après l'autre toutes les nanas de Notre-Dame-du-Soûlon. Malgré ses vingt ans, il en paraissait soixante-dix à cause de sa peau lessivée et de ses cheveux blancs, ce qui n'empêchait pas les femmes de tomber sous son charme. Comme outil de séduction, il se servait de la pitié qu'éprouvaient les femmes à son égard.

Pépère Winter grimpa, puis Potter passa prendre Tchang. Le véhicule s'engouffra ensuite dans la forêt d'épinettes. Le voyage parut interminable; le tacot dut franchir vingt kilomètres de pistes défoncées, de ponts pourris, d'affaissements inondés, avant de se retrouver sur le chemin du lac à l'Ours. En fin de piste il croisa la Montagne coupée, puis enfila la Nationale 167.

C'est alors que La Petite commença à montrer des signes de nervosité. Elle ne cessait de monter et redescendre la vitre de sa portière, comme si elle avait déjà en tête de s'échapper. Potter se demandait si elle ne se doutait pas de quelque chose. Afin de calmer les inquiétudes de sa sœur, il crut bon de lui changer les idées. Il croisait justement le cap aux Dents. Du haut de ce promontoire on pouvait contempler la tumultueuse Chamouchouane. Potter s'y arrêta. Le panorama était saisissant, la rivière se jetait dans un horizon enflammé de feuilles d'or, ses gorges mauves charriaient des flots d'écume blanche. L'endroit tenait son nom du fait qu'à la vue du panorama, de nombreux visiteurs ébahis ouvraient la bouche et laissaient échapper leurs râteliers dans les flots bouillonnants.

La Petite observa quelques minutes la rivière, puis s'en lassa. Elle paraissait préoccupée. Son regard était devenu intense, son front plissait sous le poids de pensées obscures.

Potter reprit la route avec appréhension, jusqu'à ce qu'un panneau apparaisse sur l'accotement.

CLINIQUE MON DOUX REPOS

— Il était temps! soupira-t-il.

Chapitre 8

Le véhicule s'engagea dans une allée bordée de chèvrefeuilles. On eût dit des arbustes taillés par un sécateur maniaque: pas une brindille ne dépassait de leurs têtes rectilignes. Tous les vingt mètres, une plate-bande de pivoines débordait sur l'allée. Ce n'était pourtant plus la saison des pivoines! se disait Potter. Il ralentit l'allure puis immobilisa le véhicule à proximité d'un des massifs de fleurs. Il tendit le bras.

— Du plastique!!! constata-t-il en palpant les fleurs.

Un étrange sentiment d'angoisse pointait en lui.

La Petite devait flairer un danger car elle semblait agitée et agrippait la poignée de sa portière.

Potter arriva bientôt devant un large bâtiment de quatre étages entièrement construit en rondins. Le toit mansardé et les balcons pourris croulaient, de minuscules fenêtres laissaient à peine filtrer la lumière du jour. Quelques vieillards au regard désespéré collaient leurs visages aux fenêtres pour voir qui arrivait. Potter trouva l'endroit sordide. Un long frisson lui parcourut l'échine. Il se sentit pénétrer au cœur d'une vaste inquiétude. Il se dirigeait vers la porte centrale quand La Petite laissa échapper un grognement.

Il tourna la tête vers elle et croisa son regard. La Petite était effrayée, comme si elle venait de comprendre la raison qui l'emmenait à cet endroit.

Soudain elle poussa la portière à toute volée avec

l'intention de se jeter en bas de la voiture en marche. Potter enfonça l'accélérateur, espérant arrêter son mouvement et donner le temps à Tchang et à Pépère Winter de réagir. Mais ceux-ci étaient paralysés sur la banquette arrière.

La Petite se lança dans le vide.

Potter freina aussitôt, mais La Petite s'était déjà relevée et disparaissait à travers la haie de chèvrefeuilles, cherchant à gagner la forêt. Potter dirigea le véhicule vers la haie et franchit la rangée d'arbustes. Un terrible raclement retentit alors: une pierre saillante déchirait le ventre du véhicule.

Au loin La Petite détalait à la vitesse d'un sprinter, les muscles de ses mollets saillaient sous l'effort, son cou puissant s'étirait vers l'avant, comme pour gagner du terrain.

Le véhicule frémit, toussa, puis perdit de la vitesse. Il s'immobilisa finalement de lui-même, comme pris d'essoufflement, et refusa de démarrer à nouveau.

Potter se dit qu'il devait avoir arraché la pompe à essence.

— Sacrement! pesta-t-il.

Écroulé sur le volant, il vit que La Petite était parvenue à l'orée de la forêt et qu'elle s'apprêtait à s'échapper. Il ne la rattraperait jamais, c'en était fini de son admission, des soins qu'on aurait pu lui prodiguer, l'entreprise courait au désastre.

C'est alors qu'un escadron d'infirmiers jaillit de la clinique. La blancheur de leurs tuniques se détachait sur le vert des pelouses. Les infirmiers se jetèrent à la poursuite de La Petite comme une horde de loups affamés. Ils parvinrent bientôt à la rattraper et l'encerclèrent. La Petite résista opiniâtrement. Elle décocha au premier type qui posa la main sur elle un crochet au menton qui l'envoya au sol, puis hissa un deuxième gars en travers de ses épaules et le projeta à bout de bras. Le corps remonta dans les airs, puis s'empala en retombant sur une grille de fer qui ceinturait une plate-bande.

Potter était descendu de voiture. Il assista à la scène,

horrifié à la vue du sang qui avait éclaboussé la pelouse. La tête entre les mains, il se mit à sangloter.

— C'est... pas possible.

Ses yeux étaient remplis d'effroi.

— Petite, qu'est-ce que tu as fait?... Qu'est-ce que tu viens de faire? Non... ce n'est... pas possible.

Derrière lui, Tchang et Pépère Winter restaient figés sur leur banquette, sidérés.

Les infirmiers avaient empoigné La Petite et la tabassaient avec une incroyable sauvagerie. Assaillie de tous côtés, celle-ci ployait sous les coups et laissait échapper des plaintes de suppliciée. Un des infirmiers brandit une matraque et lui en assena un coup sur le crâne. La Petite chancela, puis s'écroula, perdant connaissance. Les infirmiers continuèrent de s'acharner sur elle, lui enfonçant les pieds dans les côtes.

— Mais vous allez la tuer! Vous allez la tuer! hurla Potter.

Les infirmiers cessèrent alors de frapper. Après avoir fait enfiler à La Petite une camisole de force, ils jetèrent son corps sur une civière. Ils s'apprêtaient à l'emporter quand Potter leur cria de nouveau:

— Attendez! C'est ma sœur!

Il chialait toujours. Il accourut et se pencha sur La Petite. Il eut peine à la reconnaître. Ses yeux tuméfiés n'étaient plus que deux fentes noirâtres, des coupures profondes entaillaient ses paupières, un ruisseau de sang coulait entre ses dents éclatées.

— Tu vas voir. Tu vas guérir, arriva tout juste à murmurer Potter.

Il ne trouvait plus les mots. À son grand étonnement, il l'entendit répondre faiblement.

— Non... Je... sais... Je... suis... perdue.

La Petite venait de parler. Pour la première fois, Potter entendait sa sœur parler.

Une des dents brisées de La Petite s'était échappée de sa bouche et restait collée à sa lèvre inférieure. Potter s'en empara avant qu'elle ne l'avale et ne s'étouffe. On emporta ensuite La Petite. Potter la regarda s'éloigner avec la conviction qu'il ne la reverrait plus jamais. Il enfouit la dent au fond de sa poche, gardant un dernier souvenir de sa sœur. Il se dirigea vers le bureau de Cléophas Bolduc afin de connaître le sort qu'il lui réservait. Tchang et Pépère Winter ne l'accompagnèrent pas, effrayés à l'idée d'entrer dans le bâtiment.

Cléophas Bolduc fit poireauter Potter plus d'une heure avant de le recevoir. En le voyant, Potter trouva tout de suite que son regard métallique cachait une folie sournoise. Il se prit à penser qu'il était probablement plus dangereux que les patients qu'il traitait. Potter ne réussit pas à en apprendre davantage sur le sort qui attendait La Petite; il dut se résoudre à apposer sa signature au bas d'un ordre d'internement et quitta ensuite les lieux, la mort dans l'âme.

Tandis qu'il s'éloignait du bâtiment, absorbé dans ses pensées, un cri horrible lui glaça les entrailles. Il se retourna brusquement et interrogea la façade détériorée de la clinique. Une énergie diabolique émanait du bâtiment; on eût dit que les fenêtres allaient voler en éclats sous une pulsion de mort. La porte d'un balcon du quatrième étage claqua furieusement. La Petite en jaillit telle une furie. Libérée de sa camisole de force, en proie à une colère démente, elle était totalement nue. D'un élan elle sauta par-dessus la balustrade du balcon et se jeta dans le vide. Elle s'écrasa quelques mètres plus bas, la tête la première sur le dallage de l'entrée.

Une tache rouge s'étendait sur les marches.

— Dieu de Dieu! laissa échapper Potter.

Il détala à toutes jambes, sans se retourner, cherchant à arracher de sa mémoire cette insoutenable image. Un vol de canards sauvages passait en glapissant au-dessus de sa tête. Les courageux volatiles luttaient en formation serrée contre le vent; ils migraient vers le sud. Potter plongea la main au fond de sa poche, serra la dent de La Petite entre ses doigts puis, dans sa course éperdue, hurla aux oiseaux:

— Attendez-moi! Par pitié! Ne me laissez pas ici!

Chapitre 9

Irène souffrait, comme de toute sa vie elle ne se souvenait d'avoir souffert. Le Doc MacNicoll venait de lui apprendre la mort de La Petite. Elle se sentait dévastée, engouffrée dans un vide intolérable qu'elle ne pourrait combler que par une vengeance terrible. Œil pour œil, dent pour dent, se promettait-elle déjà. Elle tenait Potter responsable de la mort de La Petite et se jurait bien de le lui faire expier. Elle aiguisait sa haine, affûtait sa rage. Tirerait-elle sur Potter à bout portant afin de soulager au plus vite sa douleur, ou le traînerait-elle dans les méandres d'une vengeance infiniment plus cruelle? Elle se berçait frénétiquement, sa Winchester fichée entre les jambes, elle martelait de ses poings les accoudoirs de sa chaise. Elle avait la conviction que Potter reviendrait sous peu à la maison, car il n'avait pas d'autre endroit où se réfugier. Elle décida soudain de surseoir à l'exécution de Potter; elle le chasserait plutôt de la maison, puis se lancerait à sa poursuite. Elle le ferait courir comme il avait fait courir La Petite, à mort. Elle le traquerait impitoyablement. Elle ne lui accorderait pas une minute de répit, elle hanterait ses jours et ses nuits, elle lui ferait regretter d'être vivant.

Une arythmie cardiaque déchira soudain sa poitrine. Elle se sentit défaillir.

Pour échapper au regard de Fridolin qui l'observait à la dérobée, elle se leva afin de gagner sa chambre. Il n'était pas question qu'elle se donne en spectacle et altère ainsi l'image de puissance qu'elle avait toujours cultivée auprès des siens. Le poids d'une immense fatigue s'abattit sur ses épaules lorsqu'elle se retrouva dans sa chambre. Elle se traîna jusqu'à son lit et s'y écroula, emportée dans un sommeil comateux.

Elle ouvrit les yeux un peu avant minuit et constata qu'on lui avait retiré ses vêtements et enfilé sa robe de nuit. Sa fille Margot était penchée sur elle et lui faisait savoir que Potter désirait la voir.

Quelques minutes plus tard, il se présentait devant elle, fort éméché d'ailleurs. Il avait bu cinq cannettes de bière afin de se donner le courage nécessaire pour l'affronter. Il voulait rencontrer Irène au plus vite, se justifier, expliquer comment les événements s'étaient véritablement déroulés, comment il avait tenté de tirer La Petite de l'état de démence dans lequel elle sombrait peu à peu. Il se dégrisa dès qu'il croisa le regard meurtrier d'Irène.

Dans la chambre planait un silence de mort.

Potter s'était attendu à ce qu'Irène déchaîne aussitôt sur lui sa colère, mais à sa grande surprise elle n'en fit rien. Elle se contenait. Et Potter attendait, il n'en pouvait plus d'attendre, il était au supplice.

Irène le voyait se morfondre, elle laissait durer le silence, avec le plus grand des sadismes. Potter finit par se jeter au pied de son lit.

— Je croyais bien faire. Je voulais venir en aide à La Petite, se mit-il à sangloter.

Irène ne lui laissa pas le temps d'achever sa supplique; avec un calme inquiétant, elle l'invita à se relever. Puis elle saisit sa Winchester couchée en travers de son lit et en pointa le canon sous la bouche de Potter.

Celui-ci crut qu'Irène s'apprêtait à lui décharger l'arme dans la gueule.

Dans la chambre enténébrée, l'imposante silhouette d'Irène se découpait sur les murs, projetée par le maigre rayonnement d'une lampe de chevet. Elle laissa bientôt apparaître sur son visage un sourire incisif et cruel.

Potter ferma les yeux.

Irène ne déchargea pas son arme sur lui. Elle pompa la violence qui l'habitait, puis lui vomit au visage:

— Tu m'as tuée. Maintenant prépare-toi. C'est à ton tour de payer. À partir d'aujourd'hui, *partout* où tu seras, je serai derrière toi. Le jour où tu t'y attendras le moins, méfie-toi, je serai *là*, et je t'abattrai alors. *Moi seule* déciderai du moment. Maintenant sors d'ici. Ne reviens plus jamais sous mon toit. Disparais de ma vue.

Puis son regard douloureux se traîna jusqu'au portrait de La Petite accroché au mur et y plongea son désespoir.

Potter quitta la pièce, dévasté par la peur. Il se pressa de fuir la maison. Il prit tout juste le temps de descendre à la cave, où, sous le regard effaré de Lucien, il rassembla quelques effets personnels qu'il jeta pêle-mêle dans une boîte de carton. Lucien avait entendu la scène à travers les lattes du plancher; il n'arrivait pas à trouver les mots pour réconforter Potter. Il lui fit un adieu poignant, il le serra longuement dans ses bras. Puis Potter se retrouva dehors dans un froid cinglant. Il se demanda où il allait passer la nuit. À cette heure, il ne se voyait pas débarquer chez Tchang ou chez Pépère Winter; aussi prit-il le parti de s'abriter sous la véranda, où il tenta tant bien que mal de se fabriquer une paillasse avec quelques bouts de planches et quelques vieux chandails. Il s'y recroquevilla, mais il ne parvint pas à fermer l'œil de la nuit tant le froid était intense. Au petit matin, il se releva complètement frigorifié; ses jambes claquaient comme du bois mort, le frimas avait durci sa chevelure. Il ne survivrait pas longtemps dans de telles conditions, se disait-il; il devait sans tarder se trouver un toit. Mais où aller? Il ne jugeait pas prudent de se réfugier chez Pépère Winter ou chez Tchang, sachant qu'Irène, Moose et Tank n'hésiteraient pas à venir l'en déloger. Il lui fallait trouver un endroit plus sûr, un endroit dont personne n'oserait forcer la porte. Il pensa à se réfugier chez le maire Saint-Georges, dont le fils était un camarade de longue date; celui-ci pourrait sans doute le dépanner pour quelques jours, le temps qu'il parvienne à s'échapper du village.

On surnommait le fils Saint-Georges «le singe». C'était une pâte molle de fils à papa qui copiait les moindres faits et gestes de son père; il marchait sur ses talons et répétait inlassablement derrière lui chacune de ses paroles. Cela exaspérait d'ailleurs Saint-Georges, qui le battait comme plâtre. Mais Le Singe ne détestait pas être rossé par son père, car il avait depuis longtemps compris que c'était la seule attention qu'il recevrait jamais de lui.

Potter boucla la boîte de carton qui lui servait de valise, puis sortit de sous la véranda après s'être assuré que Tank et Moose ne l'attendaient pas devant la porte.

Saint-Georges habitait une imposante maison appelée «le château de marbre», juchée sur un monticule qui surplombait le lac. Entièrement construite à l'aide de plaques de marbre, un horrible marbre beige aux veines bigarrées, elle avait des allures de casemate. Quand on y pénétrait, il fallait éviter de fixer trop longtemps les veines du plancher, car elles provoquaient de violentes crises de strabisme ou des nausées foudroyantes.

Potter appuya sur la sonnette du château. Malgré l'heure matinale, Saint-Georges vint ouvrir. C'était un lève-tôt. Il se montra étonné de découvrir Potter sur le pas de sa porte.

— Qu'est-ce que tu veux? lui demanda-t-il sèchement, d'une voix graillonnante.

— Est-ce que Le Singe est là?

— Évidemment qu'il est là. Où veux-tu qu'il soit?

— Évidemment que je suis là. Où veux-tu que je sois? répéta Le Singe derrière son père.

Saint-Georges fit entrer Potter. Le Singe vint se planter devant lui, le visage encore fripé de sommeil.

— Qu'est-ce que tu veux?

Potter dut prendre son courage à deux mains, car en présence de Saint-Georges, il éprouvait un sentiment de gêne à l'idée de demander au Singe de le cacher.

— Est-ce que tu accepterais... de... de m'héberger quelques jours?

Le Singe se retourna vers son père.

— Qu'est-ce que t'en penses, p'pa?

— Ça dépend.

— Irène m'a foutu à la porte, expliqua Potter. J'ai pas d'endroit où aller. Est-ce que je pourrais coucher ici, le temps de me retourner? De toute façon, d'ici quelques jours j'aurai quitté le village.

— Pour aller où? demanda Saint-Georges.

— Ouais, pour aller où? répéta Le Singe.

— En ville.

— D'ici un mois, tu vas être revenu, déclara Saint-Georges, qui espérait décourager Potter de quitter Notre-Dame-du-Soûlon. Y'a pas de travail en ville. C'est la misère.

— Ouais. C'est la misère, fit Le Singe.

— Et puis... je cours des risques à te laisser entrer chez moi, y'en a plusieurs qui voudraient ta tête.

Potter venait de plonger un regard découragé vers le sol.

— Mais il y aurait peut-être moyen de t'aider, poursuivit Saint-Georges.

— Ouais. Il y aurait moyen de t'aider, fit en écho Le Singe.

Exaspéré, Saint-Georges explosa et envoya à son fils une paire de claques qui faillit lui arracher la tête.

— As-tu fini de répéter derrière moi, imbécile! beugla-t-il.

Le Singe se frotta les mâchoires puis, marmonnant quelques imprécations, il partit rejoindre sa mère, La Dolores, qui préparait le petit déjeuner à la cuisine. Une odeur de pain grillé et d'œufs sur le plat s'était répandue à travers la maison.

Saint-Georges entraîna Potter vers le grand salon.

— Assieds-toi, fit-il.

Potter déposa sur le sol la boîte qui contenait ses effets personnels, puis prit place dans un moelleux divan de velours orangé d'inspiration rococo espagnol.

En vautour qu'il était, Saint-Georges fit une proposition à Potter:

— Je crois que je peux faire quelque chose pour toi. Mais... tu sais... je ne vis pas de l'air du temps. Ça coûte cher entretenir une maison pareille. Ça coûte les yeux de la tête.

Sa voix se fit hésitante, louvoyante.

— Je peux t'héberger quelques jours; à une condition cependant: il faudra que tu me rembourses pour les dépenses que tu vas m'occasionner. Or je sais que tu n'as pas un sou. Alors tu vas travailler pour moi. Qu'est-ce que t'en dis?

— Ouais, est-ce que tu accepterais de travailler ici? répéta Le Singe qui revenait de la cuisine.

— Toi, retourne avec ta mère! hurla Saint-Georges.

Potter ne fit ni une ni deux, il accepta l'offre de Saint-Georges, même si elle lui paraissait un marché de dupes. Il savait Saint-Georges plein comme un boudin; tout de même, il se rejouissait à l'idée qu'aussi longtemps qu'il travaillerait pour lui, il se trouverait en quelque sorte sous sa protection. Ni Tank, ni Moose, ni Irène n'oseraient venir le chercher chez lui. Il se mit donc au travail. La journée fut éprouvante; il dut successivement tirer les joints des dalles de marbre qui recouvraient la façade, désengorger les fossés qui bordaient l'allée menant au garage, puis tondre la pelouse qui s'étendait à perte de vue autour de la maison. La propriété était encombrée de statues, d'œuvres d'art auxquelles Saint-Georges accordait la plus grande importance: un lion en ciment, un *Manneken-Pis* aux yeux clignotants, un David de Michel-Ange version marbrée, une statue de la Liberté brandissant une bouteille de bière ainsi qu'une tour Eiffel servant de support à quelques pots de géraniums. Chaque fois que Potter devait contourner ces objets, c'était au prix d'un patient découpage. Il termina la journée le ventre à terre et, une fois son souper engouffré, il s'affala sur le canapé du salon. Il dormit tout habillé, épuisé, sans couverture ni oreiller. Lorsqu'il se réveilla le lendemain, La Dolores était devant lui, confortablement calée dans un fauteuil, elle sirotait un verre de scotch et attendait avec impatience qu'il ouvre l'œil. La Dolores était considérée comme la pin up de Notre-Dame-du-Soûlon. C'était une femme plantureuse et sensuelle, une espèce de sex symbol sur le retour; malgré ses cinquante ans, elle était des plus provocantes. Elle portait de sempiternels turbans et de lourds pendants d'oreilles, avait un goût marqué pour les piments rouges, le scotch, les couleurs chatoyantes et les joyeuses sauteries. Elle trompait depuis longtemps son mari, car il avait toujours été beaucoup plus préoccupé de questions d'argent que d'elle. On ne comptait plus ses amants. Chez elle, pas question de vice malsain, mais plutôt de longues caresses, de joyeuses étreintes qui donnaient à la sexualité des airs de fête, beaucoup plus un plaisir qu'un défoulement délirant. Calée dans son fauteuil, La Dolores traînait un œil langoureux sur le corps de Potter, sa bouche pulpeuse semblait n'attendre qu'un signal pour se jeter sur lui.

Potter l'aperçut et devina ses intentions. Il lui adressa un sourire contraint, chercha à éviter son regard attisé. Elle comprit l'embarras de Potter. Pour le rassurer, elle lui dit qu'il n'avait rien à craindre, que Saint-Georges et Le Singe étaient partis en hors-bord sur le lac, qu'elle et lui se trouvaient seuls dans la vaste maison.

Potter sentait monter en lui une certaine excitation. La Dolores s'approcha de lui, se pencha au-dessus de sa tête et lui offrit sa voluptueuse poitrine. Potter l'attira vers lui sur le canapé, plongeant une bouche fiévreuse et goulue au fond de son décolleté.

La Dolores explosa en une succession de soupirs qui sautèrent tels des bouchons de champagne au plafond. Puis elle saisit les mains de Potter et les enfouit dans son corsage. Potter se mit à pétrir ses seins avec emportement.

La Dolores poussa une légère plainte et se recula,

montrant ainsi à Potter qu'elle n'appréciait guère son approche trop brusque. Elle avait horreur qu'on lui presse les seins comme des citrons. Elle entreprit alors de lui apprendre l'art délicat de la caresse. Potter se remit à dévorer sa poitrine, mais avec un appétit plus contrôlé. La Dolores atteignait des sommets de félicité. Elle était maintenant prête à passer à l'attaque. Elle dégrafa le jean de Potter avec une hâte gourmande, mais du bout des doigts, comme si elle déballait un cadeau. Après avoir plongé la main dans son pantalon, elle en fit jaillir un sexe tendrement rigide qu'elle porta à sa bouche.

Potter sentit une chaleur humide envelopper son sexe. Celui-ci était aspiré par des lèvres pulpeuses, prisonnier d'un étroit couloir de plaisir. Quelques instants de volupté, et la jouissance incendia son corps raidi, l'électrisant des pieds à la tête et se terminant dans un gémissement involontaire de sa part, un abandon à l'extase. Potter ouvrit les yeux, juste à temps pour voir La Dolores qui s'étendait sur lui, qui s'apprêtait à le submerger tel un océan de plaisir.

Pendant ce temps, Saint-Georges et son fils sillonnaient les eaux paisibles du lac à bord d'un vieux bateau à moteur écaillé. Cette embarcation appartenait à Saint-Georges, c'était la seule autorisée à se promener sur le lac Chloroforme. Elle pissait l'eau, poussait des bourdonnements épouvantables, crachait des nuages de pétrole, elle tournait en cercle au milieu du lac et provoquait sur les rives d'énormes vagues. Saint-Georges remplissait là une des promesses électorales qui lui avaient permis de remporter les dernières élections: il s'était alors engagé à donner au lac une nouvelle vie, voire un certain intérêt. Il avait promis de faire déferler sur ses rives des vagues dignes de l'océan, afin que les riverains puissent tromper leur ennui et croire, l'espace de quelques heures, qu'ils se trouvaient sur une plage d'Old Orchard, la station balnéaire à la mode. Le hors-bord tournait en rond depuis quelques moments déjà quand le moteur cala.

Un silence religieux pesa aussitôt sur toutes choses,

laissant pressentir une imminente tragédie. Les deux montagnes qui enserraient le lac lui conféraient une prodigieuse acoustique et en faisaient un amphithéâtre où les sons portaient clair; on aurait pu y percevoir jusqu'au râle d'un ver de terre. Le moteur du bateau maintenant éteint, on entendait Saint-Georges pester contre son fils, qui s'acharnait sans succès sur la clef du contact de l'embarcation. Saint-Georges fulminait contre lui, et malgré ses efforts pour parler bas, on n'entendait que ses jurons grossiers.

— Qui m'a donné un con de fils pareil? crachait-il.

C'est alors qu'à sa grande consternation, Saint-Georges entendit la voix de La Dolores se mêler à la sienne et se répercuter autour du lac.

— Potter! Prends-moi! Je suis à toi! implorait-elle, gonflée par des spasmes.

Vraisemblablement, La Dolores avait commis l'impardonnable erreur de laisser une des fenêtres de la maison ouverte.

— Encore! Encore! Encore! s'époumonait-elle, emportée par la griserie d'un orgasme dévastateur.

Atterré, Saint-Georges porta son regard sur les rives du lac, cherchant à s'assurer que personne n'était témoin de la scène. À son désarroi, il constata que de partout on accourait déjà pour se masser sur le rivage, trop heureux de le pointer du doigt et de se bidonner à ses dépens. Sa respectabilité en prenait un sale coup; il serait désormais la risée du village, coiffé à tout jamais du titre de cocu. Un accès de rage le saisit. Son impuissance le porta tout naturellement à taper sur son fils.

— Fais quelque chose! vociféra-t-il.

— P'pa, qu'est-ce que tu veux que je fasse?

— Je ne sais pas mais fais quelque chose, imbécile!

Il multipliait à son endroit les bordées d'injures et les volées de coups. Sur les rives, les habitants applaudissaient à ce délirant vaudeville.

Saint-Georges se dit alors que s'il n'imposait pas le respect immédiatement, il serait l'objet d'une éternelle moquerie. Aussi pointa-t-il sa 300 Magnum vers les spectateurs.

— Qu'est-ce que vous attendez, bande de cons? Si y'en a pas un pour venir me chercher tout de suite, je tire dans le tas.

Lucien-le-Sanguin assistait à la scène. Il connaissait suffisamment Saint-Georges pour savoir que celui-ci n'hésiterait pas à mettre sa menace à exécution. Aussi se porta-t-il volontaire; il détacha la chaloupe du ponton en face de la maison, puis rama dans sa direction.

En proie à une rage aveugle, Saint-Georges tirait maintenant sur sa propre maison. Le marbre éclatait sous les balles, la porte qui donnait sur le lac vola bientôt en copeaux, quelques arbustes décoratifs furent décapités.

Dès le premier coup de feu, La Dolores comprit que son mari venait de la prendre en flagrant délit. La vue de la fenêtre ouverte lui confirma ses appréhensions.

— Oh, non! se mit-elle à sangloter, relâchant son étreinte.

Elle se précipita sur ses vêtements et chercha à enfiler un tricot moulant et un pantalon fuseau trop étroit pour elle.

Au milieu du lac, Saint-Georges tonnait.

— M'as te tuer, Potter! Tu m'entends? M'as te tuer.

Potter se rhabilla en quatrième vitesse, sa jouissance promptement étranglée. Il rampa vers la fenêtre panoramique du salon avec l'intention de s'adresser à Saint-Georges, qu'il espérait ramener à la raison. Il avait à peine poussé sa tête à découvert que Saint-Georges le visa, le manquant de peu; la balle alla percuter une lampe Tiffany suspendue au-dessus de la table de la salle à manger.

La Dolores pressait Potter de filer.

— Et vous? lui demanda-t-il.

— Il n'osera pas me toucher. Allez! Va!

Un moment d'hésitation, et Potter jugea plus prudent de suivre le conseil de La Dolores, estimant qu'après tout celle-ci connaissait mieux que lui la façon de circonscrire l'accès de démence de son mari. Il se tortilla le long d'un corridor jusqu'à la cuisine. Il allait franchir la porte arrière quand une balle perdue vint se loger dans un mur et décrocha une assiette en céramique qui faisait partie d'une collection proclamant bien haut l'amour de Saint-Georges pour sa femme.

Derrière chaque grand homme il y a une femme.

La femme est le plus cher trésor de l'homme.

Il ne faut pas désunir ce que Dieu a uni.

Potter jeta un coup d'œil à l'assiette qui lui était tombée dans les mains.

Une journée sans femme est une journée sans pain.

— Je me serais volontiers passé de pain aujourd'hui! marmonna-t-il en songeant à son moment d'égarement avec La Dolores.

Il détala à quatre pattes après avoir déposé l'assiette. Pourquoi fallait-il que les malheurs s'abattent en série sur lui? geignait-il en gagnant le couvert de la forêt. Il courut à perdre haleine, ne sachant où se terrer.

Chapitre 10

À bout de souffle, Potter parvint aux anciens baraquements des Forces armées canadiennes situés à l'entrée du village. Depuis la destruction de l'Hôtel-Taverne-Bordel, l'un deux tenait lieu de bar-salon. Potter s'y arrêta, espérant trouver là Marie-Scapulaire et Pépère Winter.

L'endroit était constitué d'une pièce unique aux fenêtres masquées par du papier aluminium et rappelait qu'il avait servi un temps de classe. Une immense ardoise était suspendue à un mur, des pupitres d'écoliers et un massif bureau de maître s'y trouvaient encore. Le bureau servait de bar, on y entassait les bouteilles d'alcool et les verres. Quant aux pupitres, leurs surfaces inclinées avaient été redressées; recouverts de nappes à carreaux, ils avaient été transformés en tables. Une ampoule électrique coiffée d'un petit chapeau de métal éclairait chacune des tables, des guirlandes aux teintes fluorescentes se croisaient au milieu du plafond.

Potter constata que, malgré l'heure matinale, l'endroit était plein à craquer et que ça buvait sec. Marie-Scapulaire, Tchang et Pépère Winter sirotaient une bière. Épuisé par sa course, Potter se rua sur eux et s'affala quasiment à leurs pieds.

— Saint-Georges est à mes trousses, j'ai pas le temps de vous expliquer. Il faut que je me tire d'ici au plus vite, leur lança-t-il.

— Prends mon tacot, lui proposa Pépère Winter qui lui balança les clefs de son véhicule. Il est garé derrière. Va nous attendre au Colisée, on arrive.

Une rumeur menaçante s'était levée parmi la clientèle; on venait de reconnaître Potter et on s'apprêtait à lui faire un mauvais parti.

Marie-Scapulaire prit la situation en main; avec un sourire désarmant, elle claqua des doigts vers une des filles qui attendaient derrière le bar. Aussitôt celle-ci alla déposer un disque sur un petit tourne-disque dissimulé dans ce qui avait jadis servi d'armoire à balais, puis grimpa sur une des tables.

Une complainte de cow-girl esseulée commença; sur un fond de guitare hawaïenne, une voix nasillarde attaquait un refrain pathétique.

Je suis une cow-girl sauvage,
montée sur un amant de passage.
Cette nuit je t'emmène chevauchant,
chevauchant, chevauchant, chevauchant,
entre mes draps de satin blanc.

Dressée sur sa minuscule scène, la strip-teaseuse faisait voler un à un ses vêtements. Les gars s'étaient détournés de Potter et n'avaient d'yeux que pour elle.

Potter, lui, avait gagné l'arrière du bâtiment et grimpait à bord du véhicule en ruine de Pépère Winter. Rafistolé à partir d'une carcasse de Volkswagen, ce véhicule n'était plus qu'un châssis sans portes, sans toit et sans pare-brise. Un vieux banc d'église avait été attaché au châssis à l'aide de fil de fer, face au volant et au levier de vitesse. Le bloc-moteur semblait sur le point de se décrocher. Potter démarra en trombe, soulevant un nuage de poussière; il constata avec soulagement que ni Tank, ni Moose, ni Saint-Georges ne lui barraient la voie. Une fois franchies les dernières maisons du village, il bifurqua sur une piste secondaire. À partir de là le chemin se transformait en un sentier rocailleux, il s'y lança à fond de train. Il finit par atteindre les abords du Colisée. Au beau milieu de la route, des chiens-loups étaient rassemblés, les oreilles dressées, tous crocs sortis dans l'attente de quelque chair à dévorer. Par crainte de se voir déchiqueter sans pitié, Potter fonça sur la meute et parvint à la disperser. Il se retrouva dans la porte d'arche du Colisée.

C'était un immense stade qu'on avait érigé à l'aide de milliers de carcasses d'automobiles noircies, empilées et disposées en gradins autour d'une piste centrale d'une cinquantaine de mètres de diamètre; plusieurs centaines de spectateurs pouvaient s'y asseoir. On ne s'y aventurait jamais seul car les chiens-loups y avaient élu domicile. L'endroit servait pour les corridas du dimanche qu'organisait la municipalité: on fixait à cette occasion des cornes de taureau au pare-chocs avant d'une voiture, qui cherchait ensuite à renverser un matador improvisé. Ce dernier agitait une muleta et essayait de crever les pneus du véhicule à l'aide d'une épée.

Potter franchit l'entrée, une arche constituée de milliers d'enjoliveurs fixés à une armature de métal, puis engagea son véhicule dans l'arène. Il s'arrêta au milieu du stade.

Il n'avait jamais mis les pieds à cet endroit et resta muet à la vue de cet amoncellement de carcasses de voitures.

Bien que l'endroit parût dangereux, il ne manquait pas d'exercer sur Potter une réelle fascination. Considéré comme le cimetière de voitures le plus complet en Amérique du Nord, c'était un véritable musée de l'automobile; des collectionneurs venaient parfois de très loin afin d'y dénicher une pièce originale d'un modèle aujourd'hui disparu. Le maire Saint-Georges avait vite flairé l'affaire en or; il y organisait chaque année le Festival international des caps de roues — The International Wheel Cap Festival Inc. À cette occasion des amateurs venaient d'aussi loin que de New York, du Winconsin, de la Californie, de l'Angleterre et de l'Australie dans le but de vendre ou d'acheter des enjoliveurs.

Comme dans les cas de vins millésimés, il y avait de bonnes et de mauvaises années.

Potter venait d'immobiliser son véhicule au milieu de l'arène quand il vit surgir d'une carcasse de voiture éventrée un chien-loup d'impressionnante stature. Sa respiration se bloqua, le rythme de son cœur s'accéléra. D'un air de défi, la bête grognait et dardait sur lui un regard d'anthropophage. C'était un molosse au poil jauni, à moitié arraché par des plaques de teigne, couvert de croûtes verdâtres et de plaies purulentes. La bête repoussante tenait un soulier dans sa gueule. Potter constata avec horreur que le soulier contenait un pied humain.

Dégoûté et épouvanté, il s'apprêtait à déguerpir lorsque le labrador poussa un hurlement de mort qui le fit frémir tout entier. Quelques chiens rugissants jaillirent alors des carcasses des voitures et firent cercle autour de lui. Le Colisée résonnait du grognement des bêtes meurtrières; des filets d'écume s'échappaient de leurs gueules menaçantes. Le labrador poussa un nouveau hurlement, étirant son cou puissant et musclé vers le ciel. Il venait de sonner l'assaut général. D'un même élan de rage, les bêtes s'élancèrent vers Potter.

La gueule tordue, le labrador parvint le premier au véhicule. Après avoir accompli un bond prodigieux, il tenta d'en escalader le côté du conducteur. Potter repoussa l'animal en lui décochant un violent coup de pied sur la gueule. L'animal roula sur le sol, mais revint furieusement à la charge.

Potter embraya, puis poussa l'accélérateur à fond et lança le véhicule vers l'arche d'entrée. Les bêtes hurlantes n'abandonnèrent pas leur poursuite, mais continuèrent de le harceler. Leurs mâchoires venaient claquer à quelques centimètres du volant.

Potter allait atteindre l'arche d'entrée, sa tête bourdonnant de hurlements sauvages, quand il vit le labrador se tasser contre une des roues et chercher à la mordre. Dans un sursaut de désespoir, il donna un coup de volant. Le véhicule happa l'animal, puis réussit à reprendre sa trajectoire. Le reste de la meute se jeta sur le chien mortellement blessé et s'en disputa les chairs.

Potter réussit de justesse à s'échapper du Colisée. En cherchant dans quelle direction il allait fuir, il aperçut au loin Marie-Scapulaire, Tchang et Pépère Winter qui se rapprochaient. Il appliqua les freins et s'affala sur le volant; ses mains tremblaient, ses mâchoires claquaient. Il ne parvenait pas à croire qu'il s'en était tiré indemne.

Sitôt qu'elle vit Potter, Marie-Scapulaire accourut vers lui.

— Es-tu blessé? s'enquit-elle.

Soulagée, elle entendit alors Potter balbutier.

— Non... mais... mais... mais... emmenez-moi au plus vite au terminus d'autobus de Chibouagamouk.

Il paraissait hébété, encore sous le choc.

— Il faut que je parte d'ici immédiatement. Je *dois* partir. S'il vous plaît, emmenez-moi.

— Tout de suite, mon beau. On y va, s'empressa de lui répondre Marie-Scapulaire qui l'entraîna vers la voiture de Tchang. Chibouagamouk n'est pas à la porte, mais on peut bien faire ça pour toi.

Afin de détendre un peu l'atmosphère et de sortir Potter de l'état de torpeur qui l'accablait, Marie-Scapulaire éclata d'un grand rire.

— Eh bien, mon vieux, tu parles d'une gueule d'enterrement! Moi, si je partais d'ici, ce serait le sourire aux lèvres.

Potter esquissa un pâle sourire, puis s'assit à ses côtés sur la banquette arrière de la voiture. Il demanda à Tchang:

— Pourrais-tu passer chez moi?

— Pourquoi?

— J'emmène Lucien.

— Mais est-ce que tu serais devenu fou, ma parole?

— Non.

— Tu ne crois pas que t'exagères? T'as la moitié du village à tes trousses.

— C'est la dernière chance que j'ai de sortir Lucien de Notre-Dame-du-Soûlon. Après, il sera trop tard.

— Tu vas tout de même pas risquer de te faire descendre pour aller le chercher?

— Les gars, foutez-lui la paix, intervint Marie-Scapulaire. Il doit savoir ce qu'il fait.

Le tacot de Tchang gagna le village et s'immobilisa bientôt devant la maison d'Irène. Potter courut au jardin, s'engouffra dans la cave et se retrouva devant Lucien.

Celui-ci se balançait dans sa berceuse, absorbé dans de sombres pensées, emmuré dans sa solitude. Potter se dit qu'il était plus que temps de le tirer de là; l'air de la cave était vicié: une odeur de terre pourrie imprégnait les murs, une lumière sale et grise glissait des soupiraux.

— Allez, grand-papa, on se barre, lui lança-t-il.

Sous l'effet de la surprise, Lucien ne saisit pas le sens de la proposition. Puis, comprenant que Potter lui demandait de s'échapper avec lui de Notre-Dame-du-Soûlon, il eut une expression désemparée. Il laissa traîner un troublant moment de silence. Après avoir réfléchi, il déclina l'offre.

— Potter... Je... Comment dire? Je ne peux pas partir d'ici. Plus maintenant. Il est trop tard. Ce n'est plus de mon âge. Je n'ai plus la santé pour ça.

— Voyons, grand-p'pa! Vous ne pouvez pas penser comme ça. C'est votre dernière chance. Y'a une voiture qui vous attend. C'est une occasion qui ne repassera pas. Je vais prendre soin de vous. Vous savez que je ne vous abandonnerai jamais. En ville, ça va être la belle vie pour nous.

Lucien ne se sentait pas la force de subir pareil déracinement; il considérait comme une grande imprudence de se lancer, à son âge, dans une pareille aventure. Il ne doutait pas du dévouement et de la sollicitude que montrerait Potter à son endroit, il se demandait plutôt comment il pourrait affronter la grande ville; un sentiment d'angoisse l'oppressait déjà. Il promena son regard à travers la cave. Il réalisa qu'elle était sordide, qu'il avait toujours vécu une existence minable et que, tout compte fait, il n'avait rien à perdre. S'il partait, que laisserait-il derrière lui? Rien. Que de mauvais souvenirs qu'il cherchait depuis longtemps à effacer de sa mémoire. Il prit finalement la décision de suivre Potter.

— D'accord, fit-il. Qu'est-ce que j'emporte?

— Rien. On laisse tout ici.

— Mais mon coffre à outils!

— Désolé, pas le temps, grand-p'pa.

Et Potter aida Lucien à enfiler son parka.

Dans son empressement, Lucien se heurta la tête contre une des solives du plafond. Une ecchymose bleuissait déjà son crâne dégarni. Il massa son crâne douloureux, saisit une craie posée sur la table, puis se dirigea vers une petite ardoise accrochée au revers de la porte d'entrée. Après avoir effacé de la paume de sa main le nombre 6 652 qui y était inscrit, il y écrivit 6 653. Depuis le jour où il avait été relégué à la cave, cinquante ans plus tôt, il s'était heurté la tête 6 653 fois sur les solives du plafond. Comme un bagnard compte un à un les jours de son incarcération, il avait compté les coups. Une fois l'inscription tracée, Lucien eut un étonnant mouvement de colère; il arracha l'ardoise de la porte et la jeta violemment sur le sol. C'était sa façon à lui de rompre les derniers liens qui l'attachaient au passé.

Potter et Lucien remontèrent à la surface et s'engouffrèrent dans la voiture de Tchang, aux côtés de Marie-Scapulaire et de Pépère Winter.

Le véhicule fila vers la forêt. Il allait disparaître sous le couvert des épinettes quand il croisa successivement les voitures de Tank, de Moose et de Saint-Georges.

Ceux-ci aperçurent Potter qui filait en sens inverse; ils appliquèrent les freins et firent de violents tête-à-queue. La manœuvre souleva un épais nuage de poussière. Aveuglé, Saint-Georges emboutit les tacots de Tank et de Moose avec sa Cadillac, et son pare-chocs avant se coinça sous ceux des autres véhicules, empêchant ainsi toute velléité de poursuite.

Saint-Georges mit aussitôt pied à terre. Il attendit que le nuage de poussière se soit dissipé, il épaula sa 300 Magnum, puis cribla la lunette arrière de la voiture de Tchang d'une volée de balles.

Indignée à l'idée qu'on lui tire dessus ainsi qu'un vulgaire gibier, Marie-Scapulaire ordonna à Tchang de freiner.

— Mais ils sont fous! Ils vont nous tuer les écœurants! Je vais leur parler dans le nez, moi.

Tchang immobilisa le véhicule et Marie-Scapulaire s'apprêta à en descendre. Elle s'était à peine montrée que Saint-Georges lui expédia une autre volée de balles, la ratant de peu. Elle comprit alors qu'il ne lui servait à rien de tenter de ramener Saint-Georges à la raison, qu'il lui garderait éternellement rancune pour avoir aidé Potter à s'échapper, que si jamais elle remettait les pieds à Notre-Dame-du-Soûlon, ce serait à ses risques et périls. Saint-Georges le lui ferait payer très cher. Elle referma prestement la portière.

— Décolle au plus vite! ordonna-t-elle à Tchang.

De tempérament plutôt fataliste, entre deux cascades d'un rire nerveux, elle envoya aux autres:

— Eh bien, les gars, on n'a plus le choix. Tout le monde en ville. Ça doit être un signe du destin.

Chapitre 11

Depuis quelques jours, Irène ne se regardait plus dans le miroir qui faisait face à son lit, tant la vue de son visage et de son corps lui était devenue insupportable. Et pour cause: par suite des événements récents, les lacis de vaisseaux sanguins et de veinules qui sillonnaient son corps avaient éclaté de concert, colorant sa peau d'une horrible teinte violacée. En outre, les chairs de son visage s'étaient affaissées, sa peau s'était distendue pour former sous sa mâchoire inférieure une succession de plis et de fanons. Ses paupières s'étaient flétries. La colère qui l'habitait l'avait rongée comme un cancer, elle avait broyé ses nerfs, avait irréversiblement déréglé son métabolisme. Irène ne cessait de regarder ses mains: elles semblaient ne plus lui appartenir, elles aussi étaient teintées de bleu. Irène avait beau se raisonner, elle ne parvenait pas à croire qu'elle avait définitivement cette coloration. Elle refusait que quiconque l'aperçoive dans cet état et cherchait à se convaincre que cette métamorphose était due à un malaise passager. Des peurs atroces commençaient de l'assaillir, la peur de la décadence physique, la peur de finir ses jours seule, sans soins, torturée par les siens qu'elle avait si finement fait souffrir. Elle aurait voulu que sa chambre devienne son tombeau. Son regard revenait sans cesse aux Valium posées sur sa table de nuit. Elle hésitait à les avaler, elle passait des heures à les tenir dans le creux de sa main, les retournait comme des dés de la destinée.

Elle décida d'en finir une fois pour toutes. Elle porta le tube de comprimés à sa bouche et, d'un coup sec de la nuque, le vida sur sa langue.

Les comprimés commençaient à se dissoudre quand la sonnerie du téléphone retentit au salon, lui déchirant les tympans. Elle sursauta et décida de ne pas avaler les comprimés tout de suite car elle s'interrogeait sur la nature de cet appel.

Les téléphones de Notre-Dame-du-Soûlon sonnaient une ou deux fois l'an tout au plus, pour annoncer un drame, sinon une tragédie. Irène attendit que sa fille Margot décroche le récepteur.

Quelqu'un hurlait avec une telle véhémence qu'elle n'eut aucune difficulté à reconnaître la voix de Saint-Georges.

— Préparez-vous à me voir débarquer. Je suis déjà chez vous, rugissait-il. Et vous êtes mieux de me dire où se trouve Potter, ou je déchiquette la porte à coups de 300 Magnum.

Saint-Georges claqua le combiné.

Irène crut voir des flammes et des crocs jaillir de l'appareil surchauffé.

Atterrée, Margot vint se coller contre la porte pour transmettre le message; avec maladresse elle essaya d'en atténuer la violence.

— Maman!... Euh!... C'est pas très grave... Euh!... M. Saint-Georges s'en vient... Euh!... Il veut nous tuer... Euh!... Est-ce que je le laisse entrer?

Irène jugea que sa mort pouvait attendre, elle recracha ses Valium sur le plancher.

— Voilà l'occasion ou jamais! explosa-t-elle.

Un plan diabolique venait de se dresser dans sa tête.

— J'ignore ce qui a pu déclencher ainsi les foudres de Saint-Georges... mais vraisemblablement, il est prêt à aller jusqu'au meurtre afin de retrouver Potter... Voilà en plein l'homme qu'il me faut. *Un tueur à gages*. Mais oui, j'aurais dû y songer avant. Mon tueur à gages. Sûr qu'en y mettant le prix, il me traquera Potter sans pitié. Plus besoin de me lancer moi-même aux trousses de Potter, il me le rattrapera. Je connais Saint-Georges, il n'est pas de la trempe d'homme à laisser s'échapper sa proie... Potter, tu ne t'échapperas pas. Une fois parvenu à Montréal, je sais où tu te rendras, et c'est là que je te pincerai...

Irène fut arrachée à ses pensées par Margot qui cognait frénétiquement à la porte, de plus en plus paniquée.

— Maman! M'as-tu entendue? C'est grave.

— Je ne veux pas être dérangée! hurla Irène.

Irène reprenait goût à la vie; elle avait bondi de son lit et arpentait la pièce comme un lion en cage. Elle ordonna à Margot de lui apporter son flacon de Muguet blanc, un parfum bon marché dont elle s'aspergeait, une eau sucrée qu'elle achetait au litre et transvasait par petites quantités dans un flacon de quatre-vingt-dix millilitres. S'en dégageait une odeur pestilentielle de couronne mortuaire sucrée à la cassonade, qui arrivait même à déloger l'odeur pourtant tenace des cigares de Lucien-le-Sanguin. Le parfum aurait fait chavirer le cœur le plus solide.

Margot glissa le flacon contre la porte, qui s'entrouvrit. Jailli de l'entrebâillement, elle aperçut alors un bras bleu dont les chairs pendaient tel un pan de tissu avachi. Elle ne put réprimer une exclamation d'horreur et se pinça à deux reprises pour s'assurer qu'elle ne rêvait pas. Était-ce bien le bras d'Irène qu'elle voyait là?

— Cours chercher le Doc. Tout de suite, ordonna Irène.

Margot revint quelques minutes plus tard, soufflant comme un phoque et suivie du Doc. Celui-ci ruisselait d'une sueur nauséabonde. Il pénétra dans la chambre d'Irène et lui fit un examen approfondi. Complètement éberlué, il déclara enfin:

— Violent traumatisme. Un coup de sang. Hémorragies sous-cutanées. Vraisemblablement le syndrome de Nugent. Rare. Très rare.

Et il tira de sa trousse une bouteille d'alcool contenant ce fameux cocktail qu'il avait mis au point. Irène lui cingla le visage de sa canne.

— Ne me touchez pas avec vos saloperies!

Le Doc s'écrasa par terre en hurlant de douleur, la tête enfouie dans ses mains.

Irène fit pleuvoir sur lui les coups de canne, prenant un délicieux plaisir à le voir couché à ses pieds ainsi qu'un chiot apeuré. Un martèlement de pas ébranla l'escalier de la véranda. Elle arrêta de frapper.

— Sortez de là ou j'enfonce, menaçait la voix de Saint-Georges.

Irène marqua un temps de surprise, puis intima l'ordre au Doc:

— Relevez-vous, bout de Christ! Allez lui dire de patienter, j'arrive.

Le Doc se releva péniblement et quitta la pièce, trop heureux d'échapper à la fureur d'Irène.

Celle-ci fit un rapide inventaire de sa penderie et des tiroirs de sa commode; elle revêtit à la hâte une ample robe en crêpe de Chine noire à manches longues, des bas-culottes et des gants de chevreau, noirs aussi, et enfin un minuscule chapeau en forme de fez, dont la triple voilette venait tomber sur le col de sa robe, masquant ainsi son visage, ses oreilles et son cou. Plus un seul centimètre de sa peau n'était visible. Elle évoquait une majestueuse mamma sicilienne portant le deuil à la suite de quelque terrible vendetta.

Pendant ce temps, Saint-Georges avait entrepris d'enfoncer la porte à coups de crosse. Quand il l'eut réduite en un tas de planches déchiquetées, il se rua dans le salon avec la fureur d'un ours blessé. Il allait parvenir à la chambre d'Irène quand il interrompit net l'élan de sa course, complètement abasourdi.

Irène se dressait avec superbe, immobile, mystérieuse et impénétrable, étrangement vêtue de noir, incarnation vivante de quelque autorité diabolique. Elle constata vite qu'elle avait réussi à intimider Saint-Georges et chercha à tirer parti de cet avantage.

— Je sais où se trouve Potter, lança-t-elle.

Saint-Georges abaissa le canon de son arme.

— Où? s'empressa-t-il de demander.

— Minute, monsieur le Maire! Pas si vite... J'ai tout d'abord un marché à vous proposer.

— Lequel?

— Revenez me voir dans quelques jours, le temps de vous refroidir les sangs; quand vous aurez retrouvé toute votre tête, on s'expliquera.

— On va s'expliquer tout de suite, menaça Saint-Georges.

— J'ai dit dans quelques jours, décréta Irène en hachant les mots.

L'incroyable se produisit alors: Saint-Georges se soumit à la volonté d'Irène.

— D'accord. Je reviens dans deux jours, grommela-t-il en dévalant l'escalier de la véranda. Mais si vous ne me dites pas à ce moment-là où se cache Potter, je vous descends tous.

Sa Cadillac démarra dans un nuage de poussière. Irène le regarda s'éloigner avec la conviction qu'elle allait bientôt le mettre à sa main.

Chapitre 12

Irène donna trois coups de canne sur le plancher de sa chambre, signifiant par là à Lucien-le-Sanguin qu'il était temps de remonter de sa cave. Il était midi pile, l'heure sacrée du repas; pas une fois en cinquante ans de mariage celui-ci n'avait fait mentir l'habitude. Mais là, Irène n'arrivait pas à en comprendre la raison, Lucien ne montait pas. Et ce qui lui semblait un affront pire, il ne daignait même pas répondre. Christ du ciel, était-il devenu sourd? Elle faisait retentir de furieux coups de canne sur le plancher. À force de s'interroger sur les motifs qui pouvaient retenir Lucien à la cave, elle finit par comprendre l'horreur que renfermait cette réalité.

— Nom de nom. Il ne m'a pas fait ça! Il ne s'est pas enfui avec Potter! Il ne m'aurait pas fait ça?

Oui, elle devait s'habituer à cette idée insoutenable, Lucien s'était bel et bien enfui. Comme elle avait été naïve! Comment ne s'était-elle pas doutée que Lucien finirait par se laisser entraîner par Potter? Depuis le temps qu'il rêvait de s'enfuir de Notre-Dame-du-Soûlon. Elle tenta bien de se convaincre que Potter et Lucien ne réussiraient pas à fuir très loin, mais elle n'arriva pas à calmer son anxiété. Estimant qu'elle n'avait pas une seconde à perdre, elle saisit le combiné puis composa le numéro de Saint-Georges, qu'elle pressa de venir chez elle en compagnie de Tank et de Moose. Elle joignit ensuite le notaire Deschâtelets de Chibouagamouk, l'homme chargé de gérer sa fortune personnelle. Elle savait que celle-ci s'élevait approximativement à cent cinquante mille dollars, sous forme de bons du Trésor, d'obligations d'épargne du Canada et de prêts bancaires. Cette importante somme d'argent était le résultat de la mentalité de bas de laine qu'elle exerçait sur les siens depuis toujours.

— Vendez tout, ordonna-t-elle au notaire.

Celui-ci tenta bien de la ramener à la raison, mais elle balaya ses arguments.

— Convertissez la somme en coupures de cinquante dollars. Rassemblez le tout dans un attaché-case que je passerai prendre à la succursale de la Banque Royale de Chibouagamouk.

— Autant demander l'impossible, répliqua le notaire.

— Eh bien, l'impossible, je vous le demande, siffla Irène en raccrochant.

Avant que Saint-Georges, Tank et Moose n'arrivent, Irène boucla son unique valise, une petite malle de voyage passablement défraîchie. Elle y fourra un carnet d'adresses, un album de photos, un flacon de Muguet blanc, quelques tubes de Valium, une provision de cartouches pour sa Winchester, ainsi que son oreiller. Cet oreiller était le seul sur lequel elle acceptait de poser la tête. Elle déposa sa valise et sa Winchester à l'entrée, puis enjoignit à Margot et à Fridolin de descendre de leur chambre.

— On s'en va! décréta-t-elle à leur adresse d'une voix de stentor, sans fournir plus d'explications. Allez m'attendre au jardin.

Margot et Fridolin descendirent prestement, s'emparèrent de la Winchester et de la valise d'Irène et allèrent s'installer sur les chaises du jardin.

Irène se retrouva seule au salon. Elle laissa d'abord son regard parcourir la pièce, s'attarda sur une photographie de La Petite accrochée au mur, s'attendrit une dernière fois sur ce cruel souvenir. La Petite lui manquait terriblement! Des larmes lui montèrent aux yeux mais elle releva la tête, car elle ne voulait pas s'apitoyer sur son sort. Elle était l'image même du taureau déchiré par les banderilles, qui refuse de s'agenouiller au beau milieu de l'arène. Résistant aux larmes, elle explosa soudain d'un rire démentiel qui embrasa l'atmosphère.

Au jardin, assis sur leurs chaises, Margot et Fridolin perçurent l'écho de ce rire inhumain et glaçant; ils échangèrent des regards effrayés.

Le rire d'Irène se gonflait démesurément, grimpait jusqu'à des aigus insupportables, pour redescendre vers des basses caverneuses. Irène voulait faire table rase du passé. Elle voulait arracher de sa mémoire les souvenirs qui la hantaient. Elle entreprit donc de détruire tout ce qui avait jadis constitué l'univers de La Petite. Soûle de douleur, elle se lança à travers le salon; elle renversa les meubles, fracassa lampes et bibelots, brisa tout sur son passage. Dans l'ivresse qui la possédait tout entière, elle se rendit à la cuisine, ouvrit une à une les armoires et en faucha le contenu des tablettes. Elle arracha finalement une boîte d'allumettes posée sur le comptoir et en gratta une. Une flamme se refléta dans la pupille de ses yeux désaxés. Elle tendit l'allumette vers le brise-bise qui pendait à la fenêtre. Il flamba comme une torche et le feu se propagea à la vitesse de l'éclair. Les flammes voraces embrasèrent bientôt tout le rez-de-chaussée, puis s'engouffrèrent dans l'escalier menant à l'étage, transformant l'intérieur en fournaise infernale. L'endroit devint irrespirable. Irène s'élança vers la porte d'entrée, mais avant de la franchir, elle se retourna vers le brasier en hurlant comme une hystérique:

— Je suis le TIGRE! Je suis le TIGRE!

On eût dit que des forces sataniques venaient de lui conférer un pouvoir maléfique, et qu'elle en menaçait l'univers entier.

Une poutre enflammée se détacha à ce moment du plafond. Irène fit un pas de côté et l'évita de justesse. Puis elle rabattit les voilettes de son chapeau sur son visage et s'enfuit. Elle s'effondra sur une chaise du jardin, son cœur charriant des flots de sang furieux.

Saint-Georges, Tank, Moose et Le Singe arrivaient justement sur les lieux. À la vue des flammes orangées qui grugeaient la charpente du toit, Tank, Moose et Le Singe se précipitèrent vers le brasier; quant à Saint-Georges, il s'approcha d'Irène sans prêter attention au sinistre.

— Où est-il?

Irène crut bon de le faire patienter un peu.

— De qui voulez-vous parler?

Le visage de Saint-Georges s'empourpra.

— J'ai horreur qu'on me niaise. Vous savez de qui je veux parler, de Potter.

Irène se demandait encore de quelle façon elle rallierait Saint-Georges, Tank et Moose à sa cause; aussi fit-elle preuve de prudence.

— Il a quitté Notre-Dame-du-Soûlon depuis un bon moment déjà.

— Je sais qu'il a quitté le village, je l'ai vu s'enfuir. Mais où est-il, saint sacrement?

— Pas si vite, monsieur le Maire. Maîtrisez vos nerfs. Avant de vous révéler où il se trouve, j'ai une affaire de la plus haute importance à vous proposer.

— Laquelle?

— Un marché qui pourrait s'avérer très intéressant pour vous.

— Proposez toujours.

— J'ai de l'argent à vous offrir...

— Combien?

— Une somme importante. En fait... à vous offrir à vous, à Tank et à Moose.

Les yeux de Saint-Georges s'écarquillaient. Les deux truands s'étaient approchés.

— En échange de quoi?

— Oui, en échange de quoi? répéta Le Singe.

— Toi, ta gueule! hurla Saint-Georges à son fils.

Irène précisa:

— Je vous révèle où se trouve Potter, vous lui mettez le grappin dessus, vous me le livrez et vous gagnez une prime importante.

Saint-Georges paraissait excité à l'idée de s'emplir si facilement les poches.

— Qu'est-ce que vous entendez par «prime importante»?

Le cerveau d'Irène s'était mis à jongler avec les sommes d'argent; d'un côté elle ne voulait pas éteindre l'enthousiasme de Saint-Georges, de l'autre elle aurait bien voulu obtenir ses services à rabais.

— Je vous offre cent dollars par jour, le temps que durera la poursuite, payables en espèces, plus une prime de vingt-cinq mille dollars à la fin du contrat. Même tarif pour Tank et Moose... Deux conditions cependant: je veux Potter vivant, et vous m'emmenez avec vous, ainsi que ma fille et mon gendre.

Bien que la somme parût alléchante, Saint-Georges chercha à faire grimper les enchères.

— Deux cents dollars par jour et j'accepte, répliqua-t-il.

— Ouais! Deux cents, répéta le fils.

— Vous êtes trop gourmand, monsieur le Maire. Cent cinquante dollars, et on n'en parle plus.

— D'accord, conclut Saint-Georges. Alors, où se cache Potter?

— À Montréal, répondit Irène.

— Comment, à Montréal? C'est vague, ça. Montréal, c'est grand. Deux millions d'habitants. On n'est pas pour ratisser chacune des rues de la ville à sa recherche, saint sacrement!

— Je sais où il se rendra, le rassura Irène. J'ai la conviction qu'il finira tôt ou tard par arriver à cet endroit. Et c'est là que nous lui tomberons dessus.

— Où?

Irène s'approcha de Saint-Georges et lui glissa le nom de l'endroit à l'oreille.

— Le Singe! beugla celui-ci. Cours dire à La Dolorès de boucler nos valises.

— Comment, «nos» valises? s'enquit Irène.

— Mon fils nous accompagne, déclara Saint-Georges.

— Il n'en est pas question.

— Alors je reste ici. Ne comptez plus sur moi.

— D'accord, céda Irène.

Irène constata qu'elle venait d'indisposer Saint-Georges. Pour regagner ses faveurs, elle s'empressa d'ajouter:

— Dites à votre femme qu'elle peut venir aussi... Je lui offre, ainsi qu'à votre fils, un salaire égal au vôtre. Moins la prime évidemment.

Cette proposition se révéla un excellent calcul de la part d'Irène, car un sourire de reconnaissance illumina le visage de Saint-Georges. Il était prêt désormais à sacrifier sa vie pour Irène, à la suivre au bout du monde, à se soumettre à ses moindres directives.

Tank et Moose acceptèrent aussi l'offre alléchante d'Irène.

L'après-midi même, Irène, Margot, Fridolin, La Dolores, Le Singe, Tank et Moose quittaient Notre-Dame-du-Soûlon à bord de la luxueuse limousine noire de Saint-Georges, entassés comme des sardines. Le véhicule au profil allongé avait des allures de salon moelleux: une épaisse moquette grimpait jusqu'au plafond et enfermait les passagers dans une étouffante moiteur. Le véhicule venait tout juste de s'enfoncer dans la forêt d'épinettes lorsque Irène recommanda qu'on tienne les fenêtres fermées. Aussitôt les émanations quasi toxiques de son parfum se répandirent dans la limousine, donnant à chacun l'impression qu'il allait suffoquer. Cette situation allait durer tout au long du voyage, Irène décrétant que le moindre courant d'air lui occasionnait des pharyngites.

Derrière la limousine venait le Doc MacNicoll au volant de son camion réfrigéré; il allait livrer à Montréal une autre cargaison de caribou.

Chapitre 13

Le tacot de Tchang arriva aux abords de Montréal après une interminable épopée de neuf heures. Tous avaient les jambes engourdies et les reins douloureux. Le véhicule traversa une suite de banlieues aux rangs de maisonnettes impeccablement tirés, puis se heurta aux bretelles congestionnées du pont Jacques-Cartier. Le grésil avait rendu le tablier du pont inaccessible et c'était l'heure de pointe. Le tacot avançait avec peine. À travers le pare-brise, on apercevait au loin les silhouettes effilées des gratte-ciel, une montagne flanquée d'une croix occupait le centre de la ville, elle semblait prendre celle-ci sous sa protection.

— C'est le mont Royal! affirma Marie-Scapulaire.

— Pas mal beau, fit Potter.

Le véhicule était immobilisé depuis un bon moment au milieu du pont, quand Tchang craignit que le radiateur ne se mette à chauffer.

— J'espère qu'il ne nous sautera pas au visage.

— On poussera, s'esclaffa Marie-Scapulaire.

— À ce que je vois, y'a rien pour venir à bout de votre moral, remarqua Lucien.

— Non, monsieur. La vie est déjà assez pénible comme ça, s'il fallait en plus s'apitoyer sur son sort.

— Vous avez bien raison.

Une heure à avancer pare-chocs à pare-chocs, et ils parvinrent au centre-ville. Des milliers de réverbères et de néons éclaboussaient les trottoirs, des hordes de passants marchaient à une vitesse folle, le regard fixe, ainsi qu'un troupeau de bêtes abruties. Aux feux de circulation, des conducteurs exaspérés se taillaient un chemin à coups de klaxon. Une vaste rumeur montait de la rue, des hurlements d'ambulance, des rugissements d'autobus, le murmure incessant de la foule. La ville exerçait sur chacun sa fascination, tous s'étaient tus. Tous, à l'exception de Marie-Scapulaire, qui n'avait pas perdu son sens pratique et cherchait un endroit où passer la nuit.

Elle se rappela qu'elle avait une amie, Gloria. C'était une pute qui avait fait ses premiers clients à Notre-Dame-du-Soûlon et qui, paraissait-il, gérait maintenant le plus célèbre club de strip-teaseurs de la ville. Elle dressait des effeuilleurs mâles. Elle avait envoyé son adresse à Marie-Scapulaire, qui tira un carnet d'adresses de son sac à main et demanda à Tchang de se rendre au 1425, rue Peel.

Après avoir glané quelques indications à différents chauffeurs de taxi, Tchang réussit à trouver l'endroit.

Devant la boîte, Marie-Scapulaire conclut que son amie avait effectivement gravi les échelons de la réussite; sur la façade d'un édifice de plusieurs étages, son nom étincelait de milliers d'ampoules clignotantes.

«GLORIA'S»

Impressionné, Tchang gara le véhicule à proximité de la porte.

Des jeunes filles excitées attendaient en file et jouaient du coude pour entrer. Deux fiers-à-bras vêtus d'un toxédo ajusté les refoulaient poliment, affirmant qu'il ne servait à rien de pousser, que chacune trouverait bientôt une place à l'intérieur. Sur la porte, une affiche mettait en garde la clientèle.

1. Pour femmes seulement.
2. Pas d'hommes seuls.
3. Les hommes doivent être accompagnés d'une femme.

Marie-Scapulaire recommanda à Tchang de garer la

voiture dans le stationnement public qui jouxtait la boîte, puis tous descendirent, heureux de se dégourdir enfin les jambes. Ils se dirigèrent vers le Gloria's, s'arrêtèrent devant les deux fiers-à-bras.

— Je suis une amie de Gloria, annonça fièrement Marie-Scapulaire. Serait-il possible d'aller la chercher?

L'un des fiers-à-bras revint en compagnie de Gloria.

Vraisemblablement Marie-Scapulaire et Gloria se connaissaient depuis longtemps, car lorsqu'elles s'aperçurent, elles s'étreignirent comme des sœurs, vivement émues.

— Comment ça va, ma grande? demanda Marie-Scapulaire.

— Comme tu vois, ma belle, on ne peut mieux, les affaires marchent. Allez! Entre! Suivez-moi tous!

Gloria était une femme superbe et élancée, à qui un profil aquilin et des jambes effilées donnaient une allure de lévrier de race. On avait peine à croire qu'elle avait jadis constitué un des plus beaux joyaux du bordel de Notre-Dame-du-Soûlon. Elle avait acquis depuis une grande distinction. D'un port de tête royal, elle était vêtue d'un tailleur sombre qu'une taille bien galbée découpait impeccablement. Des cheveux blonds coupés au carré illuminaient son visage, à la peau claire et rosée. Dès le premier abord, elle donnait l'impression d'une santé éclatante. Il faut dire que c'était devenu chez elle une priorité, voire une obsession. Afin de préserver sa mince silhouette et son étonnante forme physique, elle s'était depuis longtemps convertie au végétarisme, à la méditation transcendantale et aux médecines douces. Sa nature disciplinée lui avait fait déclarer une guerre sans merci à l'alcool, au tabac, aux produits chimiques, aux fritures, à la viande et à son ancienne vie de bâton de chaise. Avec un soin maniaque elle préparait ses repas, en calculait les calories, équilibrait le yin et le yang, s'assurait de la compatibilité et de la composition des aliments. Elle chérissait ses organes digestifs comme ses propres enfants; estomac, vessie, foie et pancréas étaient nettoyés avec la minutie et la régularité d'un moteur d'avion. Aucun aliment n'était ingéré sans avoir d'abord été classé, lipide, glucide, protéine, légume ou féculent. Dans ses poches traînaient de sempiternels lots de capsules de vitamine C, de potassium, de calcium, de magnésium, de zinc et de fer; elle faisait subir à son côlon des drainages en règle, ainsi qu'à son foie des massages curatifs. Elle imposait ce régime spartiate à tout son entourage, particulièrement aux strip-teaseurs qui travaillaient dans sa boîte. Elle considérait que le métier de strip-teaseur devait être pris au sérieux, qu'il y allait du renom de son établissement; elle veillait à ce que ceux-ci prennent soin de leurs corps, qu'ils évitent d'absorber une nourriture trop riche. Elle composait elle-même leurs repas, elle les nourrissait presque exclusivement de yogourt, de fruits secs, de légumes, de céréales entières, de légumineuses et de tofu.

D'un pas alerte et énergique, Gloria conduisit Marie-Scapulaire et les autres à l'intérieur.

L'endroit baignait dans une obscurité totale, à l'exception d'un faisceau de lumière blanche braqué sur un strip-teaseur juché sur un tabouret parmi les tables. Une moiteur de sauna prenait à la gorge. La salle était pleine à craquer. C'était une longue et étroite pièce occupée d'un côté par la scène, la coulisse et la loge, et de l'autre par un bar courant le long du mur. Le fond de la pièce laissait voir une surprenante cage d'ascenseur entièrement en plexiglass. Des grappes de jeunes femmes s'extasiaient autour du strip-teaseur, un athlète noir aux cuisses saillantes, le thorax en forme de V, vêtu d'un minuscule cache-sexe en imitation de léopard. Des spectatrices gloussaient, faisaient des paris sur les dimensions de ses attributs mâles. Le strip-teaseur dansait langoureusement sur une musique lascive, il se déhanchait à s'en décrocher le bassin. Il constituait une des plus belles pièces de l'écurie de strip-teaseurs du Gloria's.

Marie-Scapulaire et sa bande croulaient de fatigue.

Gloria les entraîna vers l'ascenseur, qui grimpa en leur laissant voir à travers ses parois transparentes la discothèque qui occupait le premier étage. Un stroboscope projetait des milliers d'étoiles filantes sur une piste de danse enfumée. L'endroit avait cette particularité qu'on y admettait les hommes, à la seule condition qu'ils attendent patiemment d'être invités à danser par ces dames. Plusieurs mâles étaient accoudés au bar, avec la triste impression d'avoir été laissés pour compte.

L'ascenseur s'arrêta au dernier étage. L'endroit n'était pas éclairé.

Gloria alluma. De cruelles ampoules accablèrent une salle de spectacle désaffectée. La peinture du plafond s'écaillait par plaques, une odeur de moisi s'échappait des murs, de larges langues de papier peint pendaient des murs et léchaient le plancher. Une moquette poussiéreuse avait été roulée dans un coin, des tables et des chaises de café-terrasse avaient été empilées devant les fenêtres. Une scène circulaire haute d'une trentaine de centimètres occupait le centre de la pièce. D'épais rideaux de velours noir qui puaient le tabac avaient été pliés et jetés sur cette scène.

Gloria leur proposa de s'installer sur les piles de rideaux pour la nuit.

— Désolée, tout le monde, mais j'ai rien d'autre à vous offrir. C'est tout de même mieux que de dormir dehors. Y'a des toilettes et des lavabos à l'arrière. Faites comme chez vous. Je vous laisse, j'ai du travail: des auditions à faire passer, de nouveaux strip-teaseurs à voir... Que voulez-vous, les filles exigent toujours davantage. Alors, bonne nuit à tous.

Marie-Scapulaire la remercia et lui fit la bise, puis Gloria s'engouffra dans l'ascenseur.

Avec la fatigue qui fondait sur eux, le moral de chacun était au plus bas; ils trouvèrent la pièce délabrée, des bourdonnements saccadés montaient de l'étage inférieur, le rythme endiablé de la discothèque secouait le plancher, faisait frémir les fenêtres.

Potter s'approcha de Lucien et lui posa la main sur l'épaule.

— Ça va, grand p'pa?

Manifestement, Lucien n'appréciait guère de se retrouver à cet endroit. Sa mine pitoyable en disait long sur son état de découragement.

— J'aurais peut-être dû rester à Notre-Dame-du-Soûlon!

Cette remarque ébranla Potter. Il fit semblant de ne pas l'avoir entendue. Il rassembla quelques rideaux éparpillés, puis confectionna pour Lucien une paillasse de fortune. Il l'aida ensuite à s'y allonger. Lucien s'endormit instantanément et se mit aussitôt à ronfler avec un bruit d'aspirateur dans un tas de gravier.

Marie-Scapulaire s'approcha de Lucien et le regarda dormir, fascinée. Elle avait toujours été intriguée par le sommeil des hommes, de ses amants surtout; elle avait l'impression qu'en les regardant dormir, elle arriverait à percer le mystère de leur personnalité, à sentir leurs vibrations les plus intimes. Elle finit toutefois par s'écrouler sur la paillasse qu'elle s'était aussi confectionnée. Elle retira ses talons aiguilles et ses jambes lui élancèrent jusqu'à la pointe de son cerveau. Elle gémit: «P'tit Jésus, venez me chercher», puis sombra dans le sommeil.

Quelques minutes plus tard, Pépère Winter s'allongeait à son tour pour dormir.

Tchang, lui, s'était retiré dans un coin de la salle pour y faire ses exercices de musculation quotidiens. On l'entendait pomper comme une cheminée d'usine, il laissait à l'occasion échapper quelques râlements étouffés.

Potter éteignit les lumières qui matraquaient la pièce, puis s'assit par terre. Adossé contre un mur, il sentit une bouffée d'angoisse l'étreindre. Vraisemblablement il ne pourrait laisser longtemps Lucien à cet endroit, celui-ci ne survivrait pas dans de telles conditions. Il lui fallait aussi trouver du travail. Mais il ne connaissait personne en ville qui pourrait lui venir en aide. Il songea tout à coup à la Kam Fung Import-Export, ce laboratoire qui transformait le caribou braconné de Notre-Dame-du-Soûlon en poudre aphrodisiaque. S'il s'y présentait de la part du Doc MacNicoll, peut-être lui offrirait-on du travail. Cette idée lui parut bientôt la seule réalisable. Bien que les chances parussent minces, qu'avait-il à risquer? Il décida de s'y rendre dès le lendemain. Il ne possédait qu'une adresse incomplète de la compagnie, rue de Lagauchetière, mais il avait confiance de pouvoir la trouver assez facilemment.

Rassuré par cette perspective, son cœur s'apaisa. Il lui semblait qu'il respirait plus librement.

Chapitre 14

Le lendemain de bonne heure, Gloria vint réveiller Marie-Scapulaire, Potter et les autres. Malgré le surcroît de travail de la veille, elle paraissait dans une forme resplendissante; elle grignotait quelques graines de citrouilles enfouies dans le creux de sa main.

— Excellent pour la vessie! expliqua-t-elle aux autres qui la regardaient manger d'un air intrigué.

Elle invita tout le monde à descendre déjeuner.

Ils firent quelques ablutions dans les lavabos crasseux des toilettes, puis lui emboîtèrent le pas. Ils se retrouvèrent au sous-sol, dans une cuisine sommaire destinée aux strip-teaseurs: une table, quatre chaises, un comptoir, un lavabo en acier, un grille-pain et un frigo. Gloria exigeait de ses strip-teaseurs qu'ils prennent là tous leurs repas, car elle avait ainsi la possibilité de voir de plus près à la qualité de leur alimentation. Sur ce point elle ne tolérait aucun écart. Elle tira du frigo un pain de blé entier ainsi qu'une bouteille d'huile d'olive «première pression». Après avoir pris quelques assiettes dans une armoire, elle trancha le pain, versa un peu d'huile au fond de chaque assiette, puis recommanda à chacun d'y tremper son pain.

— Excellent pour les intestins, affirma-t-elle.

Après quelques bouchées à peine, Lucien se mit à protester.

— Mais c'est du mâchefer. C'est dur comme de la roche.

Gloria jugea la remarque désobligeante et préféra l'ignorer. Elle entreprit plutôt d'expliquer les raisons pour lesquelles elle astreignait les strip-teaseurs à un régime alimentaire aussi sévère. Sa boîte était reconnue pour employer les plus beaux effeuilleurs de la ville; elle les considérait comme son fonds de commerce et veillait de près à leur condition physique et à leur apparence. Elle ne tolérait chez eux aucun bourrelet, l'acné constituait un cas de renvoi, et quant à la calvitie, c'était pour elle un sacrilège. En plus d'une alimentation saine, elle leur imposait chaque jour un entraînement physique rigoureux. Un studio équipé d'une panoplie de poids et haltères ainsi qu'un sauna avaient été installés dans des pièces attenantes à la cuisine.

Tchang le culturiste s'était déjà levé; il se dirigeait vers le studio. Avec recueillement, ainsi qu'il se fût apprêté à célébrer quelque rite religieux, il retira son T-shirt, puis se remit à l'entraînement, soulevant une paire d'haltères de quarante kilos.

Marie-Scapulaire semblait complètement suffoquée par les propos de Gloria. Avec cet humour cinglant qui la caractérisait, elle désigna les quelques croûtes restées sur la table et demanda:

— Dis-moi, Gloria. Entre toi et moi, c'est-y des serins ou des strip-teaseurs que tu entraînes?

Potter, Lucien et Pépère Winter éclatèrent d'un grand rire.

Gloria n'aimait pas plaisanter. Quelque peu outrée par ces propos, mais sans se départir de son calme et de sa distinction, elle préféra lancer un sérieux avertissement à chacun: à l'intérieur de la boîte, il leur était formellement interdit de prononcer le mot «strip-teaseur» en parlant desdits strip-teaseurs. Il leur faudrait appeler ceux-ci des «demi-dieux». Les spectatrices se jetaient littéralement à leurs pieds, ils étaient considérés avec vénération; on se les arrachait, on se serait entretuées ne fût-ce que pour passer une seule nuit avec eux. Ils étaient par conséquent devenus d'une prétention et d'une susceptibilité épouvantables. Ils refusaient qu'on les désigne sous un autre nom, le terme «strip-teaseur» leur paraissant nettement péjoratif. Gloria mit ensuite chacun en garde contre l'humeur capricieuse des demi-dieux. Il fallait s'y soumettre. Ils représentaient le fruit d'un long investissement et d'un travail acharné; si jamais l'un deux venait à quitter la boîte au profit d'un établissement concurrent, ce départ représenterait une perte financière considérable.

— Mais pourquoi nous dire tout cela? demanda Marie-Scapulaire.

Le visage de Gloria s'empourpra. Elle marqua un temps d'arrêt puis, visiblement embêtée, finit par avouer.

— Eh bien, pour tout vous dire, hier... après la fermeture, à la suite d'un conflit grave avec les demi-dieux, le personnel de la boîte a remis en bloc sa démission. J'ai un urgent besoin de personnel, ne serait-ce qu'en attendant de trouver mieux... Euh!... J'ai pensé à vous proposer du travail, un travail bien rémunéré. Si vous faites l'affaire, vous pourrez travailler ici aussi longtemps que vous le désirerez... De plus, vous pourrez vous installer au dernier étage jusqu'à ce que vous trouviez un endroit plus approprié où vous loger.

Marie-Scapulaire et Pépère Winter restèrent d'abord interloqués puis, croyant à un miracle du ciel, acceptèrent avec empressement la proposition.

Lucien, lui, paraissait préoccupé.

— Dites-moi... Est-ce qu'il va falloir qu'on mange comme les strip-teaseurs?... Euh, pardon!... comme les demi-dieux?

— L'alimentation sera laissée à la discrétion de chacun, s'empressa de répondre Gloria. Ceux qui le désirent pourront prendre leurs repas au snack-bar voisin. Une seule condition cependant: personne ne doit rapporter de nourriture à l'intérieur de la boîte. Inutile de soumettre les demi-dieux à la tentation.

Potter s'était retiré à l'écart; son attitude renfrognée laissait deviner qu'il n'avait pas l'intention d'accepter la proposition de Gloria. Il se sentait déjà réfractaire à la politique de la maison de se soumettre aux caprices des demi-dieux; et puis il en avait ras le bol de travailler dans l'atmosphère enfumée et décadente des débits de boissons.

Constatant avec soulagement qu'à peu près tous acceptaient sa proposition, sans attendre Gloria assigna à chacun une tâche précise. Elle déclara la discothèque temporairement fermée. Tchang et Pépère Winter se verraient confier le service aux tables, et Lucien, le lavage des verres et des cendriers. Gloria ferait elle-même fonction de barmaid. C'est Marie-Scapulaire qui hérita de la tâche la plus ingrate, celle de veiller à l'entretien des loges et au rafraîchissement des costumes de scène. Vu la jalousie maladive qu'éprouvaient entre eux les demi-dieux et leurs violentes sautes d'humeur, ce travail exigeait à la fois une énergie farouche, une patience de moine, une habileté de diplomate, un tempérament de maman-gâteau et une humilité de charbonnier. Marie-Scapulaire était la personne toute désignée pour ce genre de boulot. Sa nature couveuse et maternelle la portait à gâter, bichonner, écouter, encourager les hommes qu'elle fréquentait. De sorte que, dans le passé, elle avait à ce point surprotégé certains de ses amants que ceux-ci l'avaient quittée en protestant: «Lâche-moi hostie, tu m'étouffes!»

Marie-Scapulaire se montrait déjà impatiente d'entreprendre sa tâche. Elle était remontée au rez-de-chaussée, l'étage de la salle de spectacles, entraînant les autres derrière elle. Elle s'apprêtait à gagner la loge des demi-dieux afin d'y donner un premier coup de balai quand ceux-ci firent irruption dans la salle. D'un commun accord, tous arrivaient au même moment, aucun d'entre eux ne voulant concéder aux autres le privilège d'arriver en dernier ainsi qu'une star qui se laisse attendre. Il y avait Bobby, le type même du maître nageur imberbe à la mâchoire carrée. Il incarnait les baigneurs sportifs. Il montait sur scène une planche à voile sous le bras, puis faisait mine de fendre les flots, debout sur sa planche, un puissant éventail gonflant sa voile. Cramponné au mât, il retirait son maillot en exécutant quelques déhanchements acrobatiques.

Il y avait aussi Tam-Tam, un Noir sculptural d'origine gabonaise, ancien danseur étoile dans une troupe de ballet-jazz. On n'avait d'yeux que pour son sourire éblouissant et les muscles striés de ses cuisses d'athlète.

Ensuite un bellâtre italien à l'œil de velours, Gino, une insulte pour ceux de la race humaine qui étaient nés laids et sans charme. Un sombre tombeur au teint cuivré, à la chevelure brillantinée. Il entrait sur scène vêtu d'un costume de mafioso sicilien, il brandissait un fusil-mitrailleur, déchargeait des volées de balles blanches sur un adversaire fictif, finissait un micro à la main, susurrant une chanson d'amour d'un air guimauve tout en retirant ses vêtements.

Enfin Pierrot, considéré comme l'homme de Cro-Magnon de la boîte. Un cerveau à peine plus développé que celui d'un colibri, des épaules massives qui risquaient à tout moment d'écraser sa taille fragile et minuscule.

Les demi-dieux croisèrent Gloria et les autres sans même leur adresser un sourire de circonstance, puis gagnèrent leur loge.

Marie-Scapulaire les suivit. La porte à peine refermée, elle se présenta, déclara qu'elle était désormais à leur service, que tous pouvaient la considérer comme leur propre mère. Cette entrée en matière la rendit sympathique aux demi-dieux, qui l'adoptèrent d'emblée. Marie-Scapulaire entreprit immédiatement de mettre de l'ordre dans la loge et rangea les accessoires de maquillage qui traînaient sur les tables. L'endroit avait été aménagé sommairement: quatre tables identiques recouvertes d'une serviette-éponge étaient disposées le long d'un mur, un fauteuil pliant devant chacune. Derrière, une glace surmontée d'un rang d'ampoules électriques était fixée au mur. Y étaient inscrits au rouge à lèvres les nombreux messages d'admiratrices venues rencontrer les demi-dieux après les spectacles: «Tu es mon type. Francine.» «Des mâles comme toi, y'en a pas deux. Laurence.» Et avec plus de franchise: «Hélène: 847-3086».

Devant ce lot d'inscriptions, Marie-Scapulaire sentit que sa tâche serait plus pénible qu'elle ne l'avait cru. Sans doute allait-elle se heurter aux caprices de véritables demi-dieux.

Chapitre 15

Potter venait de quitter le Gloria's et se dirigeait vers le Chinatown. Gloria lui avait indiqué le chemin pour se rendre à la rue de Lagauchetière, qui traversait le quartier chinois d'est en ouest. Le temps était sombre et maussade, une bruine pénétrante tombait sur la ville et imbibait les trottoirs. De rares automobilistes se frayaient un chemin à travers les bancs de brume, quelques passants marchaient d'un pas pressé, le col relevé, transis par l'humidité. La tête des gratte-ciel crevait un plafond de nuages gris.

À cause de la densité du brouillard, Potter mit plus d'une demi-heure pour parvenir à destination; il arrivait difficilement à lire le nom des rues. Le quartier ne payait pas de mine. Quelques rares réverbères diffusaient des plages de lumière tamisée, la chaussée était crevée par endroits, de chaque côté de la rue des maisons croulaient sous le poids des ans; leurs briques s'effritaient, des courants d'air chargés de moisissure jaillissaient de leurs portes cochères. Les arrière-cours laissaient voir des dépendances laissées à l'abandon. Les murs étaient couverts d'idéogrammes chinois. Certaines fenêtres avaient été rafistolées à l'aide de ruban adhésif.

Potter passait sous les néons anémiques d'un *tourist rooms* quand une ombre surgit du brouillard pour se jeter sur lui. C'était une vieille Chinoise aux traits fripés.

Confuse, la vieille s'excusa. La bruine avait pénétré

ses vêtements, son visage dégoulinait, elle soufflait sur ses doigts gelés afin de les réchauffer. Elle affichait toutefois un imperturbable sourire. Vêtue d'un imperméable défraîchi, elle avait enfoncé sur sa tête une tuque de hockey trouée et traînait derrière elle un misérable landau, rempli à ras bords de sacs en polythène bourrés de guenilles.

— Est-ce que je suis dans la rue de Lagauchetière? s'enquit Potter.

La vieille lui adressa un signe de tête affirmatif.

— Savez-vous où se trouve la Kam Fung Import-Export?

En entendant ce nom, la vieille dressa la tête, ses yeux remplis d'une terreur folle. Puis elle recula d'un pas. Sa peau était devenue blême, son visage était plissé par la crainte. Elle fit signe à Potter de continuer plus loin dans la rue puis agrippa son landau brinquebalant. Elle s'enfuit à toutes jambes, son ombre disparut dans l'étouffant brouillard.

Mais qu'est-ce qui avait pu effrayer ainsi cette vieille femme? s'interrogeait Potter.

Un coup de vent souleva alors quelques feuilles mortes et lui jeta un sac de croustilles vide au visage. Potter tressaillit, son cœur se mit à pomper furieusement. Sans comprendre pourquoi, un sixième sens l'avertissait qu'il valait mieux ne pas pousser ses recherches plus loin. Le brouillard s'intensifiait, il ne voyait pas à deux pas devant lui. Il continua quand même, poussé par la curiosité.

Il franchit quelques pâtés de maisons, puis croisa le boulevard Saint-Laurent, désert bien que ce fût un samedi matin à dix heures. Un silence inquiétant pesait sur lui.

Potter traversa l'artère, puis poursuivit son chemin rue de Lagauchetière. Il franchit l'arche qui marquait la frontière du Chinatown. De là, la rue se transformait en voie piétonnière, des pavés remplaçaient l'asphalte de la chaussée. Une angoisse étreignit Potter, qui eut l'impression de pénétrer en territoire interdit. Son intuition lui recommandait la plus haute prudence. Bordant la rue, les vieilles maisons avaient été converties en petits commerces: épiceries, restaurants et boutiques de pacotille. Les vitrines portaient des noms exotiques, Le Tigre de jade, Pagode de l'Empereur, Les Demoiselles de Chine, Aux délices de Pékin. Éclairées à l'intérieur, elles ne laissaient pourtant voir personne. Potter croyait déambuler dans une ville fantôme, plus rien ne le rattachait à la réalité. Mais où étaient donc passés les habitants du quartier chinois? On aurait pu croire que l'entière population du quartier avait disparu. Il continuait d'examiner le nom des commerces; il espérait tomber sur celui de la Kam Fung Import-Export quand il croisa une église. Elle paraissait désaffectée. Érigé en pierres de taille, le bâtiment était coiffé d'un clocher trapu et dénué de croix; son architecture dépouillée et austère rappelait celle d'un temple protestant du début du siècle. Une massive porte en chêne ornée de moulures et d'appliques en partie arrachées protégeait l'entrée; au-dessus du porche, une horloge illuminée indiquait l'heure.

Potter promena son regard sur la façade et remarqua qu'une enseigne métallique aux caractères presque effacés était attachée à la base du clocher.

KAM FUNG IMPORT-EXPORT

— Plutôt minable! laissa-t-il échapper.

Il éprouvait une vive déception à la vue du bâtiment. Il s'était attendu à mieux. Son attention se porta sur un graffiti tracé en lettres jaunes sur la porte. Il s'approcha et lut:

M. POTTER, VEUILLEZ PASSER
PAR L'ARRIÈRE.

Il sursauta et son cœur lui remonta dans la gorge.

Il relut le message pour s'assurer qu'il ne rêvait pas. Pourtant non, sa vision ne lui jouait pas de tours: c'était bien son nom qui était écrit sur la porte. Une peur monta alors en lui, il se sentit épié, menacé. Son pouls s'accéléra. Mais qui pouvait avoir tracé cette inscription, qui pouvait avoir prévu qu'il passerait à ce moment à cet endroit? Il s'exhorta au calme. Il relut encore le graffiti. Cette fois, il se rendit compte qu'aucun sentiment hostile ne se dégageait du message, tout au plus celui-ci lui suggérait-il d'emprunter la porte arrière. À la simple perspective de se rendre derrière le bâtiment, il frémit. Il décida finalement de faire preuve de prudence et de retourner au Gloria's. Il aurait toujours la possibilité de revenir plus tard en compagnie de Tchang et de Pépère Winter. Il se dirigeait vers l'arche d'entrée du Chinatown quand il remarqua une petite épicerie dont la porte, à l'exception de celles des autres commerces, avait été laissée ouverte. LEO FOO'S GROCERY, annonçait-elle.

Des pyramides de biscuits étaient étalées dans la vitrine; derrière elles, des saucisses chinoises ainsi que des côtes de porc cuisaient sur une plaque chauffante. Potter conclut qu'il y avait quelqu'un à l'intérieur. L'endroit était amplement éclairé. Une faim de loup lui tenaillait l'estomac et l'envie lui prit d'acheter des biscuits. Il grimpa quelques marches et se retrouva dans l'épicerie.

Il ne vit personne; des piles de conserves et de sacs de riz encombraient la pièce, des étagères chargées d'aliments secs atteignaient le plafond. Au fond d'un large comptoir réfrigéré s'entassaient des choux chinois, des melons amers, des mangues, des nouilles, des leechees et des racines de gingembre.

Potter se fraya un chemin parmi les sacs de riz et parvint au centre de la pièce. Sur un étal de boucher, un couteau à dépecer dégoulinait de sang, au milieu d'abattis.

— Y'a quelqu'un? demanda Potter d'une voix mal assurée.

Personne ne répondit.

Potter décida de ne pas moisir à cet endroit et fit demi-tour. Il s'apprêtait à sortir après avoir dérobé un

137

biscuit d'un mouvement vif de la main quand il s'entendit interpeller.

La surprise le paralysa tout entier.

— M. Potter, monta une voix marquée d'un fort accent étranger, remettez le biscuit à sa place.

La voix était rocailleuse et semblait avoir jailli de la gorge d'un trachéotomisé.

Potter éprouvait un malaise à l'idée de s'être fait prendre en flagrant délit de vol; il remit le biscuit à sa place, sur le sommet de la pyramide. Puis il balaya la pièce d'un regard nerveux.

Il constata qu'il n'y avait personne.

— Où... êtes-vous? bredouilla-t-il.

Mais de nouveau personne ne lui répondit.

— Comment se fait-il que vous connaissiez mon nom?

Dans le silence qui s'appesantissait, Potter se précipita vers la porte. Mais allez savoir pourquoi, dans un mouvement de défi peut-être, avant de sortir il subtilisa deux autres biscuits.

— Ne mangez pas ces biscuits, M. Potter, jaillit la voix brisée, stoppant net son élan.

— Pourquoi?

Les jambes de Potter se dérobaient sous lui.

— Ne mangez pas ces biscuits, ils sont destinés aux touristes. Approchez!... Regardez ces autres biscuits, là, posés sur l'étal. Ils sont pour vous.

Potter n'y comprenait rien; il regarda l'étal et vit deux biscuits posés au milieu des abattis. Drôle d'endroit où laisser deux biscuits!

— Prenez-les! fit la voix. Ils contiennent des messages à votre intention.

Potter se demandait s'il devait céder à l'invitation de son mystérieux interlocuteur ou s'il devait fuir au plus vite. Peut-être un assaillant caché à proximité n'attendait-il que le moment propice pour se jeter sur lui.

Il finit par céder à la fascination qu'exerçaient sur lui les biscuits; il se rendit à l'étal et les saisit. Puis il recula vers la porte. Nerveux, il pressa un des biscuits dans la paume de sa main. La pâte s'émietta, découvrant une fine bande de papier. Quelques mots y avaient été dactylographiés.

— Lisez! suggéra la voix, surgie de nulle part.

Les yeux de Potter parcoururent le billet.

TU ES UN BEAU SALAUD.
PRÉPARE-TOI À MOURIR.

Potter laissa échapper un cri d'épouvante. Il s'empara d'un crochet de boucher suspendu au-dessus de l'étal, le brandit et le lança sur une porte au fond de la pièce d'où il lui avait semblé que venait la voix. L'arme fit éclater le bois. La porte s'ouvrit. Personne derrière.

— T'es un salaud! hurla la voix rocailleuse.

Terrifié, Potter dévala les quelques marches qui descendaient à la rue. Dans sa course, il renversa une poubelle, d'où jaillit un chat squelettique au poil tigré. L'animal portait un rat mort dans sa gueule.

Hanté par cette vision, Potter reprit ses jambes à son cou et sortit du Chinatown. Il finit par s'affaler, complètement épuisé, sur un banc public.

En reprenant son souffle, il songea au message que devait contenir l'autre biscuit. Il brisa celui-ci et déroula le billet.

POTTER, TU VAS COURIR COMME TU AS
FAIT COURIR LA PETITE, À MORT.
IRÈNE

Tout s'expliquait.

Il fut assailli de vertiges. Ainsi, Irène s'était déjà lancée à sa poursuite. Et lui qui croyait lui avoir définitivement échappé. Dieu du ciel, que pouvait-il faire maintenant? Irène avait retrouvé sa trace. Il avait la conviction que son enfer ne faisait que commencer. Il devait au plus vite regagner le Gloria's afin de se mettre à l'abri. Il allait reprendre sa course quand il se ravisa. Non, il ne lui servait à rien de se réfugier au Gloria's; si Irène avait réussi à le débusquer, elle ne manquerait pas de le poursuivre jusque-là. S'il voulait se tirer d'affaire, il avait intérêt à trouver un autre moyen. Lequel? Après s'être longuement interrogé, il en vint à la conclusion qu'il ne restait plus qu'une solution: rencontrer Irène afin de s'expliquer avec elle. Peut-être parviendrait-il ainsi à la convaincre de son innocence, à la convaincre qu'il n'était pour rien dans la mort de La Petite.

Il retourna donc vers la Kam Fung Import-Export, s'enfonçant à l'intérieur du quartier chinois. Il se retrouva devant la façade du temple.

Il observa longuement le bâtiment, n'osant trop s'en approcher. Il constata que ses murs latéraux n'étaient pas contigus aux bâtiments voisins, qu'une distance de plus d'un mètre les en séparait. Vraisemblablement, s'il voulait parvenir à l'arrière du temple, c'est par là qu'il devrait passer.

Ces couloirs étaient de véritables coupe-gorge.

Potter avait à ce moment une main plongée au fond de sa poche. Il se rendit compte qu'il retournait entre ses doigts la dent de La Petite, celle qu'il avait ramassée sur sa lèvre. Il revit la tête éclatée sur le dallage de l'entrée de la clinique, le sang ruisselant sur la pierre. Il serra la dent dans sa paume. Puis, levant un regard implorant vers le ciel, il demanda à La Petite de lui porter secours.

— Petite. Fais quelque chose pour moi. Protège-moi. Il faut que j'arrive à convaincre Irène. Veille sur moi.

Cette prière lui insuffla le courage nécessaire pour passer à l'action. Il entreprit de se risquer dans un des obscurs passages.

Il s'était à peine engagé dans le passage du côté droit du bâtiment qu'il dut s'arrêter; une obscurité d'encre l'empêchait d'avancer davantage. Il se colla contre le mur et laissa ses doigts parcourir la pierre afin de le guider. Il finit de cette façon par se rendre jusqu'à l'arrière du bâtiment.

Un rai de lumière s'allongeait devant lui. Sa main lâcha le mur. D'un pas plus assuré, il se dirigea vers la lumière. Il se trouvait au fond d'une cour intérieure. Du gravier craquait sous ses semelles. De forme octogonale, la cour était formée de murs de plus de vingt mètres de haut et donnait l'impression d'une sorte de cheminée à ciel ouvert.

Il se dit que, pour parvenir à cet endroit, il avait dû traverser un tunnel. Il leva la tête vers le ciel et constata que la lumière du jour parvenait à peine jusqu'à lui, quand la terre se mit à trembler sous ses pieds. Le glissement d'une porte huilée se fit entendre.

Le temps de se retourner, Potter aperçut une lourde porte de métal qui se refermait sur lui, l'emprisonnant du coup dans la cour intérieure. La panique le submergea. Il se jeta sur la porte, la martela de ses poings, tenta de la faire coulisser à l'intérieur du mur d'où elle venait de jaillir.

— À l'aide! Ouvrez-moi! hurlait-il.

Peine perdue. Un cliquetis retentit aussitôt à l'intérieur de la porte, indiquant qu'un mécanisme venait de la verrouiller.

Potter était prisonnier, coupé du monde.

L'ampoule qui éclairait faiblement l'endroit se mit à grésiller puis s'éteignit, jetant Potter dans une effrayante noirceur. Seule une lueur descendait du ciel.

Potter s'assit au centre de la cour, en proie à un profond désarroi. Quel sort l'attendait maintenant? Combien de temps le laisserait-on dans ce trou? Avec quelle intention l'avait-on enfermé ici? Irène se présenterait-elle à lui?

Il resta de longues heures à se torturer ainsi, à se harceler de questions. Il allait croire que tout était fini pour lui quand une série de roulements ébranlèrent les murs. Face à lui, du côté opposé à la porte qui s'était refermée plus tôt, tout un pan de mur de briques venait de coulisser vers la droite et lui ouvrait une voie. Potter se risqua dans l'ouverture, espérant qu'elle le mènerait à une sortie.

Déçu, il se retrouva à l'intérieur d'une pièce aux

murs de ciment gris, une pièce nue et sans fenêtres, à l'allure de cachot. Une ampoule éblouissante pendait du plafond. Le mur coulissant qu'il venait de franchir se referma avec fracas derrière lui. Encore une fois, il était prisonnier. Mais maintenant il manquait d'air; une angoissante sensation d'étouffement lui serrait la poitrine. De toute évidence, on le ferait patienter à cet endroit aussi longtemps que dans la cour intérieure. Il s'assit de nouveau sur le sol. Mais quel jeu jouait-on avec lui? Qu'attendait-on pour le tirer de là? Cherchait-on à mettre ses nerfs à vif?

Puis devant lui un mur coulissa. Sans réfléchir, il se lança sur ce qu'il espérait naïvement être une planche de salut.

Sa déception fut immense. La nouvelle pièce était en tous points semblable à celle qu'il venait de quitter. Là aussi une ampoule éblouissante pendait du plafond et matraquait la pièce de sa lumière. Le mur que Potter venait de franchir se referma aussi derrière lui, dans un assourdissant fracas métallique.

Le désespoir fondit sur Potter. Combien d'autres portes allaient s'ouvrir et se refermer ainsi, et lui faire miroiter de faux espoirs de sortie? Il n'arriverait sûrement pas à résister longtemps à un pareil supplice. Il perdit peu à peu contact avec la réalité, puis, n'ayant pas la moindre idée de l'endroit où il se trouvait, ne sachant plus si c'était le jour ou la nuit, son esprit sombra dans la confusion.

Hélas! il ne se trouvait pas au bout de ses peines; un nouveau mur devait bientôt coulisser devant lui et l'entraîner vers une autre pièce. Ce mur devait lui aussi se refermer derrière lui en claquant. Puis Potter devait atteindre une autre pièce. Puis une autre. Et encore une autre. Il allait ainsi franchir un labyrinthe d'une vingtaine de pièces.

Il s'apprêtait à se fracasser la tête contre un mur afin d'en finir une fois pour toutes, ses oreilles bourdonnant de l'implacable roulement des murs coulissants, quand une dernière paroi s'ouvrit devant lui.

De l'autre côté apparut alors un vaste entrepôt où s'empilaient à perte de vue des caisses de bois et des barils d'aluminium. De hautes fenêtres aux carreaux salis jetaient sur les lieux une lumière sombre. Personne en vue. Pas un bruit non plus. Convaincu qu'il parvenait au terme de son agonie, Potter rassembla ce qui lui restait de forces et s'engouffra dans l'entrepôt, n'arrivant pas à croire qu'il allait recouvrer sa liberté.

Chapitre 16

Au Gloria's, un autre conflit couvait, l'atmosphère était devenue aussi explosive qu'un baril de poudre. Une des clientes assidues de la boîte, Lady Bigras, dont on savait depuis longtemps qu'elle avait jeté son dévolu sur Gino, avait fait savoir qu'elle se trouverait ce soir-là dans la salle. Elle avait coutume d'inonder Gino de ses faveurs; on l'avait déjà vue lui faire un chèque de cinq mille dollars, seulement pour qu'il exécute son numéro d'effeuilleur à sa table. Bobby, Tam-Tam et Pierrot menaçaient de gagner une boîte concurrente s'ils ne se voyaient pas accorder le même traitement par Lady Bigras ou si Gloria ne refusait pas à cette dame l'entrée de la salle.

Gloria n'entendait pas se soumettre au chantage des demi-dieux, car Lady Bigras était la veuve du célèbre magnat de la presse Sir Adrien Bigras et elle était reconnue pour sa philanthropie. Elle pouvait certains soirs dilapider des sommes considérables. Gloria n'allait certainement pas se la mettre à dos. Elle avait même l'intention de lui accorder comme à l'accoutumée quelques passe-droits. Entre autres celui d'entrer en compagnie de ses deux inséparables bassets, ce qui était formellement interdit par le règlement municipal A-475-02. Pendant toute la durée du spectacle, Lady Bigras porterait ses deux bêtes, respectivement appelées Laurel et Hardy, à la renverse dans le creux de ses bras, ainsi que des nourrissons.

Les demi-dieux Bobby, Tam-Tam et Pierrot s'étaient barricadés tout l'après-midi dans leur loge et refusaient obstinément de se montrer. Le temps pressait. Gloria s'arrachait les cheveux, car le spectacle de vingt heures était sur le point de débuter. Elle avait beau argumenter à travers la porte de la loge, les demi-dieux restaient résolus à boycotter la soirée. Elle fit donc appel à Marie-Scapulaire, sûre que celle-ci arriverait à ramener les demi-dieux à la raison. En effet, Marie-Scapulaire avait acquis en deux jours une réelle influence sur eux.

Marie-Scapulaire frappa à la porte de la loge et parvint à se faire admettre à l'intérieur.

— Les p'tits gars! Cessez de faire la tête, p'tit Jésus de Prague! Tout ça à cause d'une vieille toquée qui a décidé de vous ignorer. Ressaisissez-vous. Vous n'êtes pas des lavettes, à ce que je sache. Cessez de faire les enfants. Vous êtes plus solides que ça. Au lieu de vous renfrogner, pourquoi n'essayez-vous pas à votre tour de séduire la vieille?... Faut faire quelque chose. Je ne sais pas, moi, faites preuve de virtuosité, dépassez-vous. Moi, à votre place, je me déhancherais ce soir comme jamais auparavant, quitte à me foutre le feu au cul. Faites-lui cracher tout son argent à la vieille!

L'aplomb du discours ébranla quelque peu les demi-dieux. Après avoir réfléchi, ils se levèrent d'un même mouvement. Chacun était maintenant convaincu qu'il allait faire sauter la baraque, se surpasser, faire un malheur; ils imaginaient déjà Lady Bigras déployer son portefeuille à leurs pieds.

Quelques minutes plus tard, les demi-dieux avaient enfilé leurs costumes de scène et s'apprêtaient à faire leur apparition dans la salle.

Pierrot ouvrait le spectacle avec son numéro de cowboy. Il portait pour tout vêtement un slip au gousset orné de franges, des bottes armées d'éperons, un chapeau à larges bords pointé vers le front, et il avait la taille ceinte d'une paire de revolvers. Il se présenta en roulant les mécaniques et en mâchonnant un brin d'herbe séchée. Au son plaintif et lancinant d'une musique country, il commença à se dévêtir. Malheureusement pour lui, il n'avait jamais montré de véritables dons pour la danse. Son manque de souplesse et d'harmonie le faisait ressembler à un piquet de clôture.

Dans la salle, Lady Bigras s'ennuyait prodigieusement. Son regard désabusé au fond de son gin Gimlet, elle n'accordait pas la moindre attention au numéro de Pierrot.

Celui-ci redoubla d'efforts. Dans une série de dangereuses convulsions qu'il voulait sensuelles, il retira ses bottes, son ceinturon, son slip, avança son bassin dénudé et exhiba sous le nez de Lady Bigras un membre viril ballottant et sans vigueur. Il infligea de la sorte à sa colonne vertébrale une telle torsion que quelques-unes de ses vertèbres se disloquèrent et son dos se déchira. Une intolérable douleur le secoua; il avait l'impression qu'une lame de feu lui pénétrait les côtes. Il stoppa net son mouvement et s'écrasa sur le sol.

Un long murmure remplit la salle.

En catastrophe, Gloria accourut sur la scène pour s'adresser à la foule et endiguer le mouvement de panique qui s'emparait de la salle. Avec une bonne humeur forcée, elle annonça d'une voix puissante:

— Un verre pour tous. C'est la maison qui paie.

Et la musique reprit son rythme infernal, pendant que le corps de Pierrot était traîné jusqu'à la coulisse, où des brancardiers d'Urgences-Santé devaient bientôt le prendre en charge.

Le spectacle recommença avec Gino. Les filles lancèrent un cri de joie.

Gloria était affolée, elle avait regagné son bureau et s'était jetée sur le téléphone. Elle qui entretenait ses ongles avec la maniaquerie d'un tailleur de bonsaïs, qui se faisait une règle absolue d'avaler trois capsules de gélatine par jour afin d'en favoriser la croissance, en quelques minutes seulement elle les rongea jusqu'aux poignets. Elle ne se possédait plus. Le spectacle avait été amputé d'un numéro, il lui fallait au plus vite trouver un remplaçant à Pierrot. Le récepteur dans une main, elle s'apprêtait à relancer un strip-teaseur qui avait déjà travaillé pour elle quand on frappa à sa porte.

— Entrez! tonna-t-elle, refoulant avec peine son impatience.

Tchang le culturiste demandait la faveur d'un entretien.

Elle le laissa entrer. À sa mine embarrassée, elle devina tout de suite les raisons de sa visite. Assurément, il venait lui proposer ses services.

— Vous avez besoin d'un... d'un... strip-teaseur? bredouilla-t-il.

Gloria était parfois cruelle.

— Oui. Pourquoi? Vous en connaissez un?

— Enfin... Non... Ben... C'est-à-dire... Moi.

Tchang avait toujours rêvé de monter sur une scène; sa timidité cachait en effet une nature exhibitionniste qui voulait connaître la célébrité.

— Vous savez danser?

— Oui, madame.

— Eh bien, c'est ce que nous allons voir.

Gloria désira sans tarder évaluer les aptitudes de Tchang et elle tendit le bras vers une radio portative d'imposante dimension posée derrière elle sur un splendide buffet laqué. Elle mit l'appareil en marche.

Les premières vibrations faillirent projeter Tchang dans le fauteuil derrière lui. Après un moment de surprise, il se lança dans ce qu'il croyait être un savoureux strip-tease. Il retira d'abord ses lourdes bottes Kodiak, puis les envoya promener au hasard. L'une d'elles accomplit par malheur une trajectoire imprévue et alla faucher une lampe à pied placée à proximité du bureau de Gloria.

La lampe s'étala sur le sol, plongeant la pièce dans une semi-pénombre.

Tchang déglutit à la vue de sa maladresse mais décida quand même de continuer. Il retira son pantalon, qu'il fit tournoyer au-dessus de sa tête... et renversa le bouquet de roses qui ornait le bureau de Gloria. L'eau se répandit sur la moquette blanche.

Gloria bondit de son fauteuil.

— Assez! hurla-t-elle en mettant fin aux rugissements du *ghetto blaster*.

Tchang interrompit sa démonstration. Il savait qu'il venait de perdre son unique chance. La mort dans l'âme, il enfila son pantalon à regret. Mais il ne se tenait pas pour battu.

Une idée lui traversa l'esprit. Et s'il arrivait à intéresser Gloria à un autre numéro que celui de strip-teaseur? Peut-être pouvait-il essayer de lui démontrer ses talents de ventriloque, peut-être pouvait-il se lancer dans l'exécution de ce numéro où il arrivait à faire parler ses pectoraux? Cette tentative était folle, il le savait, mais elle méritait d'être effectuée. Sous le regard ahuri de Gloria, il retira son T-shirt et gonfla démesurément sa poitrine.

Gloria se demandait où il voulait en venir.

Une voix haut perchée et puérile jaillit alors du sein gauche de Tchang.

— Bonjour, madame, fit-elle à l'adresse de Gloria.

Estomaquée, celle-ci se retint pour ne pas répondre.

L'autre sein s'adressa à elle d'une voix grave.

Gloria se crut victime d'hallucinations, mais elle était en même temps saisie d'admiration pour le talent de Tchang, car son exécution tenait du grand art. Elle n'en revenait tout simplement pas, cette démonstration la jetait en bas de son fauteuil; de toute sa carrière elle n'avait assisté à un spectacle d'une telle loufoquerie. Bien que le numéro ne fût aucunement sensuel, elle lui portait un vif intérêt; à tout le moins comportait-il une forte dose d'humour, ce qui n'était pas à dédaigner auprès des femmes. Après mûre réflexion, elle en vint à considérer le numéro de Tchang comme étant fort original.

— D'accord. Tu vas faire un essai, proposa-t-elle à

Tchang, consciente du risque qu'elle prenait. Tu commences dès maintenant. Si tu arrives à faire rire la salle, je t'offre la place de Pierrot.

Et elle le conduisit à la loge des demi-dieux pour lui faire enfiler son costume de scène. Elle lui demanda alors sans ménagement:

— Ah oui! Au fait: est-ce que tu es normalement constitué?

— Il... il me semble que oui, répondit Tchang.

Gloria laissa échapper un long soupir de soulagement et lui tendit un minuscule cache-sexe.

— Enfile ça! lui lança-t-elle.

À la vue du minuscule vêtement, Tchang blêmit. Il n'arrivait tout simplement pas à s'imaginer vêtu de ce simple bout de tissu. Du coup il ne voulut plus paraître sur scène.

— Je... ne... pourrai jamais, bredouilla-t-il.

Gloria sentait qu'il ne fallait pas le bousculer; elle évita d'insister et le conduisit plutôt vers les coulisses. Il ne restait plus que cinq minutes avant l'entrée de Tchang en scène. D'un ton rassurant, elle lui dit:

— Mon vieux, tu y vas quand même... Mais oublie le cache-sexe. Et pas question de strip-tease pour toi. Tu n'es pas encore prêt pour ça. Ne fais qu'exécuter ton numéro de ventriloque.

Gloria laissa filer les applaudissements qui marquaient la fin du numéro de Gino, puis elle poussa Tchang sur la scène.

— À la grâce de Dieu! soupira-t-elle.

Chapitre 17

Harassé, Potter avait fini par s'assoupir dans une sorte de pièce servant de débarras et dissimulée par une haute pile de barils d'aluminium. Il avait dormi plus de trois heures d'un sommeil profond. Lorsqu'il ouvrit les yeux, une insupportable odeur de chair bouillie assaillit ses narines. Il se leva, s'interrogea sur l'origine de cette puanteur qui lui donnait l'envie de vomir. Il quitta l'abri où il s'était réfugié puis, à pas prudents, il entreprit l'exploration des lieux. À perte de vue s'empilaient les caisses de bois et les barils d'aluminium. Mais à quoi pouvaient-ils servir? Il entreprit de remonter jusqu'à la source de l'odeur, espérant qu'elle le mènerait vers une autre pièce. Après avoir reniflé comme un chien rabatteur, il finit par se retrouver à l'autre extrémité de l'entrepôt. L'odeur toujours plus étouffante semblait jaillir d'un couloir qui se dessinait devant lui, à travers les hautes piles de caisses de bois. Il se tailla un chemin parmi les caisses, puis se risqua à l'intérieur du couloir.

Il parcourut quelques mètres dans la pénombre puis entra dans ce qui lui parut une église désaffectée. Sans doute était-ce celle qui abritait la Kam Fung Import-Export. C'était une sorte de temple austère, sans ornementation, une vaste nef à travée unique, dont les murs étaient dépouillés de leurs boiseries. La pierre avait été mise à nu et laissait voir quelques graffitis. Les vitraux avaient été placardés de l'extérieur et des réflecteurs projetaient de la voûte une lumière aveuglante. Des bancs et des agenouilloirs étaient empilés dans un coin. Quelques réservoirs métalliques atteignant plusieurs mètres de haut composaient au milieu du temple une espèce de laboratoire. Jaillies de brûleurs à gaz, de longues flammes bleues leur chauffaient le ventre. D'une ouverture pratiquée au sommet de chacun s'échappaient des torrents de vapeur blanche et nauséabonde.

Potter s'approcha prudemment et examina les réservoirs. Une échelle montait jusqu'à leur sommet et une plaque de cuivre indiquait sur chacun son contenu ou son utilisation: KÉROSÈNE, ACIDE SULFURIQUE, CARBONATE DE SOUFRE, MACÉRATION, ÉPURATION.

Potter conclut qu'il s'agissait là du laboratoire où l'on transformait le caribou braconné de Notre-Dame-du-Soûlon. Il cherchait maintenant à établir un lien entre ce laboratoire et la présence d'Irène dans ses murs. Par quels moyens celle-ci était-elle parvenue à cet endroit, et comment avait-elle su que lui-même y viendrait?

Un puissant ventilateur venait de se mettre en marche, aspirant les nuages de vapeur que crachaient les réservoirs. Au même moment, un grincement de porte se fit entendre. Potter se plaqua aussitôt contre le réservoir derrière lequel il se trouvait.

Des éclats de voix se répercutaient à travers la pièce. Potter reconnut tout de suite la voix rocailleuse et brisée qui l'avait tout à l'heure menacé à l'intérieur de l'épicerie. Bien qu'il ne vît encore personne, il pouvait sentir des pas qui accouraient dans sa direction. Avant qu'on ne découvre sa présence, il chercha des yeux un endroit plus approprié où se cacher.

L'échelle du réservoir contre lequel il se tenait plaqué était à portée de sa main. Il entreprit de l'escalader.

Le brûleur du réservoir ne fonctionnait pas; s'il réussissait à atteindre le sommet et que le réservoir était vide, il n'aurait alors qu'à se glisser à l'intérieur. Personne n'aurait l'idée de venir l'y chercher. C'était un risque à prendre.

Il grimpa donc l'échelle jusqu'au sommet. Le couvercle était ouvert. Il s'y laissa glisser. Les mains agrippées au rebord de l'ouverture, le corps qui balançait dans le vide, il se demandait dans quoi il allait atterrir car l'obscurité était totale. Il lâcha prise et s'écrasa sur la paroi métallique. Sa chute provoqua un grondement retentissant.

La même voix l'interpella alors à travers la paroi du réservoir.

— M. Potter, vous êtes fait comme un rat!

Potter se reprocha son imprudence. Pourquoi s'était-il introduit dans le réservoir? Par ce mouvement irréfléchi, il s'était jeté dans la gueule du loup. Qu'allait-il advenir de lui maintenant, comment pouvait-il espérer sortir de cette impasse?

Des pas précipités lui indiquaient que d'autres personnes rejoignaient son mystérieux interlocuteur.

— Qui êtes-vous? laissa échapper Potter d'une voix qui cherchait vainement à se faire menaçante.

Une forte odeur de produit chimique imprégna à ce moment l'intérieur du réservoir. En quelques secondes, les émanations rendirent l'air irrespirable. On cherchait à l'asphyxier. Sentant que ses sinus et ses poumons allaient éclater, Potter évita d'inhaler.

Quelqu'un escaladait en vitesse la paroi extérieure du réservoir. À peine Potter eut-il le temps de relever la tête qu'il vit le couvercle coiffant l'ouverture se rabattre sur lui. Une peur atroce lui noua l'estomac.

Un roulement ténu attira pourtant son attention. Ce roulement ressemblait à celui d'une bille sur les dalles de pierre du plancher du temple; il fit ressurgir en lui un souvenir qu'il n'arrivait pas encore à préciser.

— L'œil de p'pa! C'est l'œil de p'pa! s'exclama-t-il soudain.

Il en était certain. Mais qu'est-ce que son père pouvait faire là? Sûrement qu'il se trouvait en compagnie d'Irène. C'était à n'y rien comprendre. Pourquoi se trouvait-il là? Pourquoi? La voix jaillit de nouveau.

— Préparez-vous à mourir, M. Potter.

Une chaleur intense commençait de monter de la paroi du réservoir.

— Ils ont allumé le brûleur! s'affola Potter.

Dans son refus de mourir, l'idée lui vint de renverser le réservoir sur ses flancs. Sans perdre de temps, il prit son élan et se rua sur la paroi du réservoir, l'escaladant le plus haut qu'il put. Le réservoir se trouva déstabilisé par le poids de son corps, vacilla, pencha, se renversa lentement, s'échappa des pieds métalliques qui le maintenaient en équilibre.

Le couvercle qui coiffait le réservoir heurta violemment le sol et fut littéralement arraché. Le réservoir s'immobilisa.

Avant que ses poumons n'éclatent, Potter se jeta sur l'ouverture pour respirer un peu d'air frais. Il s'était à peine montré qu'une détonation retentit; un projectile ricocha à quelques centimètres de son oreille. Il rentra à toute vitesse la tête à l'intérieur.

Il avait eu le temps toutefois de constater que le réservoir avait roulé à proximité du portail. Il se dit qu'il pouvait enfoncer celui-ci. Il grimpa de nouveau sur la paroi du réservoir pour le faire rouler. Le réservoir trembla d'abord, puis bougea lentement. Potter se mit à courir sur la paroi comme un écureuil dans la roue d'exercice d'une cage. Le réservoir prit de la vitesse et vint se jeter contre le portail avec la force d'un rouleau compresseur. L'impact ébranla jusqu'aux murs de pierre du temple. Le portail vola en éclats.

La secousse avait plus ou moins assommé Potter, qui finit par reprendre ses esprits. Il aperçut la lumière du jour par l'ouverture du réservoir. Il saisit sa chance; il s'y glissa et, une fois dans la rue, sans regarder derrière lui, il se lança à l'épouvante vers l'arche d'entrée du Chinatown. Mais il dut vite ralentir, car il était à la limite de sa résistance. Il marchait maintenant sur le boulevard Saint-Laurent, qui avait retrouvé son agitation coutumière. Les trottoirs étaient encombrés par une foule bruyante de Chinois; le temps s'éclaircissait, laissant voir de larges pans de ciel bleu. Potter comptait regagner le Gloria's et s'y terrer jusqu'à ce qu'Irène ait définitivement perdu sa trace. Peut-être finirait-elle par se lasser de le chercher à travers la ville, peut-être finirait-elle par regagner Notre-Dame-du-Soûlon? Il essayait toujours de comprendre ce qu'Irène et Fridolin étaient venus faire à la Kam Fung Import-Export, et comment ils avaient appris que lui-même s'y trouverait.

La foule commençait de le rassurer. Il se laissait conduire par le flot continu de passants et jubilait à l'idée d'avoir échappé à Irène. Il adressait aux passants de larges sourires, mais curieusement, ceux-ci ne lui répondaient pas. Ils plongeaient la tête vers le sol et pressaient le pas. On eût dit qu'ils se hâtaient de fuir sa présence. Potter se demanda s'il ne fabulait pas; ou s'il ne souffrait pas d'une paranoïa aiguë causée par la série d'événements qui venaient de se produire. Un pressentiment le gagnait, qui l'inquiéta.

Il quitta le quartier chinois. Il reprit sa course, franchit plusieurs pâtés de maisons, puis se trouva devant une bouche de métro. Il allait s'engouffrer dans les portes quand, derrière lui, un crissement de pneus le fit se retourner promptement. La limousine du maire Saint-Georges fonçait sur lui.

Saint-Georges!!! Mais qu'est-ce qu'il vient faire ici, lui aussi? se demanda Potter. Dieu de Dieu, le village entier de Notre-Dame-du-Soûlon s'était-il lancé à sa poursuite? Un sentiment de terreur s'insinua de nouveau en lui.

Il se lança dans le métro et dévala une première volée d'escalier. C'était la première fois qu'il y mettait les pieds et il eut l'impression qu'un poids de plusieurs tonnes s'abattait sur ses épaules. Des profondeurs de la station parvenait le glissement feutré des rames, une odeur de caoutchouc chauffé imprégnait l'atmosphère. À répétition, des haut-parleurs diffusaient des communiqués à l'attention des employés.

Potter paya et se précipita vers un escalier. La voix de Saint-Georges se répercuta à travers la station.

— Les gars, descendez par là, moi je prends de l'autre côté.

Saint-Georges n'était donc pas seul.

Traqué, Potter dévala un premier escalier. Il s'engagea dans un couloir, puis, sans regarder où il le conduisait, en enfila un autre. Un dernier escalier le jeta sur le quai. Celui-ci était désert, d'un côté comme de l'autre de la voie. Décidément, il jouait de malchance.

La voix de Saint-Georges se rapprochait dangereusement.

Potter chercha un endroit pour se cacher; il se réfugia finalement dans une alcôve qui contenait une série de sièges destinés aux voyageurs en attente.

Saint-Georges fit irruption sur le quai. Sous l'effet de la peur, les mâchoires de Potter claquaient bruyamment, ce qui attira inévitablement son attention. Saint-Georges se dirigea droit vers l'alcôve. Potter pouvait l'apercevoir à travers les interstices de la brique. Il fulminait en pointant devant lui le canon de son arme.

En reculant d'un pas, Potter constata qu'un des sièges avait été arraché de son socle. Il le saisit sans faire de bruit, le brandit à bout de bras et attendit que Saint-Georges passe sous lui. Ce dernier l'aperçut et évita le coup. Il se jeta sur lui et lui envoya la crosse de son 300 Magnum dans le visage.

Potter s'écrasa sur le sol; une paupière entaillée, il baignait dans une mare de sang.

Saint-Georges se rappela alors qu'Irène voulait Potter vivant. Il cessa de cogner. Il se frottait déjà les mains à l'idée de la prime de vingt-cinq mille dollars. Il examina Potter et, le jugeant hors d'état de nuire, décida d'aller chercher Tank et Moose pour le transporter hors de la station.

Potter n'avait pas perdu connaissance; dès que Saint-Georges eut disparu, il se releva péniblement, l'œil englué de sang. Il se demandait comment il allait se sortir de là. L'écho d'une musique résonna. Quelque part à l'intérieur de la station, quelqu'un chantait *Love Me Tender*, la célèbre chanson d'Elvis Presley, avec une vérité bouleversante. Potter reconnut la voix de Mignonne. Mignonne! Enfin quelqu'un qui pourrait le tirer des mains de Saint-Georges. D'une démarche titubante, il se laissa guider par la voix de sa tante. Jamais elle ne lui avait paru aussi rassurante. Il remonta les escaliers, se dirigea vers une autre sortie, franchit le tourniquet d'entrée sous l'œil ahuri du préposé et aperçut finalement Mignonne qui chantait près des portes de la station. Il rassembla ses dernières forces, se traîna jusqu'à elle et s'écroula à ses pieds, comme fauché par une rafale de mitrailleuse.

Mignonne lâcha son micro, débrancha sa guitare et repoussa les quelques curieux qui l'entouraient.

— Torrieu de torrieu! Qui c'est qui t'a mis dans un état pareil? hurla-t-elle.

Elle n'allait pas tarder à l'apprendre, car la voix de Moose retentit à ce moment au bas de l'escalier.

— Il doit avoir atteint l'entrée. Je monte voir.

Dès qu'elle reconnut la voix du truand, Mignonne souleva le corps de Potter et le porta jusqu'à son haut-parleur; celui-ci faisait bien un mètre cinquante de hauteur et il était collé contre le mur. Elle arracha le contenu du haut-parleur, y fit entrer Potter, le tassa, puis en retourna vers le mur le côté éventré. Elle enfouit les débris dans une poubelle et reprit son tour de chant.

L'escalier roulant vomit Moose devant elle.

— Où est-il? tonna-t-il.

Planté devant Mignonne, il la fusillait du regard.

Mignonne ignora le truand et continua de chanter. Derrière elle, trois choristes également vêtues de cuir étaient alignées et mimaient les paroles de la chanson avec une ferveur quasi religieuse. Leurs voix s'harmonisaient en douceur avec celle de Mignonne.

Insulté que Mignonne fasse fi de ses menaces, Moose

pointa sa Winchester sous son nez. Mignonne ne se montra guère impressionnée, elle en avait vu d'autres. Aussi continua-t-elle de chanter normalement.

— Tu fausses, la grosse! l'interrompit Moose.

Piquée au vif, la chair de poule qui lui escaladait les bras, Mignonne s'arrêta de chanter.

— Arrête de niaiser, où est Potter? poursuivit Moose.

— Si t'es trop con pour l'attraper toi-même, ne compte pas sur moi pour t'aider, rétorqua Mignonne.

Moose chatouillait déjà de ses doigts la détente de son arme, mais il n'osait pas provoquer Mignonne davantage, car il s'était déjà heurté à la violence de son tempérament.

— Qui est avec toi? Qui est derrière tout ca? lui demanda Mignonne.

— Saint-Georges.

— Saint-Georges uniquement?

— Non.

— Qui d'autre?

Cette fois, Moose semblait réticent.

— ... Mme Desmeules, finit-il par avouer.

— Irène! explosa Mignonne. Ma propre mère!

— Oui.

— Torrieu de torrieu!!! Dis-lui que si jamais elle touche un cheveu de Potter, je lui enfonce mon poignard dans le dos.

Moose comprit qu'il ne lui servait à rien d'insister et retourna à l'escalier afin de chercher Saint-Georges et Tank.

Il avait à peine disparu que Mignonne s'empressa de plier armes et bagages. Elle savait que Moose ne tarderait pas à rappliquer avec du renfort. Avec ses trois choristes, elle chargea l'équipement sonore dans une camionnette garée dans une rue avoisinante et allongea Potter sur la banquette arrière. Elle se mit au volant. Comme Potter venait d'entrouvrir les yeux, elle lui demanda:

— Je t'emmène où?

Potter murmura:

— Gloria.

— Gloria!... Mais c'est un prénom de femme, ça! Comment veux-tu que je retrouve une femme dans une ville pareille, simplement d'après son prénom?

Potter sombra encore une fois dans un délire comateux.

De concert, les trois choristes firent alors d'une voix traînante:

— Ça ne fait rien, Mignonne, on va trouver.

Et la camionnette démarra en trombe, marquant la chaussée de plusieurs traits de caoutchouc brûlé.

Chapitre 18

Potter avait quitté le Gloria's depuis quelques jours déjà et il n'avait toujours pas donné de nouvelles. Lucien avait acquis la certitude qu'il l'avait définitivement abandonné; son moral périclitait, un sentiment de solitude le dévorait de jour en jour davantage. Il regrettait amèrement de s'être enfui de Notre-Dame-du-Soûlon. Son état physique avait dégringolé comme son moral: une crise d'arthrite d'une incroyable intensité l'avait foudroyé, son dos s'était voûté au point que son menton tombait sur son abdomen.

Marie-Scapulaire venait régulièrement lui remonter le moral.

— Allez, monsieur Lucien! Il va revenir, votre Potter, l'encourageait-elle.

Elle ne s'inquiétait pas outre mesure de l'absence prolongée de Potter, mais commençait à trouver désespérant l'état de santé de Lucien. Elle veillait sur lui avec le soin jaloux d'une mère pour son enfant. Elle lavait régulièrement ses vêtements, l'obligeait à passer sous la douche, l'aspergeait d'eau de Cologne. Elle lui composait ses repas, lui rafraîchissait chaque soir sa paillasse. Avant de le mettre au lit, elle lui enduisait le crâne d'huile de bébé, empêchant ainsi les centaines de coquerelles qui envahissaient l'étage de grimper sur son crâne dégarni.

Mais Gloria, elle, le harcelait. Sans arrêt elle l'admonestait pour qu'il éteigne l'éternel cigare qu'il portait aux lèvres.

— Franchement... à votre âge. C'est pas sérieux. Pensez à votre santé.

— Mais j'ai déjà un pied dans la tombe, s'évertuait-il à lui répéter.

— Peut-être... mais pas moi, rétorquait Gloria. Et je n'ai pas l'intention d'attraper un cancer du poumon à cause de vous.

Et elle toussait à fendre l'âme, comme si les quelques bouffées échappées du cigare de Lucien avaient suffi à l'intoxiquer pour de bon.

Tchang le culturiste, pour sa part, se réjouissait de la tournure des événements. La vie se conformait à ses rêves les plus délirants: en l'espace de quelques soirs, il était devenu un véritable phénomène, une célébrité. Son numéro de ventriloque avait déclenché dans la salle l'hilarité instantanée, son nom avait aussitôt circulé à travers toute la ville. Les spectatrices en avaient redemandé; jusqu'à Lady Bigras qui s'était entichée de lui et le préférait à Gino. Il avait rejoint le rang des demi-dieux. Il devait maintenant s'astreindre à un entraînement physique rigoureux, ce qu'il aimait tout particulièrement.

Il était en train de faire ses exercices devant un des miroirs de la salle de musculation quand il réalisa que sa peau, contrairement à celle, bronzée, des autres demi-dieux, tirait vers le vert. Il décida de remédier à cela.

Il abandonna poids et haltères, s'épongea le front puis se dirigea vers la petite pièce attenante.

Gloria y avait fait installer un minuscule sauna ainsi qu'un appareil à bronzer U.V.A. Tchang se dévêtit et s'allongea à l'intérieur de l'appareil. Celui-ci était fait d'un lit en plexiglass sur lequel se rabattait un épais couvercle encastré de néons qui projetaient des rayons ultra-violets. L'appareil se mit aussitôt en marche, dardant sur lui de chauds rayons.

Tchang se réjouissait à l'idée d'avoir bientôt un hâle

qui ferait l'envie de tous. Une sueur fine commençait à perler sur son corps quand il se rappela qu'il avait oublié d'enduire préalablement sa peau d'une crème protectrice. Il chercha donc à ouvrir le couvercle de l'appareil. Il eut beau, hélas, pousser de toute la force de ses bras, le couvercle lui résista. Or, c'était la première fois qu'il utilisait l'appareil et il l'avait réglé pour une durée maximale de soixante minutes. Au bout de cinquante-cinq minutes de lutte intense avec le couvercle, Tchang commença à roussir. Sa peau se mit à chauffer douloureusement, à se couvrir de cloques, une odeur de cochon grillé monta de l'appareil. Il avait beau hurler, ses suppliques étouffées ne parvenaient pas à l'étage supérieur. Les demi-dieux, qui se trouvaient pourtant dans la pièce voisine, étaient témoins de la scène, mais ils n'avaient pas la moindre intention de courir à son aide.

Jaloux de l'immense succès de Tchang, ils voyaient là l'occasion inespérée de se débarrasser d'un rival encombrant.

Tchang poussait des hurlements d'écorché vif.

Gloria, qui descendait distribuer aux demi-dieux leurs doses quotidiennes de vitamines, minéraux et oligo-éléments, fut alertée par les gémissements. Elle ne mit pas de temps à comprendre que quelqu'un se trouvait coincé à l'intérieur de l'appareil et alla en vitesse le débrancher.

Le couvercle de l'appareil s'ouvrit de lui-même et laissa apparaître le corps de Tchang, rouge comme un homard.

Tant bien que mal, Gloria aida Tchang à se hisser hors de l'appareil. Tchang souffrait, mais ses brûlures n'étaient finalement pas aussi graves qu'on l'avait cru au premier abord. En tout cas, elles pouvaient guérir.

Marie-Scapulaire et les autres s'amenèrent à leur tour. Marie-Scapulaire suggéra qu'on applique sur la peau une généreuse couche de beurre, vieux remède de bonne femme, affirmait-elle. Cette couche empêcherait l'épiderme d'entrer en contact avec l'air, ce qui apaiserait instantanément la douleur.

Pépère Winter fut donc dépêché à l'épicerie d'en face, d'où il revint avec deux briques de beurre sous le bras. Marie-Scapulaire fit fondre le beurre entre ses doigts et enduisit l'épiderme de Tchang, recouvrant chacune des parties de son corps.

Une fois le traitement terminé, Tchang gémissait, mais il déclara qu'il s'en trouvait grandement soulagé. Le feu qui le dévorait avait perdu de son intensité. Il se voyait toutefois contraint à l'immobilité, car il n'arrivait ni à marcher, ni à s'étendre, ni à s'asseoir. Resté nu comme un ver au milieu de la pièce, le corps luisant de beurre, il éprouva vite un sentiment de ridicule sous le regard des autres. Aussi, Marie-Scapulaire lui confectionna-t-elle une sorte de pagne rudimentaire à l'aide de carrés de soie qu'elle noua autour de sa taille, ce qui atténua son embarras.

On se remettait à peine de ces émotions quand des coups saccadés et violents retentirent à la porte d'entrée. Gloria alla ouvrir.

Mignonne entra comme une furie, portant le corps inconscient de Potter en travers de ses bras. Elle l'allongea sur le bar.

— Mais qu'est-ce que vous faites là? demanda Gloria.

— Vous le voyez bien. Je le couche.

— Mais... mais qui êtes-vous?

— Je suis sa tante.

— Il est blessé?

— Oui.

— Mais c'est pas un dispensaire ici, bordel de merde! C'est à croire que tous les éclopés de la ville se sont donné rendez-vous chez moi. Comment voulez-vous que je fasse rouler une boîte avec un arthritique, un brûlé et un moribond sur les bras?

— On n'est tout de même pas pour le laisser au beau milieu de la rue, torrieu de torrieu! vociféra Mignonne.

— Pourquoi ne l'emmenez-vous pas chez vous?

— Parce que chez moi, c'est l'ENFER!

Sur ces mots, Mignonne abandonna Potter en claquant la porte derrière elle.

Chapitre 19

Potter était dans un état lamentable: il portait un énorme coquart à l'œil gauche, il avait considérablement maigri, ses joues creuses dessinaient des ombres miséreuses sur son teint blafard. Depuis deux jours qu'il était là, il n'avait adressé la parole à personne. Les événements semblaient l'avoir complètement déstabilisé.

On lui avait confectionné une paillasse au dernier étage, sur la scène circulaire qui servait de lit commun, puis on avait envoyé chercher un médecin, qui avait recousu sa paupière entaillée.

Potter finit par reprendre ses esprits, mais surtout à cause d'un excès de sollicitude de Marie-Scapulaire. Avait-il chaud, avait-il froid, elle s'empressait d'ouvrir les fenêtres ou de les refermer; avait-il faim, elle se précipitait à la cuisine; éprouvait-il quelque faiblesse, elle brandissait un lot de vitamines subtilisées à Gloria; elle allait au-devant de ses moindres désirs, devinait ses moindres malaises. Potter avait fini par penser qu'il lui valait mieux recouvrer la santé au plus vite avant d'être étouffé. Aussi, un matin, se déclara-t-il dans la meilleure forme du monde. Il balaya les protestations de Marie-Scapulaire, puis réunit Lucien, Tchang et Pépère Winter autour de lui. Marie-Scapulaire se joignit évidemment à eux. Potter raconta alors les événements des derniers jours dans les moindres détails, depuis la voix rocailleuse et brisée qui l'avait menacé à l'intérieur de l'épicerie jusqu'aux horribles émanations de chair bouillie en provenance des réservoirs de la Kam Fung Import-Export.

Les autres l'écoutèrent religieusement, sans l'interrompre, la terreur leur triturant les entrailles, l'œil figé de stupeur. Ils savaient que leur tour viendrait bientôt, et qu'eux aussi seraient l'objet d'une poursuite effrénée de la part d'Irène et de Saint-Georges.

— Si jamais ils débarquent, qu'est-ce qu'on fait? s'affola d'abord Pépère Winter.

— On ferait mieux de quitter au plus vite le Gloria's, proposa Lucien.

Marie-Scapulaire prit la situation en main.

— Écoutez! Inutile de paniquer, les gars! Réfléchissons. Rien ne nous indique qu'Irène et Saint-Georges soient au courant de notre présence ici... Je crois que pour le moment la meilleure solution est de rester jusqu'à ce que les choses se calment. À partir de maintenant, plus personne ne doit mettre le nez dehors. À moins d'une coïncidence extraordinaire, Irène et Saint-Georges *ne peuvent en aucun cas* nous trouver. Ils se décourageront vite de battre la ville à notre recherche et retourneront à Notre-Dame-du-Soûlon.

Les propos de Marie-Scapulaire avaient dû paraître sensés, car chacun reprit le travail. Sauf Tchang. Pas encore remis de ses brûlures, il passait ses journées seul au dernier étage. Il ne parvenait toujours pas à enfiler de vêtements sur sa peau meurtrie, à s'étendre ou à s'asseoir; jour et nuit il restait debout, au milieu de la pièce, les jambes écartées, vêtu uniquement du pagne que Marie-Scapulaire lui avait confectionné, la peau enduite de beurre. Des courroies de cuir lui sanglaient étrangement la tête. Dans le but de l'empêcher de s'endormir, et par conséquent de s'écraser sur le sol, Lucien avait mis au point pour lui une sorte de système d'alarme. Il lui avait attaché au menton une clochette, retenue à l'aide de courroies qui se croisaient au-dessus de sa tête. Si Tchang venait à cogner des clous, sa tête plongeait et agitait automatiquement la clochette. Il avait alors le temps de se ressaisir. Il s'ennuyait à mourir, car il n'avait personne à qui parler, tout le monde étant absorbé dans son travail, y compris Potter. Gloria avait redistribué les responsabilités et leur faisait gagner chèrement leur croûte. Potter avait été assigné à la stérilisation des verres en plus d'être barman, Lucien s'occupait du nettoyage des innombrables miroirs que comptait la boîte, Marie-Scapulaire continuait de veiller à l'entretien des costumes et au bien-être des demi-dieux; quant à Pépère Winter, il s'était vu confier la tâche de passer l'aspirateur sur les kilomètres de moquette qui recouvraient les quatre étages du bâtiment.

Les événements avaient davantage rapproché Potter et Marie-Scapulaire, qui s'étaient remis à faire l'amour. Jamais les deux ne s'étaient sentis aussi unis. Et pas seulement par la chair. Ils se découvraient, passaient des nuits à échanger confidences et projets d'avenir. Potter considérait toujours Marie-Scapulaire comme la femme de sa vie; quant à elle, elle commençait à éprouver pour lui un autre sentiment qu'une solide amitié. L'amour s'installait peu à peu en elle.

Trois fois par jour, tous descendaient à la cuisine du sous-sol pour manger avec les demi-dieux. Généralement, ces repas se composaient de crudités: luzerne, céleri, carottes, brocoli, pois mange-tout, chou-fleur. Une trempette à base de yogourt et de fenouil était servie en accompagnement. On étalait du beurre de sésame sur des galettes de riz soufflé, et on avait l'impression de mâcher un coin de tapis. Parfois, et cela semblait un festin, il y avait une soupe de lentilles, une tranche de poulet nourri aux grains ou une salade de pois chiches. En guise de dessert, du gâteau aux carottes ou un biscuit au caroube. Le café et le thé avaient été rayés du menu, une tisane à l'eau de vaisselle terminait le repas. Bien que chacun fût rebuté par cette nourriture plutôt insipide, tous l'absorbaient sans rechigner, car ils n'avaient pas la possibilité de prendre leurs repas ailleurs. Le seul qui échappait à ce régime d'ascète était Pépère Winter.

Pas pour lui la luzerne et les graines de sésame. À chaque repas, malgré la consigne donnée par Marie-Scapulaire, il s'échappait du Gloria's pour se rendre au snack-bar voisin. Le lieu était tenu par une jolie Martiniquaise aux seins embaumant la vanille, dont il n'avait pas tardé à faire sa maîtresse. Elle avait un appétit sexuel débridé, sa libido ne demandait qu'à exploser telle une fontaine de jouissance jamais tarie. Elle se nommait Marithé, et le snack-bar lui appartenait.

L'endroit était une pièce unique et étroite qui s'allongeait sur toute la profondeur du bâtiment. Une rangée de sièges pivotants recouverts de vinyle faisait face à un comptoir chromé des années cinquante. Au fond se trouvait la cuisine. De vieilles enseignes de Coca-Cola tapissaient les murs, le plafond était couvert d'une épaisse couche de graisse. On y servait les meilleures frites en ville et, à l'occasion, du boudin créole et des colombos de mouton, mets typiquement martiniquais.

Marithé s'était amourachée de Pépère Winter d'abord à cause de ses yeux de chien battu, qui portaient à l'apitoiement. Elle le considérait comme son «petit amour». Chaque jour à 14 h 30, moment où peu de gens fréquentaient l'établissement, elle mettait le loquet sur la porte, affichait «FERMÉ», puis prenait Pépère Winter d'assaut entre la friteuse et l'évier. Ces échanges passionnés duraient depuis quelques semaines. Malgré cela, Marithé refusait toujours de nourrir Pépère Winter gratuitement. Elle était d'une pingrerie notoire. Sauf qu'elle était mal tombée, car Pépère Winter était aussi pingre qu'elle. Un jour, il lui demanda l'autorisation de finir les restes de nourriture laissés par les clients. Marithé ne s'y objecta pas.

Pépère Winter avait vite constaté que les clients ne laissaient pas grand-chose au fond de leurs assiettes; aussi avait-il élaboré une redoutable stratégie: il repérait d'abord un solitaire et se mettait à lorgner son assiette d'un air de crève-la-faim, son estomac poussant des borborygmes déchirants. Il regardait les bouchées quitter une à une l'assiette du client, avec une convoitise qui tirait les larmes. Le client s'apitoyait alors infailliblement; il s'arrêtait de manger, payait son addition, puis abandonnait son assiette, refusant de s'empiffrer plus longtemps devant pareille misère.

Pépère Winter venait de pénétrer dans l'établissement. Il choisit sa victime du jour. Le client, de haute stature, avait la tête penchée sur son assiette. Pépère Winter se dirigea vers lui. L'autre enfournait les aliments à la vitesse d'un convoyeur hors de contrôle. Il ne lui restait plus au fond de son assiette que la moitié d'un club sandwich et quelques frites éparpillées. Pépère Winter salivait déjà. Il s'approcha. Il venait de s'asseoir aux côtés du client quand monta en lui un curieux pressentiment. Il leva la tête vers lui.

— Saint-chrême! laissa-t-il échapper.

Il avait affaire à Tank, qui venait de le reconnaître.

Déjà la monstrueuse main-battoir du truand s'aplatissait sur sa nuque. Tank arracha Pépère Winter de son siège et colla son visage contre le sien. Un rictus sadique le dévisagea un peu plus, ses yeux lancèrent des éclairs d'une violence bestiale.

Affolé, Pépère Winter amorça un mouvement de fuite en tentant de se lever. Il se vit aussitôt ramené vers le truand, plaqué contre lui. Il sentait la main de Tank lui broyer la nuque. Marithé était aux toilettes; il priait le ciel qu'elle revienne au plus vite.

Tank accrut la pression de sa main. La nuque de Pépère Winter s'effrita comme du cristal.

Pépère Winter se vit à peine mourir; son esprit sombra dans un trou noir, son corps s'affala sur le sol.

Les quelques clients assis autour se jetèrent sur leurs manteaux accrochés au mur et s'enfuirent.

Ameutée par le martèlement des pas précipités, Marithé jaillit des toilettes. Voyant Tank penché sur le corps inerte et désarticulé de Pépère Winter, elle poussa un cri qui glaça le truand lui-même. Puis elle se précipita vers la cuisinière à gaz et saisit un poêlon encore brûlant.

Elle menaçait de le lancer à Tank.

— Qu'est-ce que vous lui avez fait? hurlait-elle comme une possédée.

À la vue du poêlon, Tank ravala sa salive. Une cicatrice dans la face lui suffisait. Il détala sans demander son reste.

Quelques instants plus tard, Marithé faisait irruption au Gloria's, en proie à une crise de nerfs, le visage déformé par la douleur, les bras levés au ciel.

Gloria, Marie-Scapulaire, Potter et Lucien firent cercle autour d'elle en se demandant ce qui avait pu la mettre dans un tel état. Marie-Scapulaire se pencha sur elle et l'interrogea doucement.

Son empathie naturelle agit instantanément sur Marithé, qui s'apaisa peu à peu; avec force reniflements et sanglots, elle relata le drame qui venait de se produire chez elle. Puis elle tendit le message qu'elle avait trouvé sur Pépère Winter:

POTTER, JE T'ATTENDS AU
PEEL PLAZA.

IRÈNE

Marie-Scapulaire, Potter et Lucien se mirent à trembler. Ainsi, Irène et Saint-Georges avaient réussi à les retrouver. L'heure du règlement de comptes approchait. Que pouvaient-ils faire maintenant?

— Il faut que je me rende, fit courageusement Potter. Ça évitera un bain de sang.

— P'tit Jésus de p'tit Jésus, serais-tu devenu fou? s'objecta Marie-Scapulaire. Autant aller à l'abattoir.

— Mais on n'a pas le choix, insista Potter. Si je me livre, ils vous laisseront en paix.

— Pas si sûr, répliqua Lucien. Je connais Irène. Si elle a décidé de mettre sa vengeance à exécution, elle la mènera jusqu'au bout. Si elle a décidé que nous y passerions tous, eh bien, nous y passerons tous.

— Qu'est-ce qu'on fait alors? demanda Potter à Marie-Scapulaire.

— Tout d'abord, il n'est pas question que tu te

rendes au Peel Plaza. Ensuite, je crois que plus que jamais nous avons intérêt à demeurer ensemble et à ne pas quitter la boîte.

— On pourrait peut-être demander l'intervention de la police? proposa Lucien.

— Jamais, s'objecta Gloria. Pas question que la police débarque chez moi... Vous savez comme moi que les nouvelles courent vite. Si jamais on apprenait que ma boîte a fait l'objet d'une visite de la police, on ne manquerait pas de s'interroger. C'en serait fini de ma réputation... et de mon établissement. Non, pas question de mêler la police à ça.

— Qu'est-ce qu'on fait alors?

— Eh bien, vous restez ici. C'est encore ce que vous avez de mieux à faire. Vous y serez en sécurité. Je maintiendrai les portes de l'établissement fermées toute la journée, et à l'heure des représentations, l'endroit est bondé, ils n'oseront pas frapper.

— Tu as raison, approuva Marie-Scapulaire.

— Et mon p'tit amour? Que va-t-il advenir de lui? s'enquit Marithé d'une voix déchirante.

— Eh bien, la police s'en occupera, décréta durement Gloria. Regagnez votre restaurant et prévenez-la... Cependant... à votre place, je déclarerais que je ne connais pas la victime, ça vous éviterait un tas d'ennuis... Et surtout, pas question de mentionner le billet trouvé sur Pépère Winter.

Quelques instants plus tard, la police arrivait en trombe au snack-bar. Après avoir fait subir un interrogatoire serré à Marithé, les policiers conclurent à un règlement de comptes entre trafiquants de drogue, puis emportèrent le corps de Pépère Winter à l'Institut médico-légal.

À partir de ce moment, régna au Gloria's un intolérable climat d'anxiété. Chacun se retira dans un coin pour mieux dissimuler aux autres la terreur qui l'habitait. Marie-Scapulaire s'enferma dans la loge des demi-dieux; Potter, lui, préféra la discothèque.

Quant à Lucien, complètement défait, il alla s'affaler sur sa paillasse au dernier étage. Il se sentait à ce point démuni qu'il eut soudain envie de mourir. Les événements étaient trop difficiles à supporter et avaient poussé ses nerfs à bout. Victime d'une foudroyante crise d'arthrite, son dos se voûta, ses jointures se mirent à brûler atrocement, son corps se recroquevilla comme un fœtus. Les genoux sous le menton, il ressembla bientôt à une momie inca, une petite boule de chair et d'os au milieu de la paillasse. Il ne bougeait plus.

Debout à quelques pas de lui, Tchang avait assisté à la scène. Il ameuta les autres en agitant frénétiquement la clochette fixée à son menton. Potter fut le premier à accourir.

— Bon Dieu, grand-p'pa, qu'est-ce qui vous arrive?

— J'ai mal. Jamais j'ai eu mal comme ça. Y'a pas une partie de mon corps qui ne veut pas mourir. Je ne parviens plus à me redresser... Ramène-moi à la maison. Dans ma cave. À Notre-Dame-du-Soûlon. Je veux mourir en paix.

Désemparé, Potter lui avoua son impuissance.

— Grand-p'pa, on ne peut pas retourner là-bas. Comment vous dire?... Pour le moment, il faut absolument rester ici, nous n'avons pas le choix. Y'a des tueurs qui nous attendent dehors. Grand-p'pa... il faut tenir le coup, m'entendez-vous, on va finir par se sortir de c'te mauvaise passe.

Lucien referma les yeux, plongeant dans un abîme de détresse.

Potter le regardait avec l'impression d'observer une curiosité de la nature. Lucien s'était figé dans la position d'une momie! Et il n'y avait rien à faire pour le délier. Potter sentit alors sur lui le poids d'une immense responsabilité; il était coupable d'avoir entraîné Lucien dans une aventure qui causerait probablement sa perte. Il devait trouver de l'aide au plus vite. Son esprit se porta naturellement vers Mignonne.

Chapitre 20

Trois semaines plus tard, Potter n'était toujours pas arrivé à joindre Mignonne. Chaque fois qu'il avait tenté de s'échapper du Gloria's, il s'était heurté à la limousine de Saint-Georges garée devant la porte. Il passait ses journées à travailler et à prodiguer des soins à Lucien; avec l'aide de Marie-Scapulaire, il lui donnait de fréquents massages: il pressait, étirait, frictionnait ses articulations malades. Mais ces manipulations ne semblaient pas avoir grand effet sur Lucien, qui restait tout recroquevillé. À tout le moins, Lucien sentait-il ses muscles se réchauffer. Gloria avait conclu une entente avec Potter: elle acceptait de garder Lucien sous son toit à la condition que Potter fasse le travail des deux. C'était éreintant, mais au moins Potter ne voyait pas le temps passer.

Tchang, qui n'éprouvait plus de brûlures, s'apprêtait à reprendre son numéro de ventriloque. Des papillons dans l'estomac, il observait Gino depuis les coulisses quand il eut le vif pressentiment qu'une nouvelle tuile allait lui tomber sur la tête. Il se lança quand même sur la scène. Vêtu d'un simple boxer fleuri et d'un nœud papillon, au son d'une musique dont les basses fréquences faisaient frémir le plancher, il se mit à se déhancher, plutôt gauchement d'ailleurs. Des gloussements et des petits cris s'élevaient déjà de la salle; on attendait avec impatience son numéro.

La lumière des feux de la rampe l'éblouissait, il n'arrivait pas à voir qui composait l'assistance. Après quelques pas de danse, il descendit l'escalier central qui menait à la salle. Il avait, en guise d'entrée en matière, l'habitude d'engager un court dialogue avec une spectatrice choisie au hasard. Il se fraya un chemin parmi la foule et s'arrêta devant une table; l'obscurité était dense, le projecteur qui suivait ses déplacements l'aveuglait. Pour voir la personne devant laquelle il venait de s'arrêter, il se pencha vers la table et quitta le halo de lumière. Il s'arrêta, regrettant aussitôt son mouvement.

Une mystérieuse femme voilée était assise dans l'ombre et projetait sur lui des ondes de mort. Le temps de conclure qu'il s'agissait d'Irène et il constata qu'elle était encadrée par Saint-Georges, Tank et Moose, qui formaient autour d'elle une véritable muraille.

Il recula d'un pas et regagna le halo de lumière, un sourire contraint sur les lèvres. Autour, les regards des spectatrices étaient braqués sur lui.

Il essayait de se rassurer en se disant que jamais les truands n'oseraient l'abattre au vu et au su de tous. Il décida d'aller faire son numéro à une autre table, mais une intolérable douleur irradia dans son pied droit. D'un rapide coup d'œil, il constata que l'énorme botte de Moose le clouait au plancher. Ses lèvres se crispèrent.

Aux tables voisines, les spectatrices, inconscientes de ce qui se passait, s'étaient mises à taper des mains et à scander son nom.

Malgré les aiguilles de feu dans son gros orteil, Tchang se composa une voix rauque de gnome et fit parler son sein gauche.

— Bonjour! fit-il en s'adressant à Moose.

Déconcerté, celui-ci resta bouche bée. Sous l'insistance des regards braqués sur lui, il finit toutefois par répondre.

— Bon... bonjour.

Sa voix caverneuse avait retenti avec la profondeur d'une corne de brume.

— Comment tu t'appelles, mon gros? demanda le sein.

La salle se tapait sur les cuisses. Moose se sentit le dindon de la farce. Il en oublia le pied de Tchang coincé sous la semelle de sa botte et se tourna vers Irène pour savoir s'il devait continuer de se prêter à cette farce.

Tchang en profita pour détaler. Il s'élança en boitillant vers l'escalier qui montait à la scène.

Moose bondit à sa suite, le visage déformé par la rage. Voyant qu'il se passait quelque chose d'anormal, les spectatrices se turent. Moose rattrapa Tchang et se mit à le tabasser. Piquées par la colère, les spectatrices se jetèrent comme des furies sur Moose; elles l'accablèrent de coups, s'agrippèrent à ses cheveux, lacérèrent son visage de leurs ongles tranchants.

Débordé, Moose relâcha son emprise sur Tchang et retourna vers Tank et Saint-Georges pour obtenir leur aide. Les filles comprirent que Tank, Saint-Georges et Irène étaient complices, elles chargèrent dans leur direction, leur lançant tous les objets qui leur tombaient sous la main, pots de crème, stylos, sacs à main, pinces à épiler, bouteilles de bière. Les voilettes d'Irène furent éclaboussées de liquide, un talon aiguille vint se planter dans la joue de Tank; quant à Saint-Georges, il reçut un coup de pied entre les jambes qui fit remonter ses couilles jusqu'à ses amygdales.

— On se tire, décréta Irène.

— Jamais de la vie, s'objecta Moose.

— Restez si vous voulez, nous on décampe.

Irène, Saint-Georges et Tank se précipitèrent vers la porte d'entrée pendant que Moose, avec une obstination suicidaire, se lançait à la recherche de Potter. Il était venu dans le seul but de lui mettre la main au collet et il entendait remplir sa mission. Il grimpa sur la scène. À travers les rideaux, il aperçut finalement Potter qui s'engageait dans un escalier menant à la cave.

— T'es pas mieux que mort, beugla-t-il.

Potter se retourna en vitesse et vit le truand qui

fondait sur lui. Il plongea dans l'escalier. Il rata une marche et se retrouva allongé sur le sol de la cave. Il se releva et, sans réfléchir, il gagna la pièce où se trouvaient le sauna et l'appareil à bronzer. La pièce était sans issue. Il réalisa alors qu'il venait de signer son arrêt de mort.

Moose dévalait l'escalier, ses pas résonnaient comme une volée de briques lancées sur le pont d'un navire. Potter se réfugia à l'intérieur du sauna et il en ressortit presque aussi vite, ses poumons prêts à éclater sous la chaleur. Il eut tout juste le temps de se glisser dans la douche et de tirer sur lui le rideau avant que Moose pénètre dans la pièce.

Moose se dirigea vers le sauna avec la conviction que Potter s'y trouvait caché. Il colla son visage contre la vitre de la porte. Comme la lumière était éteinte à l'intérieur, il ne parvenait pas à voir distinctement. Il ouvrit promptement la porte et entra.

Le sauna était vide. Il se retourna pour sortir et se cogna le nez contre la porte, qui s'était refermée derrière lui. À travers la vitre, il vit Potter qui l'observait, qui appuyait le dos d'une chaise contre la poignée de la porte. Pas moyen d'ouvrir celle-ci. Moose se mit à pousser les cloisons pour les abattre. Elles grincèrent et se tordirent.

Avant que le truand ne parvienne à se libérer, Potter essaya de couper court à ses efforts.

— Tu ne réussiras jamais à te sortir de là, fit-il.

— Ouvre! gueula l'autre, menaçant.

— Non. Je ne peux pas. Tu vas m'abattre.

— Si je t'attrape, mon sacrement, je t'arrache les yeux.

Potter s'était approché de la vitre du sauna. Moose montrait des signes évidents de fatigue, ses halètements laissaient prévoir qu'il allait bientôt tourner de l'œil. Ses jambes ployaient, il se retenait aux murs pour ne pas tomber.

— Je ne peux pas te libérer, mais je peux rendre ta prison plus confortable en attendant l'arrivée de la police, lui proposa Potter.

— De quelle façon?

— Tu pourrais faire baisser la température.

— Comment ça?

De toute évidence Moose ne connaissait pas le fonctionnement d'un sauna ni son utilité, car il lui aurait suffi de débrancher l'élément électrique qui chauffait les pierres. Potter entendait bien profiter de l'ignorance du truand.

— Tu vois les pierres?

— Je comprends, elles me brûlent le visage.

— Eh bien, il faudrait les arroser.

— Avec quoi? Y'a pas d'eau ici.

— Pisse dessus.

— Es-tu fou?

— C'est le seul moyen.

Considérant qu'il n'avait rien à perdre, Moose descendit sa braguette afin d'uriner sur les pierres. Mais il n'y arriva pas.

— Ça sort pas, avoua-t-il.

Potter courut chercher un verre d'eau.

— Regarde.

El il versa le contenu du verre sur la vitre de la porte. Moose fut aussitôt saisi d'une envie de pisser. De sa vessie jaillit un puissant jet d'urine qui éclaboussa les pierres brûlantes du sauna. Le jet entra en contact direct avec l'élément électrique. Un courant de deux cent vingt volts alimentait l'élément. Une formidable décharge électrique remonta le jet d'urine, traversa la verge de Moose et électrocuta net le truand.

Le corps de Moose se tendit, puis retomba, inerte et désarticulé.

Chapitre 21

Enfermée dans sa chambre d'hôtel, submergée de rage, Irène était minée par l'idée que Potter lui avait encore une fois échappé. Elle commençait à croire que le ciel lui-même le protégeait. Elle était d'autant plus en rogne qu'elle allait bientôt se trouver à court d'argent; en effet, en l'espace de quelques mois elle avait tout flambé, il ne lui restait plus que cinq mille dollars en caisse. Elle avait pourtant été économe. Elle avait établi son quartier général au Peel Plaza, un hôtel jadis huppé, qui n'avait plus aujourd'hui qu'un semblant de gueule. Le bâtiment datait des années vingt et n'avait jamais été rénové. Il croulait littéralement, ses étages de faux Louis XV, de gothique anglais et de rococo espagnol étaient pratiquement à l'abandon. Vu l'incurie de plusieurs administrations successives, les corniches et la façade voyaient s'amonceler fiente de pigeon et pourriture de feuilles mortes. Des fauteuils crevés jonchaient les couloirs, les tapis élimés enfargeaient au passage les clients. Ne s'arrêtaient au Peel Plaza que des charters d'étudiants étrangers qui, sous le couvert d'une tournée culturelle, en profitaient pour faire des virées spectaculaires. On les ramassait le long des corridors, ivres morts, la bouteille encore à la main. Ils saccageaient tout, déchiraient matelas et abat-jour, arrachaient de-ci de-là de larges langues de papier-tenture, comme s'ils travaillaient pour des démolisseurs. Il ne coûtait pratiquement rien de loger au Peel Plaza; pour le prix d'une chambre dans un Hilton, ici on obtenait une suite princière. Enfin, ce qu'il en restait.

Irène avait réquisitionné tout le dernier étage, qui se composait de deux immenses suites portant les noms pompeux de Queen Mary et de Georges V. Elle réservait une suite à ses seuls besoins. Elle se faisait garder jour et nuit par La Dolorès et par Fridolin. Son état de santé l'inquiétait; depuis qu'elle avait senti d'étranges palpitations dans sa poitrine, elle exigeait que La Dolores veille sur son sommeil. Toutes les nuits, La Dolores prenait place sur une chaise inconfortable et la regardait dormir. Afin de tuer le temps, elle comptait les mouvements ascendants et descendants de sa respiration, soit onze mille cinq cent vingt mouvements en moyenne par nuit, estimait-elle. Même en dormant, Irène portait sa robe, ses gants, ses bas et ses voilettes noires, car personne ne devait apercevoir ne fût-ce qu'un centimètre de sa peau violacée. Sur les draps blancs, la masse noire de son corps faisait songer à une dépouille exposée en chapelle ardente.

Même si elle était encombrée de meubles massifs d'inspiration médiévale, la chambre était d'agréables proportions. Immense, elle donnait sur une petite bibliothèque constituée de faux livres en plâtre. Cette bibliothèque conduisait à son tour à une salle à manger dont la dimension rappelait celle d'une salle de garde moyenâgeuse. Tout dans cette dernière semblait avoir été taillé pour des géants: les chaises étaient colossales, et un régiment de lansquenets aurait aisément pu prendre place à la table. De cette salle on pénétrait dans un salon décrépit qu'Irène se plaisait à appeler «le salon des pattes brisées», vu l'état des divans et des fauteuils. Un vestibule était attenant au salon. Un immense placard s'y trouvait.

Fridolin dormait dans ce placard, couché sur un matelas posé à même le sol. Il avait pour mission de veiller en permanence sur la porte. L'attaché-case qui contenait l'argent d'Irène était menotté à son poignet. Il vivait dans l'obsession qu'on lui dérobe cet attaché-case. Il était terrorisé par Irène et se soumettait aveuglément à ses ordres, surtout depuis qu'il avait vu le sort qu'elle avait réservé à Margot, sa femme.

En effet, Margot avait été séquestrée par Irène parce qu'elle avait osé proclamer l'innocence de son fils Potter relativement à la mort de La Petite. Irène l'avait fait enfermer dans la limousine de Saint-Georges, garée dans le parking souterrain de l'hôtel. L'endroit était sinistre. Margot y vivait depuis plus de cinq semaines, enchaînée par la cheville à la banquette arrière du véhicule. Depuis son emprisonnement, elle était devenue un véritable monstre. Plusieurs fois par jour Tank allait la nourrir comme une bête en cage, lui glissant des piles de sandwiches par la vitre. Des odeurs de fauve s'échappaient du véhicule, le corps de Margot était souillé, sa peau encrassée s'était couverte de pustules, ses cheveux tombaient par plaques, des cernes noirs creusaient le tour de ses yeux. Gavée comme une oie, privée d'activité physique, elle atteignait des dimensions éléphantesques. Ses seins s'étaient affalés, la cellulite rongeait ses bras et ses cuisses. Une explosion de graisse avait déformé son visage, son nez était épaté, sa poitrine n'arrivait plus à soulever l'amas de chair qui la recouvrait. Sa respiration n'était plus qu'un long râle qui cherchait à mourir. Si elle continuait d'engouffrer la nourriture, c'est qu'elle espérait de cette façon sauver son fils. Elle croyait naïvement qu'à force de prendre du poids, son corps en viendrait à occuper tout l'espace de la limousine et rendrait le véhicule inutilisable. Privée de voiture, Irène se verrait alors forcée d'interrompre cette poursuite insensée. Elle connaissait mal Irène, car celle-ci avait deviné ses intentions et acquis un autre véhicule, une limousine de même type qu'elle faisait garer à l'étage supérieur. C'est donc en pure perte que Margot se tuait ainsi à petit feu.

Chaque matin, Irène versait à chacun l'argent qui lui

revenait. Cette distribution se conformait toujours à un rituel: elle rassemblait autour d'elle Saint-Georges, Tank, La Dolores, Le Singe et Fridolin; puis, assise à l'extrémité de la table de la salle à manger, elle enfournait son petit déjeuner sans inviter personne à s'asseoir.

Comme d'habitude, Irène engloutit une platée de rôties, puis enfila coup sur coup deux tasses de café brûlant. Les autres la regardaient s'empiffrer, l'estomac qui leur traînait dans les talons. Chaque fois qu'Irène portait la main à sa bouche, ils regardaient attentivement ses voilettes se soulever, espérant apercevoir ce qu'elles dissimulaient. Ils se demandaient pour quelle absurde raison Irène persistait à se soustraire ainsi à leurs regards.

Irène termina son repas, puis invita les autres à passer à table. Un amoncellement de rôties imbibées de margarine attendait sur un large plat de présentation. Saint-Georges, Tank, La Dolores, Le Singe et Fridolin se jetèrent sur les rôties comme des charognards sur un cadavre. Irène éprouvait une certaine jouissance à les regarder se précipiter ainsi; elle avait l'impression d'avoir asservi une meute de caniches. Elle accorda à chacun le temps d'achever son repas, puis invita Fridolin à lui apporter l'attaché-case menotté à son poignet. Il tira une clef de sa poche, libéra la mallette, puis la déposa devant Irène.

Irène tressaillit à la vue du peu d'argent qui restait au fond de l'attaché-case. Avec cette maigre somme, tout au plus tiendrait-elle une semaine ou deux. Elle accusait intérieurement Saint-Georges et Tank de n'avoir pas respecté leurs engagements. Mais qu'attendaient-ils pour rattraper Potter? Assurément ces deux-là n'étaient pas les tueurs qu'elle avait cru trouver. Ils restaient assis sur leurs culs pendant que Potter jouissait encore de sa liberté. Devait-elle se lancer elle-même à la poursuite de Potter ou se résoudre à plier bagage et rentrer à Notre-Dame-du-Soûlon? Même si le souvenir de La Petite la hantait toujours, elle envisageait très sérieusement cette dernière solution.

Dans un état d'ébriété avancé, le Doc MacNicoll entra dans la pièce. Il avait décidé de ne pas regagner Notre-Dame-du-Soûlon et de se joindre à la bande, car là-bas, il n'arriverait pas à surmonter la détresse et la solitude qui l'accablaient. Il n'était plus sûr d'ailleurs de jamais retrouver le village. Il payait une forte pension à Irène.

Devant la mine décadente du Doc, Irène ne put s'empêcher de penser qu'il était mûr pour le cimetière.

Par une association d'idées, elle en vint à songer qu'à sa mort, le Doc laisserait probablement derrière lui une véritable fortune. Une fortune qui resterait sans héritiers. Un sourire machiavélique apparut sur son visage. Elle n'attendit pas que l'idée fasse davantage son chemin; elle ordonna à Saint-Georges et aux autres de quitter la pièce, puis pria le Doc de rester auprès d'elle.

Irène n'y alla pas par quatre chemins. Elle scruta le regard égaré du Doc et lui déclara:

— J'ai besoin de cent mille dollars.

Le Doc ne comprit pas le sens de cette déclaration.

— Les avez-vous? insista Irène.

Cette fois, le Doc avait pigé.

— Euh!... non, fit-il sans conviction.

Irène savait qu'il mentait.

— Ne me racontez pas d'histoires. Les avez-vous?

— Euh... Bon... Bien... Je... Vous savez... Ça dépend.

— Ce n'est pas une réponse, ça!

Le Doc ne savait plus par quel détour cacher à Irène l'ampleur de sa fortune. Devant l'insistance d'Irène, il dut toutefois céder.

— Oui. Je les ai, admit-il.

— Il me faut cet argent.

Le Doc roulait de grands yeux effarés.

— Pour... pourquoi?

— Ça ne vous regarde pas.

— Je ne peux vous donner cet argent.

— Ça vous dirait de vous faire casser les jambes par Tank?

Le Doc savait Irène capable d'exécuter ses menaces. Mais une cupidité maladive l'habitait. Il n'entendait pas lâcher aussi facilement le morceau. Il fit donc une ultime tentative.

— Vous savez... cent mille dollars... qu'est-ce que ça représente?... Pas grand-chose, au fond. C'est une somme qui sera vite flambée... Et après, que ferez-vous? Tout sera à recommencer. Je... Je... crois que j'aurais mieux à vous proposer.

Bien qu'elle eût la conviction que le Doc s'employait à gagner du temps, Irène mordit à l'hameçon.

— Quel genre d'affaire?

La voix du Doc s'échappa alors, blanche et éthérée.

— Avec... avec les années... je me suis monté un réseau... de braconnage... un énorme réseau de braconnage.

— Je sais, l'interrompit Irène. Tout le monde sait ça. Passez à l'essentiel, Doc, passez à l'essentiel.

— Comme vous savez... je... je suis... devenu l'unique fournisseur de la Kam Fung Import-Export.

— Accouchez! s'impatienta de nouveau Irène.

La voix du Doc se raffermit.

— Pour le moment, la Kam Fung Import-Export n'est pas plus qu'une petite entreprise. Disons une entreprise de type artisanal. Elle transforme le caribou que je lui procure en une poudre très recherchée. Une poudre qui entre dans la composition de base d'un aphrodisiaque très prisé des Orientaux.

— Rien que je ne connaisse déjà, Doc. Voulez-vous cesser de tourner autour du pot et arriver aux faits!

— J'y arrive, madame... J'y arrive.

— La Kam Fung Import-Export est appelée à devenir très bientôt le centre d'un important trafic mondial.

Cette fois, le Doc avait réussi à capter l'attention d'Irène.

— Qu'est-ce que vous entendez par là?

— Regardez la nouvelle parue ce matin en première page du *New York Times*.

Et le Doc déposa le journal sur la table. Un gros titre fracassant s'étalait en première:

APRÈS LE RHINOCÉROS,
C'EST AU TOUR DU PHOQUE

Irène parcourut le titre plusieurs fois, sans comprendre. De plus en plus convaincue que le Doc cherchait à lui faire perdre son temps, elle se remit à tempêter.

— Doc... si vous ne me fournissez pas plus d'explications, je vous jure que je vous fais étrangler par Tank.

Le Doc se fit plus explicite.

— Madame. Vous *devez* saisir l'importance de cette nouvelle. Elle revient à annoncer que la Kam Fung Import-Export deviendra sous peu l'unique producteur mondial d'Aphro-14.

— Aphro-14??? Mais qu'est-ce que c'est que ça?

— Le nom que donnent les trafiquants à la célèbre poudre que raffine la Kam Fung Import-Export. «Aphro», c'est l'abréviation du mot «aphrodisiaque», et «14» désigne le nombre d'opérations que nécessite son raffinage. Plus la poudre comporte d'opérations de raffinage, plus elle est prisée des consommateurs. Car elle est ainsi plus rapidement assimilée par le système et ses effets en sont d'autant plus puissants.

— Mais où voulez-vous en venir, Doc?

— Il y a plusieurs façons d'obtenir l'Aphro-14, vous savez: à partir de pénis de caribous, à partir de pénis de phoques ou encore de cornes de rhinocéros.

— Je ne comprends toujours pas.

L'enthousiasme commençait à gagner le Doc.

— Depuis longtemps, les nations industrialisées cherchent à mettre sur pied un organisme chargé de veiller à la protection des espèces animales en voie d'extinction. Eh bien, depuis deux semaines, c'est chose faite. Cet organisme existe: le World Life Preservation. Hier à New York, cet organisme a pris sa deuxième initiative en autant de semaines; après avoir interdit la chasse au rhinocéros, il vient d'interdire la chasse aux phoques.

— Puis?

— Eh bien, madame, cette décision tombe à point.

— Je ne vois pas comment.

— Les autorités gouvernementales sévirent désormais contre les braconniers. On parle de peine capitale. Les grandes chasses menées contre le rhinocéros et le phoque sont maintenant du passé. Avec pour conséquence que les producteurs d'Aphro-14 qui utilisaient auparavant ces animaux se verront privés de leur composante de base. La Kam Fung Import-Export étant le seul fabricant à obtenir sa poudre à partir du caribou, elle s'emparera donc inévitablement de l'ensemble du marché... D'autant que le caribou ne vit pratiquement plus qu'ici, chez nous, au nord du 52e parallèle.

— Mais qu'est-ce que je viens faire dans cette affaire, moi?

— Vous!... Eh bien, il vous suffirait de mettre la main sur la Kam Fung Import-Export pour toucher une véritable fortune.

Sous ses voilettes, le visage d'Irène s'était transfiguré. Déjà, par l'entremise du Doc, elle s'était liée d'amitié avec le propriétaire de la Kam Fung Import-Export, le vieux Fung lui-même. Elle le connaissait très bien et elle était consciente qu'elle exerçait sur lui une réelle fascination; en effet, le vieux avait semblé séduit par le mystère de son visage voilé, par son imposante stature et sa personnalité charismatique. Vieillard au maintien grave et rigide, au visage ciselé, meneur d'hommes, doué d'une singulière force de caractère et d'une détermination peu commune, il n'y avait qu'une fissure à la cuirasse de Fung, les femmes; surtout celles qui avaient un parfum d'étrangeté et qui ne se laissaient pas connaître facilement. Dès sa première rencontre avec Irène, celle-ci lui avait fait une forte impression, et il ne l'avait pas caché. Irène entendait tirer parti de la séduction qu'elle exerçait sur lui. L'idée qu'elle l'éliminerait bientôt pour s'emparer de la Kam Fung Import-Export s'était dressée en elle; elle cherchait un prétexte pour attirer le vieux Fung chez elle. Elle devait agir vite et sournoisement.

— Téléphonez au vieux Fung, ordonna-t-elle au Doc MacNicoll.

Elle n'éprouvait pas le moindre sentiment de reconnaissance à l'endroit de Fung, même s'il l'avait aidée à mettre la main sur Potter lors de son intrusion dans le Chinatown. Irène songeait plutôt à l'Aphro-14 et aux sommes d'argent colossales que cette drogue générerait. Elle pourrait enfin se relancer à la poursuite de Potter, elle assouvirait enfin sa haine.

— Que désirez-vous que je lui demande? l'interrogea le Doc.

— Vous lui faites une invitation. Arrangez-vous comme vous le voulez, mais il doit *absolument* venir ici ce soir. Pour un dîner officiel.

Et le Doc joignit devant elle le vieux Fung, qui se montra flatté de recevoir pareille invitation.

Irène décréta le branle-bas de combat. Elle comptait éblouir le vieux Fung par un faste qui le jetterait en bas de sa chaise. Mais elle devait vite déchanter. Depuis longtemps l'hôtel n'était plus équipé pour faire face à un dîner de grand style. Elle constata ainsi que toutes les assiettes étaient ébréchées, la coutellerie dépareillée, les nappes déchirées ou jaunies. Il ne lui servait à rien d'exiger davantage de l'hôtel, on ne donne pas ce que l'on n'a pas. À tout le moins obtint-elle qu'on baisse l'éclairage sur tout l'étage, camouflant ainsi l'insalubrité et la décrépitude des lieux. Les ampoules de cent watts qui éblouissaient les suites et les couloirs furent remplacées par des ampoules de quarante watts.

Irène se rendit ensuite à la cuisine afin de voir personnellement au menu. Elle s'entretint brièvement avec le chef cuisinier, un Falstaff bedonnant dont la principale caractéristique culinaire était qu'il jetait dans ses plats de généreuses portions de sel. «Mollo, le sel!» l'admonesta-t-elle en premier lieu. Puis elle lui fit part du menu qu'elle entendait servir à son invité de marque.

185

Avocat farci à la chair de crabe
Boulettes à la chinoise
Gâteau forêt noire

— Boulettes à la chinoise??? Mais qu'est-ce que c'est que ça? l'interrogea le chef cuisinier.

Irène l'entraîna à l'écart. À l'abri des oreilles indiscrètes, elle lui indiqua le mode de préparation et les ingrédients qui entraient dans la confection desdites boulettes. Elle avait à peine terminé que le chef cuisinier prit la couleur de son tablier blanc.

— Euh!... Je ne sais pas... si je peux, s'objecta-t-il.

— Vous le pouvez, menaça Irène. Sinon!...

— Sinon?

— On pourrait vous retrouver demain au fond du canal Lachine, un bloc de ciment attaché aux pieds.

— Mais... mais si jamais on découvre ce que j'ai fait?

— Eh bien, c'est votre problème... Je vous donne deux minutes pour accepter. Si vous refusez, je vous préviens, ça va chauffer pour vous.

— D'accord, finit par se résoudre le cuisinier.

Et là-dessus, Irène regagna sa suite, où elle s'empressa de réunir autour d'elle Saint-Georges et les autres.

— Ce soir, le vieux Fung viendra dîner, leur annonça-t-elle. Et il ne doit pas ressortir d'ici vivant. Tout ce que je vous demande, c'est de rester à table à mes côtés, sans rien laisser paraître. Vous me laisserez manœuvrer.

Cette déclaration eut l'effet d'un coup de massue. Saint-Georges et Tank se figèrent dans une expression d'étonnement, La Dolores s'affala sur sa chaise et Fridolin perdit encore une fois son œil de verre.

Irène considéra ses troupes d'un regard critique. Le spectacle était affligeant. Les vêtements avachis de Saint-Georges et du Singe exhalaient des odeurs de fromage, la chemise à carreaux de Tank aurait pu tenir debout toute seule tant elle était crasseuse, et quant au tricot moulant de La Dolores, les nombreuses taches de gras qui le mouchetaient laissaient croire qu'il était atteint de psoriasis galopant. Irène se dit que si le vieux Fung venait à se heurter à cette vision décadente, il porterait sur elle un jugement sévère. Elle ordonna à chacun de filer sous la douche et de faire rafraîchir ses vêtements par le service de nettoyage à sec de l'hôtel. Ses ordres furent aussitôt exécutés.

À vingt heures pile, ainsi que l'avait décrété Irène, tous rappliquèrent à la salle à manger et prirent place à table. Seuls deux chandeliers à quatre branches éclairaient la pièce, la plongeant dans une pénombre de souper galant du XVIIIe siècle. Irène trônait avec majesté au bout de la table, toujours vêtue de noir, toujours aussi mystérieusement voilée. Un fauteuil avait été laissé libre à ses côtés pour le vieux Fung. L'atmosphère était lourde, le silence, accablant. Un filet de salive descendait parfois dans un gosier sec et tendu. La Dolores imaginait déjà le sang du vieux Fung éclabousser la nappe; Fridolin, le corps parcouru de longs frissons, s'attendait à devoir porter lui-même à la victime le coup de grâce. Saint-Georges n'avait plus qu'une obsession en tête: se jeter sur sa 300 Magnum dissimulée derrière un divan du salon attenant. Toujours aussi subtil, Le Singe demanda à son père:

— Comment on va s'y prendre pour le tuer, p'pa?

Il se vit octroyer une paire de claques qui lui décrochèrent la mâchoire inférieure.

— Vous deux, ça suffit! s'écria Irène.

Ce furent les seules paroles que prononça Le Singe de tout le repas. Et le silence se fit encore plus menaçant.

Le téléphone retentit. Fridolin se leva, comme éjecté de son siège. Il décrocha le récepteur. Le vieux Fung attendait en bas à la réception. Fridolin l'invita à monter.

Les minutes d'attente qui suivirent parurent à tous un interminable calvaire.

Le vieux Fung se présenta à la porte, escorté par deux gardes du corps, de jeunes Chinois au profil athlétique et bien découpé. Fridolin pria ces derniers d'attendre à l'extérieur, puis invita poliment Fung à le suivre. Les gardes du corps accédèrent à la demande de Fridolin, le vieux Fung lui emboîta le pas et vint s'asseoir près d'Irène en la dévorant des yeux. Il lui fit un baise-main. Il constata ainsi qu'Irène avait conservé ses gants. Afin de contrer ses avances ou dans le but d'éviter tout contact épidermique avec lui? Peut-être le trouvait-elle absolument repoussant? Son regard persistant cherchait à traverser les voilettes qui recouvraient le visage d'Irène.

Irène pria Fridolin de servir le vin qui attendait dans un seau à glace.

D'habitude, le vieux Fung ne consommait pas d'alcool, qu'il considérait comme une porte ouverte à tous les excès. Mais devant l'insistance d'Irène, il trempa les lèvres dans son verre, puis le vida rapidement. Après quelques minutes, des vapeurs qu'il jugea plutôt agréables lui embrumaient le cerveau.

Irène fit servir l'avocat farci à la chair de crabe. La surface des avocats avait quelque peu noirci, et le crabe, d'une texture suspecte et caoutchouteuse, se révéla n'être que de la goberge. Mais le vieux Fung ne dérogea pas à la politesse orientale qui le caractérisait; il avala, un sourire accroché aux lèvres, sans faire le moindre commentaire.

Irène fit remplir son verre. Le vieux Fung le vida encore une fois. Une sensation euphorisante de détente et de bien-être l'envahit et le rendit aussi bavard qu'une vieille pie. Après s'être engagé dans une discussion animée avec Irène, discussion où il faisait valoir les mérites de l'argent et sa passion du pouvoir, il se mit à conter l'histoire de sa vie, depuis ses débuts difficiles d'immigrant débarqué sans le sou de sa Chine natale, jusqu'à sa prodigieuse ascension à la tête de la Kam Fung Import-Export.

— Je suis le maître incontesté du Chinatown, clamait-il maintenant, au terme de son récit. Tout, à l'intérieur du Chinatown, m'appartient. On ne peut y pénétrer sans que j'en aie d'abord donné l'autorisation.

Il alla jusqu'à décréter:

— J'ai un pouvoir de vie et de mort sur tous ceux qui y vivent. Je suis l'autorité suprême. Le Chinatown, c'est *mon* territoire; le Chinatown, c'est moi.

Irène était suspendue à ses lèvres.

Grisé par son succès, le vieux Fung poussa plus loin les confidences et dévoila la stratégie secrète qu'il avait mise au point afin d'éloigner les indésirables du quartier chinois, stratégie qui s'était toujours révélée d'une redoutable efficacité.

Jour et nuit les habitants du Chinatown surveillaient de près les voies d'accès qui menaient à la Kam Fung Import-Export. Sitôt qu'un étranger franchissait une des arches d'entrée et prenait le chemin du laboratoire, lui-même en était immédiatement averti et les cloches du temple se mettaient à sonner. La population entière descendait alors dans les rues et les obstruaient au point qu'il devenait impossible d'y circuler. Les intrus se voyaient aussitôt immobilisés, perdus au milieu d'une foule impénétrable, qui faisait semblant de vaquer à ses occupations et de ne parler que le cantonais. À bout de ressources, n'arrivant plus à trouver leur chemin ni à obtenir d'indications, les intrus étaient finalement réduits à abandonner leurs recherches et à revenir sur leurs pas. Les policiers de la Communauté urbaine de Montréal ainsi que les agents fédéraux du fisc n'entreprenaient plus d'incursions à l'intérieur du quartier chinois, ayant plusieurs fois été victimes de ce piège efficace. Les habitants du Chinatown, eux, vivaient sur le qui-vive, appelés de jour comme de nuit à envahir les rues. Certains dormaient avec leurs vêtements de travail sur le dos.

Irène écoutait parler le vieux Fung avec une attention soutenue, car elle espérait découvrir la façon de s'introduire à l'intérieur de la Kam Fung Import-Export pour s'en rendre maître. Quelques observations lui revenaient en tête. Lors de sa visite à la Kam Fung Import-Export, elle avait constaté que l'ensemble des installations étaient régies à partir d'une salle de contrôle. Accéder à cette salle équivalait à s'emparer des lieux.

Aussi, très habilement, interrogea-t-elle le vieux Fung sur la façon de pénétrer dans le bâtiment sans passer par le labyrinthe de pièces qui avait failli coûter la vie à Potter.

Le vieux Fung tira de sa poche une carte plastifiée qui ressemblait à une carte de crédit.

— On n'a qu'à introduire cette carte dans la serrure du portail... et il s'ouvre de lui-même, expliqua-t-il.

Et il replongea la carte au fond de sa poche.

L'idée d'Irène était faite. Elle pressa Fridolin de faire monter le deuxième service, les fameuses boulettes à la chinoise.

Les couverts arrivèrent quelques minutes plus tard sur une caravane de chariots. Le plat n'avait de chinois que le nom et se composait en fait de quelques boulettes de bœuf haché nappées d'une sauce brune fortement relevée. Un bouquet de brocoli et une pomme vapeur le complétaient.

Muets depuis le début du repas, Saint-Georges et les autres se demandaient à quel moment précis Irène se jetterait sur sa victime. Luttant contre un sentiment de terreur qui lui tenaillait le ventre, Fridolin vit son œil de verre s'éjecter de son orbite. L'œil tomba dans la sauce brune et se coinça entre deux boulettes de viande. Heureusement, personne ne l'avait vu tomber. Pour éviter d'attirer l'attention, Fridolin le recouvrit entièrement de sauce. L'œil était de la même dimension que les boulettes.

On avait commencé à manger, mais tous semblaient éprouver de sérieuses difficultés à avaler; ils avaient l'impression de s'envoyer de la lave en fusion au fond de la gorge. Seuls le Doc et La Dolores, respectivement sous l'influence de l'alcool et des tranquillisants, déglutirent sans sourciller. Ils allaient s'en repentir le lendemain quand leurs intestins enflammés chercheraient à extirper d'eux ces corps incendiés. Fung avait lui aussi entrepris l'ingestion de son plat. Sans se départir de sa politesse, il cherchait maintenant à écourter le supplice en avalant tout rond.

Tapie derrière ses voilettes, Irène étudiait chacune de ses réactions. Elle plissait les yeux, crispait les lèvres, raidissait la nuque chaque fois qu'il portait une boulette à sa bouche. Il ne resta bientôt plus au fond de l'assiette du vieux Fung qu'une boulette.

Assurément, c'était la bonne! «Il faut qu'il la mange. Il le faut!» se répétait Irène.

Mais le vieux Fung ne mangea pas la boulette; il repoussa devant lui son assiette. Irène frémit de rage.

— Ça sent le mort, fit remarquer le vieux Fung en parlant de l'entêtante odeur de fleurs sucrées qui imprégnait la pièce. Il essayait de se montrer drôle. Peut-être un honorable croque-mort habite-t-il à l'étage du dessous?

Irène saisit l'occasion de le manipuler.

— C'est l'odeur de mon parfum, rétorqua-t-elle.

Fung se confondit en excuses.

— Que faire, madame, pour racheter mon irréparable affront?

Irène lui indiqua la dernière boulette.

— Terminez votre repas.

Le vieux Fung eut une expression d'étonnement.

— Chez nous, Occidentaux, c'est une insulte à l'égard de son hôte que de laisser des aliments au fond de son assiette. C'est une façon de dire que le repas laissait à désirer, reprit Irène, simulant l'indignation.

Dans l'espoir d'effacer sa bévue, le vieux Fung porta à sa bouche la dernière boulette, puis l'avala sans mastiquer.

Le vieux Fung s'estimait chanceux de s'en tirer à si bon compte, quand une intolérable douleur lui déchira la poitrine. Il n'arrivait plus à respirer. Quelque chose restait coincé en travers de sa gorge. Quelque chose bloquait son œsophage et empêchait l'air de circuler. Il se mit à râler, le visage déformé par d'épouvantables torsions. Puis il se leva, fit quelques pas vacillants à travers la pièce, les yeux exorbités. Il arracha le col de sa chemise et s'écroula sur le sol. Sa respiration devint sifflante. Quelques spasmes fendirent le silence, puis sa poitrine s'affaissa définitivement.

— Que personne ne bouge! lança Irène. Restez assis!

Seul le Doc fut autorisé à se rendre auprès de la victime. Il se pencha sur Fung, prit son pouls, puis déclara:

— Il est mort.

Irène se jeta sur le cadavre, trouva la carte et la dissimula dans son corsage. Elle regagna ensuite son fauteuil, puis ordonna qu'on fasse entrer les gardes postés devant la porte.

Ceux-ci apparurent, l'œil inquiet, les sourcils froncés; voyant le cadavre du vieux Fung qui gisait par terre, ils dégainèrent leurs colts. Mais le Doc, qu'ils connaissaient pour l'avoir vu souvent en compagnie de la victime, les rassura.

— Une crise d'asthme. Dieu ait son âme, déclara-t-il en refermant respectueusement les yeux de la victime.

Chapitre 22

Gloria était sur les dents. Irène menaçait de faire sauter sa baraque si elle ne lui livrait pas Potter et Lucien dans les plus brefs délais. Chaque jour elle lui téléphonait ou lui faisait parvenir des billets.

Afin de ne pas mettre inutilement la vie de Marie-Scapulaire et de Tchang en danger, Potter prit la décision de quitter le Gloria's et d'emmener Lucien avec lui. Sans en parler à quiconque, car Marie-Scapulaire s'y serait fortement opposée, un matin il s'enfuit par la sortie de secours, qui donnait sur la ruelle. Il avait assis Lucien au fond d'un chariot dérobé à un supermarché, il l'avait habillé de son vieux parka, d'une tuque de hockey aux couleurs des Canadiens de Montréal, d'une paire de mitaines et d'un foulard tricotés par Marie-Scapulaire. Les jambes ramenées vers lui, le menton appuyé sur les genoux, Lucien avait gardé la position de momie inca dans laquelle il s'était figé.

Potter parcourut la ruelle avec difficulté car les roues du chariot se coinçaient dans les détritus. Des épluchures de pommes de terre et des pains à hamburgers moisis jonchaient le sol. Il s'engagea dans le boulevard de Maisonneuve après avoir vérifié que ni Saint-Georges ni Tank n'étaient en vue. Malgré l'heure matinale, des passants se hâtaient vers les grands magasins car Noël approchait. Il prit la direction du boulevard Saint-Laurent, par la rue Saint-Catherine. Il avait entendu Gloria dire que ce quartier comptait plusieurs hôtels de passe. Les prix y étaient encore abordables. Il croisait les grands magasins, qui regorgeaient de cadeaux somptueux, quand il s'arrêta un moment afin de contempler une vitrine. Elle représentait une scène de Noël: des dizaines d'automates, des lutins pour la plupart, s'activaient à fabriquer des jouets sous l'œil attendri d'un père Noël pansu et rubicond:

— Regardez, grand-p'pa! C'est joli, hein!

Potter sentait monter en lui une vague de mélancolie. Il pensait à Marie-Scapulaire, elle lui manquait déjà affreusement, comment allait-il passer Noël sans sa présence? Jamais depuis qu'il avait quitté Notre-Dame-du-Soûlon il ne s'était senti aussi seul, aussi dévoré d'angoisse, aussi démuni. Il eut envie de chialer. Mais il devait se hâter s'il voulait trouver à Lucien un toit pour la nuit. Il s'arracha à la contemplation de la vitrine et s'éloigna. La ville changeait peu à peu de visage. Le luxe et l'abondance faisaient place à un climat de misère. De nombreux sex-shops, des cinémas pornos, des clubs de dernier ordre et des comptoirs de restauration rapide bordaient les trottoirs. Des palissades chambranlantes portaient des graffitis rageurs, des prostituées apparurent qui s'aventuraient parfois jusqu'au milieu de la rue pour harceler les automobilistes. Cachés dans des renfoncements de commerces à l'abandon, des clochards buvaient sec, leurs bouteilles dissimulées dans des sacs en papier brun.

Une neige cotonneuse se mit à tomber et recouvrit le sol d'une nappe propre. Potter dut ralentir le pas, car il n'arrivait plus à pousser le chariot. Comme il se trouvait à l'intersection de la rue Sainte-Catherine et du boulevard Saint-Laurent, il tassa le chariot contre une vitrine afin de laisser s'écouler le flot de passants.

Après avoir nettoyé les roues du chariot, il se remit en marche. Mais il franchit tout au plus une vingtaine de mètres avant de devoir s'arrêter une nouvelle fois. Il se trouvait devant le Chicken Joe, une rôtisserie spécialisée dans le poulet à la broche; l'endroit paraissait bien tenu, contrairement aux immeubles adjacents. Dans la vitrine se dressaient trois pyramides de bocaux empilés jusqu'au plafond et qui contenaient des cornichons, des piments rouges et des langues de veau marinées. Chacune des pyramides était coiffée d'une coupe à dessert remplie de crème glacée artificielle recouverte de poussière. Dans un coin de la vitrine, un écriteau disait:

PERSONNEL ARTISTIQUE DEMANDÉ

Potter décida de tenter sa chance; il poussa le chariot en retrait de la vitrine et se pencha sur Lucien.

— Grand-p'pa, bonne nouvelle, le bon Dieu nous aime. Je viens de voir une offre d'emploi. C'est inespéré. Accordez-moi deux minutes et je reviens, le temps d'aller voir de quoi il retourne. Croisez les doigts, si je décroche ça, on est gras dur.

Et il poussa la porte de l'établissement avec la conviction que la chance allait lui sourire.

Le restaurant comptait une trentaine de tables séparées par des banquettes. Le décor évoquait l'intérieur d'un poulailler. Le mur du fond était masqué par une pile de cages à poules dans lesquelles quelques bêtes empaillées couvaient leurs œufs. Des poutres grossièrement équarries se croisaient au plafond. Sur un mur latéral, une immense fresque naïvement exécutée illustrait un décor bucolique. Toutes les tables étaient occupées.

Sur le trottoir, Lucien éprouvait une vive inquiétude à l'idée de demeurer seul, ne fût-ce que quelques minutes. Le quartier ne lui semblait guère rassurant. La faune qui rôdait autour de lui paraissait menaçante, hostile. Un groupe de *skinheads* arborant des emblèmes néo-nazis, les poignets et les chevilles prisonniers de lourdes chaînes, défilaient devant lui. À son grand soulagement, ils ne lui portèrent pas attention; ils traversèrent la rue et s'engouffrèrent dans le bâtiment d'en face, un club qui s'appelait Les Foufounes électriques. Le bâtiment se composait de plusieurs maisons délabrées qu'on avait tant bien que mal retapées; sur leurs façades, on avait peint une gigantesque fresque apocalyptique illustrant une déflagration atomique. Des fusées à tête chercheuse, des pointes de baïonnettes, quelques morts vivants portant des masques à gaz jaillissaient d'un enfer de flammes.

À l'intérieur du restaurant, Potter se dirigea vers la caisse et demanda à parler au patron.

— Je viens pour l'offre d'emploi, précisa-t-il.

Derrière la caisse, un type engageant et volontaire serra sa main avec la force d'une paire de tenailles. Le type avait le front bas, il était velu comme un singe, mais un généreux sourire qui mettait en confiance éclairait son visage.

— Suivez-moi, fit-il.

Et il se dirigea vers l'arrière. Il était propriétaire du restaurant et s'appelait Joe Maniatis; son commerce représentait les sacrifices de toute une vie, mais il adorait son travail.

— Un restaurant, c'est comme une femme. Il ne faut jamais le confier aux mains d'un étranger. Il faut y voir soi-même jour et nuit.

En se frayant un chemin parmi les tables, il adressait aux clients réguliers des salutations d'amitié et de joyeuses apostrophes. Il vit l'incertitude qui rongeait Potter et tenta de le rassurer. Il comptait lui donner sa chance. S'il montrait des aptitudes à l'ouvrage, il l'embaucherait. Rien qu'à regarder Potter, il savait que celui-ci était dans le plus noir dénuement; il en avait lui-même assez bavé dans la vie pour reconnaître un autre type qui en bavait.

Parvenu à la cuisine, il présenta Potter au personnel, c'est-à-dire un maître rôtisseur, deux marmitons, trois serveuses et une espèce de pied-bot rachitique qui faisait les livraisons à domicile.

On salua joyeusement Potter, qui eut aussitôt l'impression d'être intégré à une grande famille. Il régnait là une intense activité: des poulets embrochés tour-

naient au-dessus d'un feu de charbon de bois, des fri-
teuses ne désemplissaient pas, une marmite bouillonnait, mijotant cette fameuse sauce secrète qui faisait la
réputation de l'établissement. Un marmiton y plongeait
une louche, la versait dans des godets de papier ciré,
qu'il déposait ensuite dans des assiettes contenant des
quartiers de poulet. L'autre marmiton éminçait des
choux. Des serveuses partaient vers la salle à manger,
portant en équilibre sur leurs plateaux de dangereuses
piles d'assiettes. Elles en revenaient aussi pesamment
chargées.

Joe Maniatis conduisit Potter vers une petite pièce
qui servait de débarras. Il referma la porte, puis décrocha un étonnant costume en peluche jaune qui pendait derrière.

— Enfile ça, dit-il en tendant le vêtement à Potter.

— Qu'est-ce que c'est?

Maniatis expliqua:

— Ici, mon bonhomme, comme tu as pu le constater, on sert du poulet. Rien que du poulet. Mon poulet
est reconnu pour être le meilleur en ville. J'ai jamais eu
à me plaindre de mon chiffre d'affaires. Je sers plus de
soixante mille clients par année. Depuis un certain
temps toutefois, peut-être à cause de la récession économique et de l'approche des Fêtes, il y a un ralentisse-
ment. J'ai donc décidé de prendre le taureau par les
cornes et de mousser ma publicité.

Potter enfila le costume. Joe Maniatis l'invita à s'admirer dans la glace fixée derrière la porte.

Potter ne put réprimer un fou rire: il venait de revêtir un costume de coq. L'animal ressemblait davantage à
une dinde déplumée sortant de sous les chenilles d'un
tracteur. Il avait une large tête d'hydrocéphale, posée en
équilibre sur un corps chétif. À première vue, on était
frappé par la disproportion de la tête. Une crête écarlate pendait mollement ainsi qu'une excroissance morte
et donnait à l'animal un air piteux et résigné. L'arrière-
train exhibait des plumes multicolores confectionnées à

l'aide de longues bandes de feutre, les ergots étaient faits de papier aluminium. Potter parvenait à voir devant lui grâce à l'ouverture du bec.

— Et maintenant, qu'est-ce que je fais avec ça?

— Eh bien, mon bonhomme, tu vas t'installer devant le restaurant. Sitôt que tu vois approcher d'éventuels clients, tu te mets à crier avec conviction: «Cocorico! Chicken Joe! Le meilleur poulet en ville!» Au fait... un détail... As-tu une bonne voix?

— Certainement, monsieur.

— Alors, donne-moi un petit échantillon de tes talents... Allez... vas-y, mon bonhomme... n'aie pas peur. Imagine-toi un instant que tu es devant le restaurant, que je suis un client potentiel et que je m'amène vers toi.

Potter sentait le regard critique de Joe Maniatis posé sur lui, il n'était plus certain de parvenir à crier. Il plissa le front, ouvrit la bouche, pressa les fesses comme une paire de citrons, pour finalement laisser échapper un timide et presque inaudible gloussement.

Joe Maniatis ne put s'empêcher de montrer sa déception.

— Pas fameux! fit-il. Ça manque de couilles.

Potter fit aussitôt une deuxième tentative.

— Co-co-ri-co-o-o-o! tonitrua-t-il.

— Franchement, mon bonhomme, on dirait un chat qui a la queue pognée dans les portes d'un ascenseur.

Potter devait coûte que coûte y parvenir. Estimant que c'était sa dernière chance, mû par l'énergie du désespoir, il tendit le cou à s'en faire éclater les veines, rapetissa sa bouche en cul-de-poule, puis laissa jaillir une lamentation de volaille écorchée vive.

Maniatis paraissait découragé. Devant l'évidente bonne volonté de Potter, il finit toutefois par s'incliner.

— D'accord, je te prends... Mais à l'essai seulement. Tu commences à l'instant même.

Potter exultait. Il sortit sans même s'enquérir du salaire. Avant de s'intaller devant le restaurant, il se dirigea vers le chariot de Lucien. À la vue de l'immense coq jaune qui venait vers lui, Lucien crut qu'il délirait.

— Au secours! cria-t-il l'œil rempli de terreur, en cherchant à s'extirper de son chariot.

— Grand-p'pa! C'est moi, Potter.

— Toi!!!... Cré bon Dieu, tu m'as fait peur!... Attends un peu, laisse-moi me remettre.

Le souffle coupé, Lucien émettait des hoquets.

— Mais veux-tu me dire ce que tu fais avec ça sur le dos?

— Désolé de vous avoir flanqué une trouille pareille, grand-p'pa, mais je crois que vous allez être fier de moi: j'ai réussi à décrocher l'emploi.

— Ah, oui! Bravo, mon gars! Tu vas travailler à quoi?

— Je vais attirer de la clientèle au restaurant.

Lucien paraissait réjoui de la nouvelle. Mais une pensée rembrunit son visage.

— Tu... tu as oublié une chose.

— Quoi, grand-p'pa?

— Qu'est-ce que je vais faire, moi, pendant tout ce temps?

Potter n'osa tout d'abord pas répondre, puis il laissa tomber, visiblement mal à l'aise:

— Vous allez devoir m'attendre.

— Dehors?

— On n'a pas vraiment le choix.

— Mais je vais geler le temps de le dire.

— Je pourrais peut-être demander à Maniatis de vous prêter quelques couvertures.

— C'est qui ça, Maniatis?

— Le propriétaire du restaurant.

— Tu crois qu'il ferait ça pour moi?

— J'en suis sûr. C'est un type tout ce qu'il y a de plus correct.

— Alors je suis prêt à t'attendre. Va chercher les couvertures.

— Remarquez, grand-p'pa... si vous trouvez trop pénible d'attendre toute la journée sous la neige, je pourrais demander à Maniatis la permission de ne commencer que demain.

— Jamais de la vie. On n'a pas de risque à prendre. Il pourrait refiler l'emploi à quelqu'un d'autre.

— C'est pas son genre.

— Il nous faut absolument cet argent. C'est tout décidé, Potter, peu importe le temps que ça prendra, fais ta journée de travail, je t'attendrai.

— En êtes-vous sûr, grand-p'pa?

— Oui, certain, conclut stoïquement Lucien.

Maniatis ne trouva pas de couvertures, mais il réussit à dénicher au sous-sol de vieilles nappes à carreaux rapiécées. Il céda le lot à Potter, qui emmitoufla Lucien.

Enfoui sous les nappes, Lucien se demandait s'il allait pouvoir tenir le coup, s'il allait résister toute la journée aux assauts du froid intense. Il se sentait comme un frêle esquif ballotté au milieu de l'océan. Il se dit qu'il n'aurait jamais dû accepter de suivre Potter en ville, il n'aurait jamais dû espérer recommencer à neuf sa vie. Il regrettait la sécurité dans sa cave, là-bas, à Notre-Dame-du-Soûlon. Potter réussirait-il à trouver une chambre pour la nuit? Parviendrait-il à garder son emploi?

À quelques pas de lui, Potter s'était courageusement mis au travail; chaque fois qu'apparaissait une grappe de passants, il battait frénétiquement des ailes et hurlait:

— CO-CO-RI-CO-O-O-O! Chicken Joe! Le meilleur poulet en ville.

Les passants étaient alors secoués d'un rire intense; certains se laissaient attirer vers le restaurant, d'autres s'éloignaient, abasourdis.

Potter s'époumonait depuis quelques heures déjà, sa voix et son énergie s'usaient peu à peu quand il se retourna vers Lucien et vit trois femmes richement vêtues se pencher sur son chariot. Leurs fourrures lustrées étaient une insulte à l'enfer de misère que constituait la rue. Les trois femmes fouillaient dans leurs sacs à main. Elles en sortirent quelques dollars qu'elles lancèrent à Lucien, puis s'éloignèrent d'un pas insouciant.

Potter était submergé de honte à l'idée qu'on avait pris Lucien pour un mendiant. Il s'accusait d'avoir entraîné Lucien dans une aventure qui l'avait conduit bien bas. À cet instant, il vit accourir une mendiante vêtue de haillons qui venait d'apercevoir les quelques dollars. Sans doute trouvait-elle injuste de n'avoir pas eu une part du gâteau. Elle se rua sur Lucien et tenta de lui arracher des mains les billets. Mais Lucien résista et tira de son côté.

Potter bondit pour se porter à la défense de Lucien. La mendiante ne se montra pas effrayée de voir apparaître cet énorme coq; elle le tint en respect, l'accabla de jurons, lui décocha de furieux coups de pieds. Constatant que la mendiante ne voulait pas lâcher prise, Potter lui assena plusieurs coups de bec. Celui-ci atteignait plus d'un mètre de long, sa pointe effilée et sa consistance plastifiée en faisaient une arme redoutable. Sous les coups répétés, la mendiante finit par battre en retraite; elle lâcha les billets et regagna le trottoir d'en face, frottant les douloureuses ecchymoses que lui avait laissées l'affrontement.

— Pas de mal, grand-p'pa? s'enquit Potter.

— Non. Heureusement. Mais tu ne dois plus me laisser seul.

Lucien avait à peine achevé ces paroles que Joe Maniatis fit irruption sur le trottoir. Il tomba sur Potter.

— C'est pas sérieux ça, mon bonhomme! Je veux bien t'accorder une chance, mais tout de même, faut pas charrier. Tu quittes encore une fois le devant du restaurant et je te fous à la porte. Compris?

— Oui, monsieur.

Et Potter se remit au travail, après avoir assuré Lucien qu'il ne le quitterait plus des yeux. À sa grande stupéfaction, il constata vite que la majorité des passants qui défilaient devant Lucien le prenaient pour un mendiant. Ils s'arrêtaient, jetaient un rapide coup d'œil à son chariot, puis repartaient après lui avoir lancé quelques pièces de monnaie. Le premier moment d'indignation passé, Potter se dit qu'après tout cet argent était providentiel. Tout au long de la journée, il regarda les pièces de monnaie tomber, avec la seule envie de courir plonger les mains au fond du chariot afin de les compter. Les passants n'en finissaient plus de s'arrêter, et Lucien de les remercier. En fin de journée, Potter compta la somme phénoménale de quarante-deux dollars, en pièces de cinq, dix et vingt-cinq cents. Avec les vingt dollars que lui avait donnés Joe Maniatis en paiement de sa journée, il avait maintenant soixante-deux dollars en poche. Avec cette somme, il pourrait sûrement trouver une chambre décente pour la nuit. Lucien était transi, son nez coulait abondamment, il arrivait tout juste à bouger les doigts. Potter devait sans tarder partir à la recherche d'un hôtel ou d'un tourist room, d'autant plus que l'obscurité angoissante des soirs d'hiver commençait de peser sur la ville. Aussi poussa-t-il le chariot jusqu'au boulevard Saint-Laurent, puis il bifurqua vers le sud.

Une chenillette des Travaux publics venait de déblayer le trottoir, la neige n'était plus qu'une pellicule, le chariot roulait sans trop de difficulté. Mais le vent se leva brusquement, entraînant des rafales de neige. En l'espace de quelques minutes, la température chuta dramatiquement.

Potter hâta le pas. À l'angle de René-Lévesque et Saint-Laurent, il remarqua un édifice dont la construction venait à peine d'être terminée: HÔTEL VAHINÉ — 45 $ LA NUIT. Des échafaudages grimpaient encore sur un des murs latéraux. Le building avait une vingtaine d'étages et inspirait confiance. À première vue il convint à Potter.

Celui-ci fit franchir au chariot le boulevard René-Lévesque, puis le hissa jusqu'aux portes de l'hôtel en utilisant la rampe d'accès aux handicapés.

Malgré la taille imposante de l'édifice, Potter découvrit un hall aux dimensions restreintes. Une planureuse blonde au sourire chevalin, aux faux cils longs comme des balais, attendait au bureau de la réception. Potter ne lui porta pas tout de suite attention, étonné qu'il était par l'aménagement de l'hôtel. Il se crut soudain débarqué sur un atoll du Pacifique Sud. On avait reconstitué dans le hall une palmeraie: des palmiers et des plantes tropicales occupaient les quatre coins, les murs avaient été recouverts de palmes séchées et le plafond, de nattes de paille tressée. De jeunes serveuses vêtues de paréos fleuris sillonnaient l'endroit, une fleur d'hibiscus en plastique fichée dans leurs longs cheveux. Jaillies d'une petite pièce attenante appelée Les Joyeux Naufragés, elles desservaient quelques tables dans une autre salle, plus vaste, qui avait pour nom Le Jardin d'Éden. Les cris agaçants d'un perroquet se fondaient dans la rumeur des clients: «Fait chaud ici! Fait chaud ici! Fait chaud ici!» Effectivement il y régnait un climat tropical suffocant.

Au grand bonheur de Lucien d'ailleurs, qui sentait s'insinuer dans ses muscles contractés une bienfaisante chaleur.

— Qu'est-ce qu'on peut faire pour vous? fit la réceptionniste d'un air plutôt cassant et avec une moue de dédain.

Les vêtements sales et tirebouchonnés de Potter ainsi que Lucien recroquevillé au fond de son carrosse lui avaient fait conclure qu'ils étaient des clochards égarés. Ses narines frémissantes croyaient déjà déceler chez eux des relents d'alcool. Elle s'apprêtait à les expulser quand, à son grand étonnement, elle entendit Potter demander:

— C'est combien une chambre pour la nuit?
— Euh!... cher, balbutia-t-elle.
— J'ai de quoi payer.
— C'est quarante-cinq dollars.
— Parfait. Alors une chambre double, s'il vous plaît.
— Comptant ou carte de crédit?
— Sacrement! ne put s'empêcher de s'écrier Potter. J'ai-t'y la tête de quelqu'un qui traîne une carte de crédit?

Et il lança sur le comptoir le sac de polythène contenant les pièces de monnaie qu'avait amassées Lucien tout au long de la journée. Le sac s'écrasa dans un tintement métallique.

La politesse forcée de la réceptionniste fondit comme neige au soleil. Plus que jamais elle était convaincue d'avoir affaire à des clochards. Ils venaient sûrement de dérober une tirelire à l'Armée du salut.

— Je ne peux pas accepter cet argent, déclara-t-elle.

Potter fit mine de ne pas entendre et plongea la main au fond du sac. Il fit des piles de monnaie, puis les déposa sur le comptoir. La dame dut se résoudre à le laisser réunir la somme. Elle tendit à Potter une fiche du registre, ainsi qu'une clef.

Potter prit l'ascenseur avec Lucien. La chambre située au dix-neuvième étage surplombait le centre-ville. Elle comportait une large fenêtre d'où la vue plongeait au cœur d'une forêt de gratte-ciel illuminés. Derrière les édifices, la croix électrifiée du mont Royal se détachait sur un ciel glacé.

L'aménagement de la chambre était pour le moins singulier. Le décor semblait tiré du film *Pirates à Maracaibo* et représentait un repaire de boucaniers. Deux petits lits jumeaux avaient été dissimulés dans des coffres aux trésors aux couvercles rabattus, un papier peint imitant la pierre de taille donnait l'impression de murs épais et impénétrables, des barils de poudre servaient de pieds aux lampes, le téléviseur était encastré dans une barrique de rhum. Un minuscule cachot fermé par une grille de fer avait été aménagé dans le renfoncement d'un mur et servait de placard.

Lucien s'était assoupi dans son chariot. Potter souleva le couvercle rabattu sur un des lits, retira à Lucien sa tuque, ses mitaines, son foulard et son parka, l'extirpa du chariot, puis le déposa sur le lit. Il constata alors les épouvantables torsions dont était affligé le corps de Lucien. Replié sur lui-même, celui-ci ne semblait plus qu'un sac de nœuds. Potter entreprit de lui masser les membres. Avec une délicatesse et une application amoureuses, il étira, pressa, frotta les articulations cadenassées de Lucien, espérant les voir se délier. L'ossature semblait devoir s'effriter sous ses doigts. Dans son demi-sommeil, Lucien laissait échapper de longs soupirs de soulagement. La température quasi suffocante de la pièce ainsi que les manipulations de Potter lui apportaient un certain soulagement, mais pas assez pour faire redresser son corps. Potter attendit que Lucien se mette à ronfler comme un tuyau de poêle; il remonta alors sur lui le drap et la couverture du lit, puis éteignit la lampe de chevet. Il s'assit ensuite sur le bord de la fenêtre, rempli d'admiration devant le spectacle de la ville illuminée. La faim commençait à lui creuser l'estomac. Il dévora une des cuisses de poulet rôti que Joe Maniatis lui avait données et garda l'autre pour Lucien. Il se laissa hypnotiser par le mouvement de l'énorme gyrophare qui balayait la nuit de ses rayons depuis le sommet d'un gratte-ciel.

Le souvenir de Marie-Scapulaire émergea en lui. Il trouvait cruel de se voir privé d'elle au moment même où elle montrait un véritable amour pour lui. Il espérait reprendre bientôt contact avec elle.

Il retourna au lit et s'étendit à côté de Lucien. Il saisit l'oreiller, le serra dans ses bras comme le corps de Marie-Scapulaire, puis s'endormit avec l'impression de sentir la tête de celle-ci blottie au creux de son épaule.

Chapitre 23

Potter et Lucien venaient de s'arracher à l'hôtel Vahiné pour se jeter dans l'air glacé du petit matin et se
dirigeaient vers le Chicken Joe. Les roues du chariot
crissaient sur la neige tassée du trottoir. Jamais Potter
n'avait vu un froid aussi intense si tôt dans la saison: le
thermomètre indiquait trente-trois degrés sous zéro. Les
dépanneuses traînaient inlassablement derrière elles des
voitures frigorifiées. Potter avait emmitouflé Lucien au
point qu'on ne parvenait plus à voir son visage; seul un
petit nuage de vapeur s'échappait de l'amoncellement
de nappes à carreaux qui le recouvraient.

Parvenu au Chicken Joe, Potter installa le chariot de
Lucien à quelques portes du restaurant, sous une bouche
d'aération du New York Dry Cleaning. Lucien se trouva
ainsi à l'abri du froid.

Cette deuxième journée de travail devait apporter à
Potter et à Lucien les plus grandes espérances, car Potter attira au Chicken Joe un nombre record de clients et
Lucien fut enseveli sous les aumônes des passants. Le
miracle se répétait. Et il continua de se répéter. À Noël et
au jour de l'An, Lucien reçut même des billets de deux
dollars. Cet argent leur permettait de retourner chaque
soir au Vahiné. La réceptionniste s'était habituée à les
voir arriver aux environs de 17 heures et s'était quelque
peu radoucie. Potter et Lucien se nourrissaient de beignes
achetés au Dunkin Donuts et des portions de poulet

généreusement accordées par Joe Maniatis.

Depuis qu'il gagnait de l'argent, Lucien considérait qu'il exerçait un métier et se sentait enfin utile. Bien que les journées lui parussent interminables et qu'il fût assailli de douleurs causées par l'arthrite, il trouvait passionnant de rencontrer tant de gens. Lui qui avait si longtemps vécu reclus dans une cave, il rattrapait le temps perdu et engageait de longues conversations avec ses donateurs. Afin d'attirer davantage la compassion, il avait perfectionné son numéro. Il arborait une barbe de plusieurs jours, ce qui faisait paraître ses joues davantage émaciées; il retirait aussi les bras des manches de son parka, ce qui laissait croire qu'il avait été amputé. Un homme-tronc abandonné à son sort dans un chariot de supermarché au beau milieu de l'hiver ne pouvait manquer de soulever l'indignation.

Un après-midi plutôt maussade de janvier, alors que le froid s'insinuait jusque sous les vêtements, Potter crut apercevoir au loin, qui se frayait un chemin parmi l'encombrement de voitures, une limousine noire ressemblant fort à celle de Saint-Georges. Les pulsations de son cœur se précipitèrent.

La limousine s'arrêta près de lui. Ah, non! Dieu de Dieu! Ça ne va pas recommencer! pensa-t-il. Au moment où tout allait se tasser.

Un second coup d'œil lui permit toutefois de constater que la limousine était d'un modèle plus récent que celle de Saint-Georges. Il fut grandement soulagé. Son cœur se remit à battre normalement. Il allait remercier le ciel de l'avoir échappé belle quand, jailli du véhicule, Tank posa un pied à terre. Pas lui! Pas ici! sursauta Potter.

Mais qu'est-ce que Tank pouvait venir foutre ici? S'agissait-il d'une simple coïncidence ou était-il parvenu à retrouver sa trace? Irène attendait-elle à l'intérieur du véhicule? Potter évitait le moindre mouvement, s'exhortait au calme. Pour le moment, il se trouvait à l'abri, Tank ne pouvait le reconnaître sous son déguisement.

Quant à Lucien, il était sauf, enfoui sous son amas de nappes à carreaux.

Ça y est. Il va faire un massacre à l'intérieur, pensa Potter avec angoisse.

Tank s'apprêtait à tirer la porte du restaurant quand, jetant un regard vers Lucien, il interrompit son mouvement. À la vue des quelques passants entourant le chariot et qui jetaient des pièces de monnaie, il comprit qu'il s'agissait là d'un mendiant; mû par un exceptionnel élan humanitaire, il fit volte-face, croisa de nouveau Potter, puis se dirigea vers le chariot.

Bon Dieu de bon Dieu! s'énervait Potter. Il va reconnaître Lucien, c'est sûr! Il va le reconnaître! Bon Dieu! il va le reconnaître.

Mais à la grande surprise de Potter, Tank se pencha sur Lucien sans le reconnaître. Il lui donna un peu d'argent et revint vers le Chicken Joe.

Potter priait pour qu'il s'engouffre au plus vite à l'intérieur du restaurant, ce qui lui donnerait le temps de prendre ses jambes à son cou et de pousser le chariot hors de la portée du truand. Mais Tank s'arrêta brusquement, fronçant les sourcils. Potter en conclut que le truand venait après coup de reconnaître Lucien. Des sueurs froides mouillaient son dos. Tank retourna vers le chariot, l'œil chargé de méfiance.

Avant que le truand s'empare de Lucien et lui règle son compte, Potter bondit, bousculant au passage Tank, qui fut projeté sur le sol. Le temps que le truand se relève et reprenne ses esprits, Potter s'était évanoui parmi la foule avec le chariot.

Tank se précipita vers la limousine et hurla à Saint-Georges:

— C'est Potter! J'en mettrais ma main au feu. Vite! Remonte le boulevard René-Levesque, on va le prendre à revers.

Potter courait à fond de train. La tête de son costume s'affalait sur son visage et l'empêchait de voir distinctement. Dans sa course aveugle, il renversa un panier d'ordures, heurta de plein fouet un réverbère, enfonça tout un côté de la grille métallique du chariot. Mais chaque fois il reprenait sa course, malgré l'immense fatigue qui s'était abattue sur lui. Naïvement, il se croyait dissimulé sous le couvert de la foule, mais en réalité on ne voyait que lui, que son énorme tête de coq fluorescente dressée au-dessus des passants. Il franchit une dizaine de rues, parvint au cœur du centre-ville.

Cramponné aux parois du chariot, affolé, Lucien cherchait à comprendre la raison de cette course effrénée.

Potter ne prit pas le temps de le lui expliquer, mais il ralentit la cadence pour se mettre à marcher d'un pas rapide. Ses jambes étaient devenues de la guimauve. Il jugea plus avisé de quitter la rue Saint-Catherine pour emprunter une voie moins achalandée. Il bifurqua sur la Place Phillipps.

Des hurlements de pneus retentirent alors. Potter se retourna. La limousine de Saint-Georges se précipitait vers lui, mais elle se retrouva immobilisée par un bouchon de circulation.

Potter en profita pour prendre une longueur d'avance et lança le chariot vers le boulevard René-Lévesque. Derrière lui, la limousine forçait son chemin; elle klaxonnait, rageait, emboutissait au besoin les autres véhicules. Une série de phares volèrent en éclats, un pare-chocs s'abîma avec fracas sur le pavé.

Potter n'avait pas une seconde à perdre. En dépit du feu rouge, il commença à traverser le boulevard. Une BMW hystérique se précipita sur lui. Le conducteur, un yuppie cravaté à face de porc, abaissa sa vitre, complètement suffoqué. Il menaçait de descendre de sa voiture pour lui faire un mauvais parti. Mais Potter avait d'autres préoccupations en tête, la limousine de Saint-Georges venait de s'arrêter derrière lui au feu rouge et attendait pour bondir que le signal change.

Potter franchit le boulevard. De l'autre côté, la rue amorçait une pente assez raide, la côte du Beaver Hall.

Il y engagea le chariot, dans l'espoir que cette dernière constitue sa planche de salut. En effet, peut-être pourrait-il de cette façon prendre la vitesse nécessaire pour arriver à distancer Saint-Georges.

Le chariot accéléra. La pente était dangereuse; quelques centimètres de neige recouvraient le pavé, et le service de la voirie n'avait pas eu le temps d'y répandre du sel. Avec pour heureuse conséquence que la rue était devenue quasi inaccessible aux véhicules.

Potter courait à perdre haleine derrière le chariot. Il dut finalement se résoudre à grimper à bord. Il se donna un élan, plongea, atterrit sur la tête de Lucien.

— Veux-tu bien me dire ce qui se passe? hurla ce dernier.

— On a Saint-Georges collé au cul! hurla à son tour Potter.

Dans sa descente, le chariot continuait d'accélérer. Depuis un bon moment, Potter n'avait plus aucun contrôle sur lui. Il confiait son sort aux bonnes grâces du ciel. Le chariot avait déjà dévalé la moitié de la côte, il franchissait en trombe la rue de Lagauchetière et allait amorcer l'autre moitié, c'est-à-dire la plus abrupte, quand un énorme camion-remorque arriva en sens inverse. Le poids lourd chevauchait la ligne médiane et s'essoufflait à grimper.

Potter vit qu'il ne pourrait pas l'éviter et qu'ils allaient s'écraser contre lui dans un rugissement de métal.

Il ferma les yeux, serra la tête de Lucien contre lui et entreprit intérieurement le compte à rebours fatal. Un... deux... sûrement qu'à trois il mettrait les pieds dans un autre monde.

Les hurlements du poids lourd lui crevaient déjà les tympans.

— Trois..., compta-t-il finalement.

Il était toujours vivant, et le grondement du poids lourd s'estompait rapidement derrière lui!

Il releva la tête.

Le conducteur du camion avait donné un ultime

coup de volant, réussissant de justesse à éviter Potter et Lucien. Il grimpait maintenant du mauvais côté de la rue. Lancée à pleine vitesse dans la pente, la limousine de Saint-Georges roulait en droite ligne vers le poids lourd. Si aucun des deux véhicules ne se rangeait, une collision meurtrière s'ensuivrait.

La limousine aurait dû céder le passage. Mais Saint-Georges ne l'entendait pas de cette façon et semblait vouloir forcer le camion à réintégrer sa place. Saint-Georges avait toujours considéré que la route lui appartenait. Il poussa l'accélérateur à fond pour intimider le conducteur du poids lourd.

Il ignorait cependant à qui il avait affaire. L'autre avait un esprit aussi buté que le sien et il refusa de céder un centimètre de terrain.

Les deux véhicules se jetèrent l'un sur l'autre, et le poids lourd écrabouilla la limousine sous la gueule de fer de son pare-chocs. Alors, seulement, le conducteur du poids lourd consentit à appliquer les freins.

Saint-Georges fut tué sur le coup.

Juché sur le chariot, Potter continuait de dévaler la pente, secoué par l'effroyable tragédie.

Le chariot franchit la rue Viger, arriva en terrain plat et continua de filer en ligne droite jusqu'à une chaîne de trottoir, qu'il heurta de plein fouet.

Sous l'impact, Potter et Lucien furent projetés au-delà du banc de neige qui bordait la rue. Ils se retrouvèrent étendus au milieu du square Victoria, ensevelis sous une neige poudreuse.

Le chariot ne semblait pas avoir trop souffert.

Après s'être assuré qu'il n'avait pas de blessures et que Lucien était toujours vivant, Potter se releva, courbaturé, puis se débarrassa de son encombrant costume de peluche.

— Mais veux-tu me dire pour quelle raison tu nous as fait dévaler une côte pareille? pestait Lucien.

Sans mot dire, Potter désigna la côte du Beaver Hall. On y voyait nettement la limousine de Saint-Georges prisonnière du camion-remorque, dévorée par les flammes. Une voiture de police était déjà sur les lieux; Tank et deux policiers essayaient tant bien que mal de circonscrire le brasier à l'aide d'un extincteur chimique. Des volutes de fumée s'échappaient de la carcasse de la voiture.

— Aïe, aïe, aïe, aïe!... Excuse-moi, Potter... En effet... Merci... On peut dire qu'on l'a échappé belle... Dis-moi... Tu crois qu'il y a des morts?

— Je ne sais pas.

— On devrait peut-être aller voir?

— Êtes-vous sérieux, grand-p'pa? Il n'est pas question de retourner là-bas. On file au plus vite.

— Où? Au Vahiné?

— Désolé, mais avec le peu d'argent qu'il nous reste, on n'a plus les moyens de loger à cet endroit.

— Comment, le peu d'argent? Je vais en trouver de l'argent, moi. Je n'ai qu'à me remettre à mendier.

— Où ça?

— Au Chicken Joe.

— Voyons, grand-p'pa, on ne peut plus remettre les pieds au Chicken Joe. L'endroit est foutu pour nous. Imaginez si Tank décidait de nous y relancer.

S'imaginant encore une fois jeté dans la rue, privé de tout, Lucien plongea un regard désespéré vers le sol.

Potter refusa de céder au découragement. Il hissa Lucien à bord du chariot, rassembla les nappes à carreaux qui s'étaient éparpillées sur la neige, puis entreprit de trouver un endroit où passer la nuit.

Il se retrouva finalement sur le boulevard Saint-Laurent. Une profusion de petits commerces aux vitrines recouvertes d'idéogrammes lui signalèrent qu'il approchait du quartier chinois. Seuls quelques passants solitaires semblaient défier le blizzard; un silence boréal écrasait la ville. Potter finit par croiser une des arches qui marquaient l'entrée du Chinatown. Il risqua un coup d'œil rapide sous elle et fut surpris de constater que malgré le froid intense, une foule dense et animée obscurcissait la rue et émettait une étourdissante clameur. Sans doute un événement d'importance venait-il de se produire. Il emprunta à Lucien sa tuque de laine, se l'enfonça jusqu'aux oreilles, dissimulant ainsi une partie de son visage, enfouit Lucien sous les nappes à carreaux, puis poussa le chariot sous l'arche. Toute la population du Chinatown semblait être descendue dans la rue afin de manifester sa colère; de tous côtés une foule survoltée lançait des propos haineux. Un boucher encore ceint d'un tablier maculé de sang menaçait le ciel d'un couteau à dépecer, tandis qu'autour de lui on brandissait des haches et des barres de fer.

Devant la Kam Fung Import-Export, la foule était frénétique. Mais contre qui, contre quoi s'insurgeaient tous ces gens? s'interrogeait Potter.

Les cloches du temple qui abritaient la Kam Fung Import-Export se mirent alors à sonner, faisant instantanément taire la clameur. On sentit aussitôt s'installer une menace. À cet appel, des gens laissèrent tomber les armes qu'ils brandissaient; un masque de terreur se dessina sur leurs visages. La foule se rassembla devant le portail du temple, ainsi qu'un troupeau de bêtes résignées aux portes d'un abattoir. Une faible lumière coulait des réverbères, étalant sur le dos de la foule de timides zones éclairées. Le blizzard sifflait, s'accrochait aux lucarnes des maisons. Montèrent alors d'une série de haut-parleurs disséminés à travers le Chinatown les échos retentissants d'une voix que Potter reconnut aussitôt: Irène.

Potter sentit un frisson parcourir son corps et le clouer au sol.

— Amis chinois! clamait Irène. L'honorable Kam Fung est mort. Le père du Chinatown nous a quittés.

Une rumeur monta de la foule. Irène haussa le ton.

— Jusqu'à ce jour, seul l'honorable Kam Fung dirigeait les destinées du Chinatown... Maintenant, et tous doivent s'y soumettre, le Chinatown est sous *ma* gouverne.

La foule hurla son désaccord. Un coup de feu se fit alors entendre, refroidissant le bouillonnement des esprits.

— Vous apprendrez désormais à me connaître, tonnait Irène au micro. À partir d'aujourd'hui, vous vous soumettrez à ma loi. À la loi du Tigre bleu. Je suis le Tigre bleu.

Potter frémit.

— Elle est folle. Elle a perdu la raison.

Autour, quelques protestations montèrent, mais se turent aussitôt.

— La moindre opposition, continuait Irène, sera réprimée dans le sang.

Et sur ces propos terrifiants, le portail du temple s'écarta, vomissant un éblouissant jet de lumière. Apeurée, la foule recula d'un pas sous la brûlure de cet éclair blanc.

À l'intérieur du temple, se découpait dans la lumière une silhouette qui s'avança lentement sous le portail. Son ombre projetée sur le bâtiment d'en face prenait une ampleur colossale qui dominait la foule.

Quand la silhouette eut quitté la lumière crue, elle se matérialisa. La foule poussa un cri d'épouvante.

C'était Tank. Son visage à la cicatrice d'écorché vif semblait rescapé d'une séance de torture. Tank laissa son regard parcourir la foule massée devant lui, puis épaula sa Winchester. L'un après l'autre, il fit éclater les réverbères, jetant la foule dans une étouffante obscurité.

Potter vit une vieille femme s'évanouir à ses côtés.

Puis, du portail du temple, s'échappèrent des serpents de vapeur ocre, qui s'insinuèrent dans les premiers rangs de la foule, charriant une pestilentielle odeur de chair bouillie.

La foule se prosterna face contre terre, la tête entre les mains.

Irène venait d'apparaître dans l'embrasure lumineuse du portail, gonflée de solennité. Appuyant chacun de ses pas sur sa Winchester, elle rejoignit Tank, traînant avec dignité sa jambe malade. Devant la foule, elle arracha d'un mouvement théâtral son chapeau et ses voilettes.

Potter tressaillit à la vue de sa peau violacée et flétrie. Il ne put réprimer une exclamation d'étonnement, que noya heureusement le murmure de la foule.

Irène laissa planer un moment de silence, puis, convaincue qu'elle avait assujetti toute la population du Chinatown à sa loi, elle pointa le canon de sa Winchester vers le ciel.

Une cloche retentit. La foule mit peu de temps à comprendre qu'elle devait vider la place sans tarder; les rues se nettoyèrent en quelques minutes.

Potter s'empressa de pousser le chariot hors du quartier chinois en marmonnant.:

— Elle est maintenant capable de tout... de tout... de TOUT.

Chapitre 24

À 20 heures, Potter n'avait toujours pas trouvé d'endroit où se loger. C'était désespérant. Il arpentait le boulevard Saint-Laurent en demandant à tout bout de champ à Lucien:

— Ça va, grand-p'pa?

Lucien répondait par d'inintelligibles grommellements, ses mâchoires étant gelées.

Une faune inquiétante commençait d'envahir la rue; des prostituées misérables disputaient aux travestis quelques clients téméraires. Avait-on idée de s'aventurer dehors par un froid pareil, se disait Potter. Vêtues de mini-jupes, les prostituées sautillaient sur place afin de se réchauffer.

Potter aborda un travesti qui incarnait Marilyn Monroe. Les cheveux oxydés et outrageusement crêpés, le visage craquant sous une épaisse croûte de maquillage, il s'appelait Ricky. Il se pencha sur le chariot de Lucien.

— Alors, grand-père, on est à la recherche d'un peu de chair tendre? On veut se remonter le moral?

Outré par ces propos, Lucien se dressa.

— Comment ça grand-père? Est-ce que je vous connais, moi? Hein? Est-ce que je vous connais? On ne s'est jamais rencontrés auparavant, à ce que je sache. Grand-père!... Vous n'êtes pas ma petite-fille, après tout.

— Les nerfs, le vieux! fit le travesti.

— Le vieux! Attends voir... Laissez-moi descendre... laissez-moi descendre, je vais lui apprendre, moi.

Devant la réaction de Lucien, le travesti prit peur. Si l'incident dégénérait, la police surgirait aussitôt. Il lui adressa ses plus plates excuses.

— Ne vous emportez pas comme ça, mon pauvre monsieur, je ne voulais pas vous vexer. Ici, tout le monde se parle sur ce ton.

Des clochards s'étaient attroupés pour observer la scène, accrochés à leurs bouteilles qu'ils tiraient des poches de leurs longs manteaux élimés.

— Allez! Filez, vous autres, leur ordonna le travesti.

Les clochards se dispersèrent comme une volée d'oiseaux effrayés. Certains tentèrent de s'engouffrer dans le club voisin, le Café Cleopatra, mais ils en furent aussitôt expulsés. Deux d'entre eux allèrent s'étendre sur le capot encore chaud d'une voiture, tandis qu'un autre s'affala au creux d'un banc de neige.

— Y'a des hôtels dans le coin? s'enquit Potter auprès du travesti.

— Oui. Mais ils affichent tous complet. C'est la ruée sitôt qu'arrivent les grands froids. Autant vous le dire tout de suite, y'a plus une seule chambre libre dans le coin. Et ce sera comme ça tout l'hiver.

— Bon Dieu de bon Dieu, qu'est-ce qu'on va faire? Il faut absolument se trouver une piaule pour la nuit.

— Vous pouvez toujours dormir en face, suggéra le travesti.

— Où?

— Au Hollywood.

Potter se retourna. De l'autre côté de la rue se dressait un bâtiment presque à l'abandon qui abritait un cinéma porno: le Vieux Hollywood.

Le travesti raconta que le bâtiment avait une valeur historique; lors de son spectacle d'ouverture au siècle précédent, il avait accueilli la tragédienne française Sarah Bernhardt. La venue de cette dernière avait coûté les yeux de la tête et le théâtre s'était lourdement endetté; il ne s'en était jamais remis. On pouvait encore lire dans les toilettes de l'établissement un graffiti chargé de rancœur, «MERDE À TOI, SARAH», gravé à même le marbre. Au fil des ans, le bâtiment avait été transformé en théâtre burlesque, en salle de cinéma, en cinéma de répertoire, puis finalement en cinéma porno. Son immense salle n'avait jamais été rénovée. Elle servait maintenant de refuge aux sans-abri.

— On peut vraiment y dormir?

— Officiellement non. À cause d'un règlement municipal qui interdit de dormir dans les endroits publics. Mais la direction autorise les spectateurs à garder leurs fauteuils aussi longtemps qu'ils le désirent. À une seule condition cependant: que le gardien ne les surprenne pas à dormir. En pareil cas, il expulse les dormeurs séance tenante.

— Un gardien?

— Oui. Une espèce d'ancien lutteur qui fait cinquante centimètres de tour de bras. Avec un plaisir sadique, il te fout à la porte sitôt qu'il te voit tourner de l'œil. Il surveille continuellement. Heureusement, parfois, la nuit, il lui arrive de roupiller.

— On pourrait rester longtemps à cet endroit?

— Aussi longtemps que vous pourriez le supporter.

— Qu'est-ce que vous entendez par là?

— Bien... Il faut que je vous dise... Il y a un hic. Dormir à cet endroit comporte tout de même certains risques.

— Lesquels?

— Le cinéma est ouvert vingt-quatre heures par jour. Il repasse sans cesse le même film, pendant plus de deux mois. Ce qui représente plus de six cents représentations. C'est un vrai lavage de cerveau. Y'a des types qui en ressortent complètement dingues, les neurones brûlés. C'est pour ça qu'il ne coûte pratiquement rien d'y entrer. Un dollar... c'est pas cher.

Et à ce moment, comme pour corroborer les propos du travesti, deux clochards jaillirent des portes du cinéma, récitant les répliques du film qu'on y présentait.

Potter considéra qu'il n'avait pas le choix. Il se résigna à trouver refuge au Vieux Hollywood. Il remercia le travesti et traversa la rue.

Une préposée attendait au guichet, les traits lourds et fripés. Elle portait des verres grossissants qui lui faisaient des yeux de batraciens. Voyant Lucien recroquevillé au fond de son chariot, elle se prit de compassion pour lui et le laissa entrer gratuitement.

Potter paya sa place, traversa le hall d'entrée et poussa les portes qui menaient dans la salle. Dans la pénombre, il devina que l'endroit avait dû être beau autrefois. Mais il ne subsistait à peu près rien de cette époque heureuse. Des relents d'alcool frelaté et de sueur aigre se mêlaient à des odeurs d'urine et de moisissure. À la pensée qu'il devrait peut-être passer l'hiver à cet endroit, le cœur de Potter se serra.

Il engagea le chariot de Lucien dans l'allée centrale, puis descendit vers l'écran. Des rangées de fauteuils en bois, dont certains n'avaient plus de siège, se pressaient de chaque côté. Potter dirigea le chariot sous l'écran, devant la première rangée de fauteuils. Il comptait échapper ainsi à la vigilance du gardien, qui tenait à l'arrière un comptoir à pop-corn. En descendant l'allée, il constata qu'une centaine de types se trouvaient dans la salle, des clochards en majorité, regroupés dans la partie centrale. Tous étaient assis le dos droit, immobiles, les yeux rivés sur l'écran comme si leur vie en dépendait, cloués à leurs fauteuils. Bien que leurs yeux fussent ouverts, ils semblaient dormir. Intrigué, Potter arrêta un moment le chariot afin d'examiner l'un d'eux de plus près. Ce qu'il vit le laissa complètement stupéfait. Le clochard dont il s'était approché dormait les yeux ouverts, les paupières retenues aux arcades sourcilières par des languettes de ruban adhésif. Autour de lui, les autres clochards avaient fait de même, leurs yeux révulsés étincelaient dans l'obscurité, eux aussi maintenus ouverts grâce à du ruban adhésif. Tous donnaient l'illusion de regarder l'écran, mais en réalité tous dormaient. Accrochés les uns aux autres, ils se tenaient fermement la main, dans le but sans doute de s'empêcher mutuellement de tomber par terre si l'un d'eux glissait de son fauteuil.

Un type qui s'était assis à l'écart venait justement de s'écrouler en travers de l'allée centrale, vaincu par le sommeil. Son siège en bois s'était refermé en claquant.

Le gardien accourut. Avec un malin plaisir, il empoigna le clochard étendu au milieu de l'allée et le traîna vers la sortie de secours.

— Je ne dormais pas, protesta le clochard. Lâchez-moi, monsieur!

Il fut quand même évincé *manu militari*.

Lucien dormait. Potter l'installa donc sous l'écran, près d'un haut-parleur, estimant qu'à cet endroit le gardien avait peu de chance d'entendre ses ronflements. Puis, dans son fauteuil, il se mit à regarder les images qui défilaient sur l'écran. Il ne parvenait pas à comprendre le déroulement du film: des avalanches de chair hurlante roulaient sur un tapis pure laine et emportaient dans leur sillage meubles, lampes et bibelots. Ça luttait ferme. Des ongles longs et effilés, couverts d'un vernis fuchsia, lacéraient une peau flasque et huileuse. Ils s'enfonçaient comme dans une terre meuble. Une gigantesque glotte apparut soudain en gros plan, hurlant des obscénités. Pris d'un haut-le-cœur, Potter se leva. Il abandonna Lucien à son sommeil, gagna le hall d'entrée, puis alla faire les cent pas sous la marquise du cinéma afin de respirer un peu d'air frais. Le blizzard était tombé. Un froid sec pinçait les narines, la nuit était claire comme un pur cristal, la lune pleine faisait songer à un appétissant sein de femme gorgé de lait. La nuit laissait encore croire à la beauté du monde. Potter pensa à Marie-Scapulaire, des larmes lui montèrent aux yeux. Il sentit vite le froid lui glacer les os. Il s'arracha à la contemplation de cette nuit sans voile, puis regagna le cinéma. Il croisa la guichetière.

— Ne laissez pas votre grand-père seul trop longtemps, l'avisa celle-ci. On pourrait lui dérober ses sous.

— Ne vous en faites pas, madame, il n'a pas un rond. Merci quand même du conseil, répondit aimablement Potter.

Il reprit le chemin de la salle et se laissa tomber lourdement dans son fauteuil. Celui-ci était soudé aux autres et l'extrémité des rangées était vissée à des travers de bois qui remontaient la salle. La secousse ébranla une série de sièges placés un plus loin derrière et fit glisser une rangée entière de clochards qui s'étalèrent sur le sol.

Le gardien accourut de nouveau. Il empoigna deux des clochards placés au bout de la ligne et les traîna par la peau du cou vers la sortie.

— On ne dormait pas, monsieur! protestaient les clochards d'une voix implorante, en se cramponnant aux bras des fauteuils qui bordaient l'allée.

Mais ils furent quand même précipités dans la nuit froide.

Potter se sentit responsable de leur expulsion, mais il ne pouvait pas avouer sa faute au gardien, de crainte d'être chassé à son tour. D'autant que Lucien s'était mis à ronfler avec la puissance d'une locomotive à vapeur. Potter retira sa chemise à carreaux, la roula en boule, puis la glissa entre le menton et les genoux recroquevillés de Lucien, maintenant ainsi ses mâchoires fermées. Les ronflements cessèrent aussitôt. Potter veilla sur lui toute la nuit, en même temps qu'il gardait un œil sur le gardien. Dans la salle, les clochards qui ne dormaient pas débitaient d'un ton monotone les dialogues du film.

— Est-ce que tu es seule?

— Oui, entre, je t'en prie.

— Ton mari est absent?

— Pour la journée.

— Ma belle, voilà l'occasion ou jamais de t'envoyer un vrai mâle.

— Il y a longtemps que j'attendais ça. J'en bave. Viens sur le canapé du salon. Vite!

— Tu as l'air bien roulée.

— Et toi. Ce que tu es fort, ce que tu es musclé.

Dans un demi-sommeil, au matin, après avoir assisté à de multiples projections, Potter s'entendit soudain débiter malgré lui:

— Est-ce que tu es seule?

Et Lucien lui répondit:

— Entre, je t'en prie.

Chapitre 25

L'hiver avait été rigoureux, le verglas avait succédé aux giboulées de mars. Le printemps arrivait maintenant avec le soleil, la neige avait fondu, les gens commençaient à circuler sans chapeau, dépoitraillés. Ils semblaient préoccupés. Sur les trottoirs ils marchaient la tête basse, le regard plongé dans leur journal.

Depuis quelques jours, on s'arrachait les journaux, car ils relataient la présence en ville d'un nouveau fléau. Un fléau dont on commençait seulement à saisir l'ampleur. Un fléau appelé Aphro-14. En quelques mois seulement, la consommation de cette drogue avait pris des proportions alarmantes; personne n'y échappait. Ses effets étaient dévastateurs et reléguaient le crack et la cocaïne au rang de plaisirs inoffensifs. Les autorités ne parvenaient pas à endiguer le phénomène. Un nombre sans cesse croissant de citoyens s'y adonnaient, inconscients du danger que cela représentait. La presse rapportait des cas pathétiques, tels ces deux amants dans la trentaine qui, enlacés comme des vignes, s'étaient précipités du haut du pont Jacques-Cartier. Ils avaient laissé derrière eux une lettre dans laquelle ils avouaient que l'Aphro-14 les avait propulsés à des sommets d'extase; afin de s'en procurer, ils avaient tout flambé et n'avaient maintenant plus les moyens de s'offrir cette poudre. Le medecin légiste avait déclaré qu'ils étaient morts en plein vol, que leurs cœurs s'étaient arrêtés de battre avant même qu'ils aient fracassé la surface de l'eau. Les stations radiophoniques et les postes de télévision inondaient les ondes de bulletins tout aussi terrifiants.

Et pourtant, la drogue continuait de faire ses ravages; elle attirait les plus désabusés comme les plus téméraires, car chacun avait maintenant l'espoir de décupler ses ardeurs amoureuses. L'absorption d'une simple capsule métamorphosait le consommateur en une véritable bombe de sexe. L'Aphro-14 produisait les mêmes effets qu'un générateur magnétique: il provoquait une accélération de la circulation sanguine, ce qui entraînait une meilleure oxygénation. Un sang du tonnerre de Dieu se mettait à couler dans vos veines, la pression montait dangereusement, le cœur s'activait. Le consommateur se voyait poussé par des élans sauvages, des pulsions sexuelles qui pouvaient durer jusqu'à vingt minutes. Après, c'était la débandade, on retombait en chute libre, tout était à recommencer.

Les consommateurs ne finissaient donc plus de consommer. Et les producteurs d'Alphro-14 s'en frottaient les mains.

Les producteurs d'Aphro-14, c'était évidemment une seule et même personne, Irène Desmeules, le Tigre bleu. Depuis qu'elle s'était emparée de la Kam Fung Import-Export, elle en avait fait tripler la capacité de production. Elle avait fait baisser le prix de vente de l'Aphro-14, ce qui avait aussitôt rendu sa consommation à la portée des petits consommateurs. Soutenue par cette démesure qui la caractérisait, elle avait mis sur pied un vaste réseau de distribution, composé d'une armée de revendeurs. En outre, elle refusait de fournir la poudre de caribou aux autres grands producteurs mondiaux d'Aphro-14, car elle comptait exercer bientôt un monopole absolu sur le trafic international de cette drogue. Un incroyable pouvoir lui était échu. Elle avait l'intention de s'en servir.

Pour le moment, son réseau de distribution était confiné à la ville de Montréal. Mais elle se promettait d'attaquer prochainement l'énorme potentiel que constituait le marché américain. En prévision de cette offensive, elle venait de signer un contrat d'exclusivité avec les Indiens Attisawins, lui garantissant la totalité des prises de leur braconnage. Au sujet des caribous, elle avait lancé un sérieux avertissement à leur chef de bande, Tommy Swallow:

— Surtout, ne les castrez pas tous la même année! Laissez-leur le temps de se reproduire! Sinon, on va se retrouver Gros-Jean comme devant.

Elle avait accumulé des sommes d'argent considérables qu'elle parvenait difficilement à faire blanchir. Elle n'habitait plus le Peel Plaza mais un vaste manoir d'inspiration Tudor, situé au 14, rue du Belvédère, à flanc de montagne, en plein Westmount, le quartier le plus insolent, le plus inaccessible et le plus opulent de la ville. Le manoir surplombait Montréal. En grès d'Écosse, il comprenait un imposant corps central flanqué de deux ailes de moindres dimensions. Une tour sinistre, carrée, armée de créneaux, s'élevait au-dessus du porche. Le manoir comptait plus de trente pièces, dont douze salles de bains en marbre blanc. Les couloirs étaient lambrissés d'acajou, un escalier monumental menait aux étages, sculpté à même la pierre. La façade laissait encore voir le blason de la famille d'industriels qui avait commandé la construction du manoir; singulièrement, il représentait un rouleau de fil entrecroisé d'une aiguille à coudre. La fortune des premiers occupants avait été amassée grâce à de nombreuses manufactures de vêtements, à l'époque où Montréal était encore la glorieuse métropole du prêt-à-porter canadien. L'histoire courait que le premier propriétaire du manoir était d'une terrible pingrerie. Avant de refermer définitivement le cercueil de sa mère, il avait retiré à la morte la robe qu'elle portait, le vêtement provenant de la collection d'un grand couturier parisien. Irène se délectait de cette anecdote.

Elle avait fait l'acquisition de cette demeure pour une raison qui paraissait de prime abord étrange, mais qui revêtait pour elle une importance capitale. Sous les quatre hectares de jardin à l'anglaise de la propriété, se trouvaient enfouis les immenses réservoirs de l'ancien château d'eau de la municipalité de Westmount. Depuis plus de soixante-quinze ans, ils dormaient là, enterrés à tout jamais, croyait-on. Ces réservoirs faisaient partie d'un plan diabolique qu'Irène avait élaboré et qu'elle comptait mettre bientôt à exécution. Ce plan concernait évidemment Potter. Ah! si elle avait déjà pu lui mettre le grappin dessus! ne cessait-elle de rager. Le souvenir de La Petite la harcelait, ressurgissait en elle comme un monstre qu'elle ne parvenait pas à maîtriser. La Petite lui manquait atrocement, comme si on l'avait amputée d'un membre que son corps réclamait à grands cris.

En dépit de sa douleur, elle continuait de diriger la Kam Fung Import-Export avec une remarquable efficacité. La moindre décision émanait d'elle, elle ne déléguait de pouvoir à personne. Elle avait établi son quartier général dans la salle de bal du manoir, face à la cheminée de pierre ouvragée. Elle y avait fait installer un bureau, un ordinateur, un télécopieur, une machine à écrire, ainsi qu'un standard téléphonique. Elle employait en permanence deux secrétaires; elle leur aboyait ses ordres. Elle-même se tenait assise au creux d'un fauteuil à oreilles de style Queen Anne, orienté vers la cheminée. Elle y faisait entretenir des flambées infernales, la chaleur étant la seule chose qui parvînt à soulager les terribles élancements que lui occasionnait sa jambe malade.

Malgré l'heure matinale, Irène était déjà au travail; calée dans son fauteuil, elle dictait ses ordres sèchement quand Tank fit irruption dans la pièce. Il venait lui annoncer que Richard Beauregard désirait la rencontrer.

Richard Beauregard était l'homme de main qui dirigeait le réseau de distribution d'Irène. C'était un esprit retors doté d'une mémoire infaillible et d'un sens de l'organisation peu commun.

Il aborda Irène avec une nervosité qui ne lui était pas

coutumière; il mâchouillait son cure-dent à un rythme effréné. Il s'assit près d'elle sur un divan.

— Il faut que je vous parle seul à seule. C'est urgent.

Irène avait remarqué qu'il suait abondamment. Il s'était sûrement passé quelque chose d'important. Elle fit signe aux deux secrétaires de quitter la pièce.

— C'est grave, attaqua Beauregard, sous le coup d'une forte émotion.

— Allez!... Accouchez, saint simonac!... Qu'est-ce qui se passe? On dirait que vous allez tomber dans les pommes.

— Madame... Je crois que ce qui pouvait arriver de pire est sur le point d'arriver.

— Eh bien quoi?

— La mafia de New York vient de débarquer en ville. Paraît qu'elle veut vous rencontrer. Elle vous envoie des représentants.

— Je ne comprends pas ce qui vous effraie là-dedans.

— Vous ne comprenez pas?

— Non.

— Mais, madame... la mafia est sûrement au courant des profits que nous a rapportés l'Aphro-14. Elle va tenter de s'emparer de l'affaire, c'est évident.

— Vous voulez dire que...

— Oui. Ils vont chercher à mettre la main sur la Kam Fung Import-Export. Jamais ils ne laisseront une affaire d'une telle envergure leur filer entre les doigts.

— Ils peuvent toujours essayer. Ils vont trouver à qui parler.

— Mais... Vous n'avez tout de même pas l'intention de leur résister? Avez-vous une simple idée de la puissance de cette organisation?

— Je ne sais pas ce que vous avez l'intention de faire, Beauregard, mais moi je défendrai ma peau. La Kam Fung Import-Export m'appartient, et tant que je vivrai elle restera à moi. Quant à cette mafia de bout de Christ, elle n'a qu'à bien se tenir, je lui en ferai voir de toutes les couleurs. Si vous n'êtes pas d'accord, foutez-moi le camp.

— Écoutez... Il faut se montrer réaliste... Dans ce genre de business, il faut savoir se retirer à temps.

— Jamais!

Beauregard comprit qu'il ne servait à rien de s'opposer à la décision d'Irène. Aussi se leva-t-il. Sur le point de sortir, il tenta toutefois un dernier argument afin de ramener Irène à la raison.

— Mais, madame, pourquoi ne pas céder? Vous êtes riche... Vous pourriez vous retirer.

— Je ne suis pas encore assez riche.

— Qu'est-ce que vous entendez faire avec plus d'argent?

— J'ai une vengeance à assouvir. Une vengeance qui ronge mes nuits. J'ai un plan en tête... et ce plan coûtera cher.

— Lequel?

— Vous en serez vite le témoin.

Et là-dessus, Irène intima à Beauregard l'ordre de disparaître de sa vue.

Beauregard n'arrivait pas à croire que la démence d'Irène s'apprêtait à le jeter, lui et toute l'organisation, dans un affrontement aussi sanglant.

Chapitre 26

Les grandes familles de la mafia sicilienne de New York avaient dépêché auprès d'Irène quatre de leurs plus éminents représentants, les parrains Barberini, Di Caesare, Fanucchi et Cimaglia. Ces derniers étaient descendus à l'hôtel Reine Elizabeth, escortés d'un régiment de tueurs à gages. Sans délai, les parrains entrèrent en contact avec Irène. Par l'intermédiaire de Beauregard, ils lui firent savoir qu'ils s'apprêtaient à acquérir la Kam Fung Import-Export pour la somme de deux millions de dollars. La somme était ridicule, compte tenu du formidable potentiel que représentaient les futures ventes d'Aphro-14 aux États-Unis.

Au même moment arrivaient en ville deux trafiquants de drogues colombiens, eux aussi intéressés à mettre la main sur la Kam Fung Import-Export. Ils agissaient pour le compte d'un ancien baron de la drogue du cartel de Medellin. Ils firent grimper les enchères à trois millions de dollars.

Irène tergiversa, repoussa temporairement chacune des offres, prétendit reporter sa décision à la semaine suivante. Elle se déclara toutefois disposée à rencontrer les deux parties afin d'évaluer les conditions de chacune.

Depuis, elle essayait de trouver une stratégie qui lui permettrait de sortir de ce merdier. Pour la première fois, elle était acculée au mur. Il faut dire que devant la gravité des événements, Beauregard avait disparu de la circulation, le réseau de distribution qu'il dirigeait et qui servait Irène s'était démantelé, et les secrétaires lui avaient fait faux bond. Pour faire face à une éventuelle flambée de violence, Irène était entourée de Tank, de Fridolin, de La Dolores, du Doc MacNicoll et du Singe. Personne d'autre n'assurait sa protection.

Elle cogita longtemps afin de trouver la solution qui lui permettrait de venir à bout de tous ces truands du monde interlope qu'elle devrait affronter. Elle ne rendrait pas les armes, non; pas question de se départir de la Kam Fung Import-Export. Trois millions de dollars représentaient pour elle une somme dérisoire, le plan qu'elle avait élaboré afin de liquider Potter exigeait infiniment plus. Elle jugeait la situation à tout le moins dramatique, mais pas désespérée. Elle décida finalement que le mieux était tout bonnement de liquider ses adversaires, les uns après les autres, par des moyens connus d'elle seule et qui comportaient moins de risques. Elle appela Tank, Fridolin, La Dolores, le Doc et Le Singe auprès d'elle. Elle leur décrivit la situation, puis leur annonça qu'elle avait besoin des services de chacun.

Déjà tous songeaient à l'endroit où ils iraient se terrer, à l'exception de Tank, qui brûlait de se lancer dans une mêlée sanguinaire.

Irène exigea de chacun qu'il se tienne à sa disposition. Plus question de quitter le manoir, même pas pour une promenade de santé. Et le premier qui s'aviserait de lui fausser compagnie serait exécuté par Tank. Elle indiqua à chacun ce qu'il devrait faire lors de la venue prochaine des dirigeants du monde interlope, puis, après s'être assurée qu'elle s'était bien fait comprendre, enjoignit chacun de regagner sa chambre.

L'anxiété augmenta considérablement durant les jours qui suivirent. Puis, un beau matin, au déjeuner, tous bondirent de leurs chaises dans un même mouvement de panique. Le téléphone venait de retentir.

C'était Barberini, le stratège de la délégation des

mafiosi. Il manifestait son impatience, exigeait de rencontrer Irène.

— Je vous attends ce soir, à vingt heures, lui proposa celle-ci.

L'autre accepta.

Barberini avait à peine raccroché qu'Irène joignit les Colombiens. Elle les invita à la même heure.

Chapitre 27

Deux hélicoptères volaient à basse altitude, ils survolaient la propriété, passaient et repassaient en trombe au-dessus du manoir. Après avoir examiné attentivement les lieux, ils s'évanouirent à l'horizon. Un cortège de limousines se présenta alors devant les grilles de l'entrée, transportant les parrains de la mafia new-yorkaise.

Tank vint ouvrir avec, à ses côtés, un énorme chien, un mastiff qui était dressé pour tuer, et qu'il s'était procuré dans un chenil. Le truand avait un air buté et méfiant mais, sur l'ordre d'Irène, il n'était pas armé. Il s'apprêtait à refermer les grilles derrière les limousines quand, au dernier moment, un autre véhicule vint s'ajouter au cortège. C'étaient les trafiquants colombiens. Après avoir fait entrer ce dernier, Tank enfonça un bouton dissimulé dans la pierre d'un des piliers de la grille, qui se verrouilla.

Un escadron de gardes du corps avaient déjà jailli des limousines des parrains pour inspecter les lieux. Les gardes ratissèrent le terrain, fouillèrent le moindre bosquet, puis vinrent se planter devant chacune des portes du manoir, bloquant les issues.

Les trafiquants colombiens, eux, jugèrent préférable de demeurer à l'intérieur de leur véhicule.

Les parrains, quatre hommes d'âge mûr, vêtus de costumes sombres et élégants, mirent pied à terre et se dirigèrent vers l'entrée. Ils se heurtèrent à une porte verrouillée. D'un même mouvement ils se retournèrent vers Tank et l'interrogèrent du regard. Le truand resta impassible.

Barberini appuya sur la sonnette. Après quelques minutes d'attente, son impatience se mua en une sérieuse appréhension. Ce silence, cette sorte d'immobilité dans l'air, ce climat de méfiance ne présageaient rien de bon. La rencontre allait peut-être se dérouler moins pacifiquement qu'il ne l'avait d'abord cru. Il se mit à redouter qu'on le canarde à partir des fenêtres de la façade. Aussi ordonna-t-il qu'on les tienne en joue.

Les Colombiens n'étaient toujours pas descendus de leur voiture; ils observaient la scène, préférant se tenir à l'écart d'un éventuel échange de coups de feu.

Barberini s'apprêtait à enfoncer encore une fois le bouton de la sonnette quand une détonation retentit dans le jardin. Le coup semblait provenir d'un garage situé à l'arrière du manoir. Barberini fit signe à ses gardes de le suivre et s'y précipita, entraînant les autres parrains.

Une des portes du garage était entrouverte. Barberini s'élança vers elle. Un des gardes du corps en jaillit, le regard imprégné d'horreur, incapable d'articuler un mot. Il faisait signe à Barberini de le suivre. Barberini s'engouffra avec lui à l'intérieur du garage. Les autres parrains et les gardes restèrent à l'extérieur, de faction devant la porte.

L'endroit était pourtant désert.

La pièce pouvait contenir trois voitures. Une Cadillac noire s'y trouvait. Le véhicule paraissait en piètre état, son capot avait été arraché, ses essieux gémissaient comme sous un terrible poids.

En s'en rapprochant, Barberini perçut une odeur de pourriture, insupportable au point qu'il dut retenir sa respiration. Seule une ampoule pendait du plafond.

Le garde l'invita à se rapprocher encore du véhicule.

Des gouttes de sang coulaient sous la carrosserie, elles maculaient le ciment de petites taches noirâtres.

— Y'a quelqu'un là-dedans? s'enquit Barberini.

— Oui.

— Blessé?... Mort?

— Je... Je ne sais pas.

— Qui a tiré?

— C'est... C'est moi.

— Pourquoi?

— Il le fallait.

Barberini se pencha sur la portière arrière du véhicule, glissa sa tête à l'intérieur. Il fut sidéré.

Une femme au corps gigantesque, vêtue d'une chemise de nuit, gisait sur la banquette arrière. Elle paraissait morte. Sa tête était renversée, sa chevelure huileuse répandue sur ses épaules. Son corps occupait tout l'espace, une balle était venue se loger dans la cellulite de son bras gauche, provoquant une coulée de sang noir.

— Par la madone! laissa échapper Barberini. Mais qu'est-ce que c'est que ça?

Toujours penché à l'intérieur, le haut du corps passé à travers la vitre de la portière, il cherchait à voir plus distinctement le visage de la créature. Car c'était vraiment une **créature**, et non un être humain, qu'il avait sous les yeux.

Il saisit son briquet, en tendit la flamme vers le visage de la morte. Elle était absolument dégoutante. Barberini l'observait, fasciné par une telle horreur.

Il éteignit son briquet. Plongé dans l'obscurité, il s'apprêtait à ramener le haut de son corps vers l'extérieur, quand l'énorme bras de la créature le saisit ainsi qu'un monstrueux tentacule et s'enroula autour de lui.

Un sentiment de terreur le secoua tout entier. La créature était toujours vivante.

Barberini poussa un hurlement qui glaça d'effroi les autres parrains. Il était happé par la créature, incapable de se libérer de son emprise.

Les gardes du corps se précipitèrent sur la voiture, mais trop tard; ils aperçurent alors Barberini qui disparaissait à l'intérieur. Ils pointèrent le canon de leurs armes vers la créature, mais n'osèrent pas faire feu, de peur d'atteindre du même coup le parrain.

Coincé entre les banquettes, Barberini sentait le corps de la créature, véritable masse de chairs gélatineuses, rouler sur lui. Un poids de plusieurs tonnes lui écrasait la poitrine. Il suffoquait. Il allait supplier qu'on l'épargne, quand la créature lui murmura d'une voix faible:

— Vous n'aurez jamais mon fils. Irène n'aura jamais mon fils.

Et elle expira, l'ensevelissant sous des kilos de chair morte. Barberini mourut asphyxié.

Un des gardes du corps déchargea son fusil-mitrailleur sur Margot. Le sang pissa comme d'une fontaine, éclaboussant les vitres et les banquettes. Le chien de Tank accourut, attiré par l'odeur. Il se faufila entre les pattes des parrains et des gardes, grimpa par la fenêtre ouverte du véhicule et lapa goulûment le sang qui imbibait la banquette. Dans une folle tentative pour dégager le corps de Barberini, les gardes chassèrent le monstre puis, à l'aide d'une hache de sapeur-pompier accrochée au mur, firent sauter la porte de la limousine. Une fois celle-ci arrachée, ils entreprirent de dépecer le corps de Margot, car ils n'arrivaient pas à le soulever. Au beau milieu de la boucherie, après qu'ils eurent constaté la mort de Barberini, une voix monta au loin qui les appelait au manoir.

Gardes et parrains abandonnèrent leur sinistre besogne et se dirigèrent vers le porche dont ils escaladèrent en vitesse les quelques marches. Armes au poing, poussés par un puissant instinct de vengeance, ils s'engouffrèrent à l'intérieur. Un malaise les étreignit, une sensation d'oppression. Ils ralentirent le pas, traversèrent le vestibule, puis plongèrent dans un long corridor, qui n'était éclairé que par le halo de quelques appliques murales. Ils débouchèrent sur un hall d'impressionnantes dimensions, dont le plafond leur parut atteindre la hauteur d'une cathédrale.

— Y'a quelqu'un? cria le parrain Di Caesare, qui avait pris la tête de la troupe.

Les gardes du corps avaient le doigt sur la détente de leurs fusils-mitrailleurs.

Imposant, solidement campé au pied de l'escalier, Di Caesare attendait que quelqu'un se manifeste. C'est alors qu'il huma les effluves d'en entêtant parfum de fleurs en décomposition.

Il décida de suivre l'odeur, qui le conduisit au corridor qui plongeait sous l'escalier. Le parfum s'intensifia à mesure qu'il progressait et l'amena devant de larges portes ornées de moulures.

— Ici, fit-il à l'adresse de ses gardes du corps.

Ses fils Ricardo et Paolo abattirent les portes à coups de crosses.

Ricardo et Paolo étaient de véritables fauves. Di Caesare avait parfait à leur éducation à coups de taloches et de coups de pied au cul. Dès leur adolescence, il les avait familiarisés avec l'art de la guerre et de la vendetta, ne les autorisant à revenir à la maison qu'après avoir tabassé au moins une de ces mauvaises langues qui le traitaient de fils de pute. En guise de preuve que les règlements de comptes avaient bien eu lieu, il exigeait qu'ils lui rapportent la langue des coupables. Les fils avaient charcuté un nombre impressionnant de victimes. Assez pour que Di Caesare se mette un jour à collectionner ces langues; il les conservait dans des bocaux remplis de formol sur les rayons de sa bibliothèque entre les collections de coléoptères et de papillons de nuit.

Ricardo et Paolo ne craignaient ni bêtes, ni hommes, ni dieux. Ils bombèrent le torse, serrèrent les mâchoires et pénétrèrent dans une salle de bal, constituée de plusieurs petits salons en enfilade. Ils s'assurèrent que la voie était libre, puis invitèrent leur père à y pénétrer.

La pièce était somptueusement meublée, des îlots de canapés et de fauteuils Chippendale à motifs fleuris s'y succédaient, de luxueux tapis persans recouvraient une marqueterie merveilleusement travaillée. Di Caesare se promit d'en rapporter chez lui quelques belles pièces.

À l'autre extrémité de la salle, un rougeoiement de braise indiquait la présence d'un foyer. Di Caesare s'y dirigea. Un fauteuil à oreilles faisait face au foyer.

Il crut soudain y apercevoir quelqu'un. Il s'immobilisa. Un bras émergeait du fauteuil, une canne se dressait vers le plafond ainsi qu'un bras exterminateur. Une voix de vieille femme monta alors.

— Je n'aime pas qu'on entre chez moi sans frapper.

— J'ai frappé, rétorqua Di Caesare, faisant allusion aux portes qu'il venait d'enfoncer.

— Je n'aime pas qu'on se paye ma tête!

Devant le ton impérieux qu'on employait à leur endroit, Di Caesare et les autres parrains échangèrent des regards intrigués. Ils s'approchèrent afin de connaître l'identité de leur intrépide interlocutrice. Stupéfaits, ils découvrirent le visage d'Irène. Ils reculèrent d'un pas.

— Je ne veux pas de sang sur mes tapis, tonna Irène, qui avait remarqué les semelles de Di Caesare et de ses fils encore imbibées du sang de Margot. Ce sont des tapis inestimables!

Les yeux rivés sur la peau flétrie et violacée d'Irène, Di Caesare et les autres parrains n'arrivaient pas à en détacher leurs regards. Tous fixaient les lourds fanons de chair mauve qui pendaient sous son menton.

Irène donna trois coups de canne sur le plancher. Par une porte dissimulée derrière un panneau du mur, apparurent alors Tank, Fridolin, La Dolores et Le Singe. Ils vinrent se placer derrière le fauteuil d'Irène dans une sorte de garde-à-vous gauchement exécuté. L'effet était pitoyable, à la limite du ridicule.

— Voilà l'ensemble de mes troupes, déclara Irène.

Di Caseare et les autres parrains croyaient nager en plein fantastique. Eux qui, tout au long de leur vie, avaient fréquenté les plus ignobles ordures, ils restaient là, littéralement hypnotisés par la grotesque galerie de personnages qui s'étalait sous leurs yeux. Tank arborait méchamment sa cicatrice en forme de fer à repasser, Fridolin avait encore une fois échappé son œil, qui roulait par terre. Le Singe ressemblait plus que jamais à une asperge qui a poussé trop vite; quant à La Dolores, juchée sur d'inaccessibles talons hauts, le postérieur ostentatoirement dressé, elle pointait ses seins comme une paire de torpilles prêtes à fendre les flots.

Di Caesare et les parrains renoncèrent à leur attitude méfiante et laissèrent aller un grand rire moqueur. La situation avait quelque chose d'absurde. Ainsi, ces quelques personnages loufoques représentaient toute l'organisation du Tigre bleu! C'était à peine croyable. Les gardes rengainèrent leurs Magnum 45, Ricardo et Paolo abaissèrent leurs fusils-mitrailleurs. Les parrains lancèrent quelques plaisanteries grossières à La Dolores en se promettant bien de ne pas quitter le manoir sans avoir tiré un coup avec elle.

— J'étais impatiente de vous rencontrer, messieurs, fit Irène d'une voix cordiale. Excusez-moi de vous avoir fait attendre, j'avais des choses urgentes à expédier. Vous avez des offres à me faire, paraît-il?

Un instant distraits par les charmes ravageurs de La Dolores, les parrains se rappelèrent subitement le motif de leur visite. Bien qu'ils eussent encore la mort de Barberini sur le cœur, ils n'entendaient pas en discuter maintenant, car ils ne voulaient pas compromettre les négociations.

— Je crois, madame, qu'il ne nous reste plus qu'à en arriver à un accord, fit Di Caesare le plus civilement du monde.

— Vous avez raison, parrain. Il faut en arriver à un accord. Mais sûrement pas ce soir. Si vous n'y voyez pas d'objection, messieurs... vu mon grand âge et l'heure tardive, je crois qu'il serait préférable de reporter la rencontre à demain. Une bonne nuit de sommeil me ferait le plus grand bien.

Di Caesare réfléchit un moment puis, observant

Irène qui feignait un coup de fatigue, il répondit à regret.

— Bien sûr, madame.

— Je suis certaine que demain de bonne heure, mon esprit se montrera plus alerte, poursuivit Irène. Je profite de cette occasion pour vous offrir l'hospitalité. Comme vous voyez, ce ne sont pas les chambres qui manquent ici. Si vous avez envie de passer la nuit au manoir, ce sera un grand honneur pour moi de vous y recevoir.

Là-dessus, La Dolores adressa à chacun des parrains une œillade pleine de promesses. Émoustillés par l'invitation de La Dolores, après un court conciliabule, les parrains acceptèrent la proposition d'Irène.

— J'ai fait aménager un dortoir sous les combles, à l'attention de vos hommes. Dès que l'envie vous prendra de gagner vos chambres, vous n'aurez qu'à en faire part à La Dolores, elle se fera un plaisir de vous y conduire.

Après avoir adressé à Irène les salutations d'usage, ils emboîtèrent le pas à La Dolores, aiguisant déjà leur libido sur les appétissantes rondeurs de sa croupe.

Au dernier moment, Irène demanda à Di Caesare la faveur d'un court entretien. Le parrain revint vers elle en compagnie de ses deux fils.

Irène attendit que les autres aient quitté la pièce, puis invita Di Caesare à la suivre. Elle prit le chemin de sa chambre, qu'elle avait fait aménager au rez-de-chaussée, dans l'ancien salon d'hiver, afin que sa jambe malade n'ait pas à gravir les escaliers. Lourdement, d'une démarche chaloupée, à chacun de ses pas elle s'appuyait sur sa canne.

Di Caesare et ses fils marchaient derrière elle dans un embarrassant silence, toujours aussi fascinés par la coloration de sa peau. Cette femme avait quelque chose d'irréel, pensait Di Caesare.

À la porte de sa chambre, Irène, quelque peu essoufflée, brisa le silence.

— Je regrette pour Barberini.

— Sa mort va sûrement déchaîner sur vous une guerre terrible, répliqua Di Caesare.

— C'est de sa faute. Il n'avait qu'à ne pas se fourrer le nez là... J'avais fait condamner le garage.

— Condamné, c'est vite dit. Le garage était habité. On y a découvert quelqu'un, vous savez... Une espèce de... de créature... Au fait, qui était-ce?

— Une personne dont je désirais me débarrasser depuis longtemps. Une forte tête. Je ne tolère pas les fortes têtes. Sans le savoir, vous m'avez rendu un fier service. Tôt ou tard, j'aurais dû accomplir cette tâche moi-même... Vous savez que les Colombiens m'ont aussi fait d'intéressantes propositions au sujet de la Kam Fung Import-Export?

— Oui, je sais.

— Comment l'avez-vous appris?

— Mais, madame, c'est l'évidence même. Les Colombiens sont ici, au manoir. Ils attendent à la porte.

—Ah, oui! Pourquoi n'entrent-ils pas? reprit Irène qui feignait l'innocence.

— Pour le moment, ils préfèrent s'enfermer dans leur véhicule. Ils se méfient. Ils attendent qu'on leur ouvre les grilles pour filer. Ils devaient s'imaginer que la rencontre se déroulerait dans de meilleures conditions.

— Il n'y aura pas d'autres rencontres, décréta Irène.

— Heureux de vous l'entendre dire.

— Il n'y aura pas d'autres rencontres, car c'est cette nuit que tout se jouera. Je ne ferai affaire qu'avec de vrais hommes. Pas avec une bande de lavettes qui préfèrent se terrer dans leur voiture plutôt que de faire face à la musique... J'aime les *vrais* hommes. Les hommes comme *vous*, parrain.

Le parrain se rengorgea.

Irène était au courant de la guerre sans merci que se livraient clans italiens et caïds colombiens pour le contrôle du trafic des stupéfiants aux États-Unis. Avec son instinct affûté de bête, elle devinait que ce n'était pas sans raison que Di Caesare acceptait de la rencontrer seul à seule. Il savait sûrement ce qu'elle s'apprêtait à lui proposer. Et il ne manquerait pas d'accepter. Son intuition lui disait que Di Caseare était le type d'homme qui voudrait accaparer les profits faramineux que rapporterait la Kam Fung Import-Export. C'était un ambitieux sans conscience ni morale. Dès qu'il en aurait la chance, il n'hésiterait pas à se débarrasser des autres parrains. Après tout, des milliards de dollars étaient en jeu.

Irène demanda à Di Caesare et à ses fils de l'attendre un moment à l'extérieur de sa chambre, puis s'y enferma.

Elle avait acquis la certitude que, dans un avenir rapproché, elle ferait affaire avec Di Caesare uniquement. Elle se voyait déjà partager avec lui les formidables profits qu'allaient générer les ventes d'Aphro-14 sur le marché américain de la drogue. Elle tenait là son homme. À elle de jouer. Elle décrocha le téléphone puis, sans explications, elle ordonna à Tank:

— Liquide les Colombiens, ça presse.

Chapitre 28

Tank s'approchait en douce de la limousine des trafiquants. Il faisait nuit, le véhicule n'était éclairé que par un rai de lumière provenant d'un réverbère de la rue. Le moteur tournait toujours, les vitres étaient maintenues fermées. Tank comprenait pourquoi les Colombiens n'étaient pas descendus de la voiture; depuis des heures, ils étaient tenus en respect par son chien. La bête vicieuse, les yeux qui vomissaient des torrents de rage, ne cessait de tourner autour du véhicule. L'écume aux lèvres, elle grimpait tantôt sur le capot, tantôt sur le toit, avec des bonds spectaculaires. Ses mâchoires d'acier dépeçaient littéralement le véhicule. Les poignées des portières, les essuie-glace ainsi que les rétroviseurs latéraux avaient été arrachés, des coulées de bave séchaient le long des vitres, la carrosserie avait été lacérée par ses griffes puissantes, les pneus étaient à plat.

Tank se planta derrière le véhicule, puis, après avoir craché dans les paumes de ses mains, agrippa le pare-chocs. Sans vraiment faire d'effort, il souleva le véhicule au niveau de sa taille. Il était d'une force prodigieuse. Espérant échapper à son emprise, le chauffeur de la limousine embraya en marche avant et poussa l'accélérateur à fond. Le moteur s'emballa, mais les roues arrière roulèrent dans le vide. Une épaisse fumée bleue s'échappa du capot, puis le moteur cala, définitivement hors d'usage.

Tank laissa alors retomber le véhicule et entreprit de le pousser jusqu'au garage. Une fois à l'intérieur, il s'empara de la hache de sapeur-pompier qui avait servi à dépecer le corps de Margot et en appliqua de violents coups sur les serrures pour les disloquer. Il était maintenant impossible aux Colombiens d'ouvrir les portières de l'intérieur. Et ils ne pouvaient pas davantage ouvrir les vitres électriques, puisque le moteur s'était noyé. Tank grimpa finalement sur le toit du véhicule, puis, avec la hache, pratiqua un trou de quelques centimètres au milieu. Il y déversa le contenu d'un bidon d'essence, gratta une allumette et l'y jeta. Il se précipita par terre. L'endroit se transforma en fournaise, le véhicule s'embrasa, les Colombiens flambèrent comme des torches Une épaisse fumée noire envahit l'endroit, de terrifiantes gerbes d'étincelles s'échappèrent par la porte ouverte. Tank laissa les corps se consumer, puis, avant que le feu ne se propage à l'ensemble du bâtiment, éteignit le brasier à l'aide d'un extincteur. Il contempla la carcasse carbonisée; satisfait, le visage encore rougi par la chaleur, il gagna la cuisine du manoir où il téléphona à Irène.

— C'est fait! annonça-t-il sans émotion.

Chapitre 29

Irène venait de raccrocher. La voie était libre pour l'exécution de son plan. Elle fit pénétrer Di Caesare et ses fils dans sa chambre. La pièce croulait sous une avalanche d'objets. En plus d'un lourd mobilier anglais de style victorien, des dizaines de bibelots à l'effigie du tigre étaient posés un peu partout, sur les commodes, les tables d'appoint, les guéridons, les chaises, par terre, et jusque sous son lit. Irène attachait une grande importance à sa collection. Certains spécimens étaient sculptés dans la pierre, d'autres coulés dans le bronze, d'autres encore faits en verre ou en terre cuite. Une paire de tigres miniatures en provenance du Mexique, colorés et naïfs, faits de mie de pain, constituait le point central de cette collection. Irène les fit admirer à Di Caesare et à ses fils. Le lit, démesurément large, occupait la plus grande partie de la pièce. À son pied, une peau de tigre était étalée sur le plancher. Un courant d'air charriait des moutons de poussière entre les crocs de sa gueule ouverte.

Impressionné par la dépouille de l'animal, Ricardo s'accroupit afin d'examiner de plus près ses crocs.

— Une bête unique, déclara Irène. Un tigre du Bengale. En voie d'extinction.

— Vous l'avez tué vous-même?

— Non. J'aime les gibiers autrement plus coriaces.

Là-dessus, Irène appuya sur une sonnette dissimulée derrière la tête de son lit.

Fridolin se présenta à la porte. Irène lui avait fait revêtir un tuxédo, il faisait maintenant fonction de majordome. Il marchait raide, les reins cambrés. Irène lui ordonna d'apporter le téléviseur. Il revint de la pièce voisine en roulant l'appareil. Il fit coulisser les portes en accordéon d'un placard qui jouxtait le lit, découvrit une série d'appareils électroniques, puis brancha le téléviseur.

Di Caesare était intrigué.

— Qu'est-ce que c'est que ces appareils? demanda-t-il à Irène.

Irène s'affala sur son lit, tapotant le matelas de ses mains pour inviter Di Caesare et ses fils à prendre place à ses côtés. Après un brcf moment d'hésitation, les trois s'assirent; ils avaient l'air de se soumettre à une séance de télévision familiale.

Irène déclara alors:

— Oubliez les Colombiens. Ils ont été liquidés.

Di Caesare et ses fils bondirent, menaçant Irène du canon de leurs Magnum 45.

— Du calme, je vous prie, rasseyez-vous. De toute façon vous n'y pouvez rien. Il est trop tard, les ordres ont d'ores et déjà été exécutés.

— Les ordres de qui?

— Les miens.

Les fils de Di Caesare tenaient toujours le canon de leurs armes braqué sur Irène. Mais celle-ci ne se laissa pas démonter. Elle ajouta d'une voix posée:

— Prenez place à mes côtés, parrain. Vous comprendrez bientôt où je veux en venir. J'ai quelque chose de la plus haute importance à vous montrer.

Di Caesare maîtrisait avec peine son anxiété. En outre, les effluves du parfum d'Irène commençaient à provoquer chez lui de sérieux étourdissements.

— Nous allons faire des affaires ensemble, continua-t-elle.

— Il n'en est pas question.

— Allez, parrain! Vous savez comme moi que nous

sommes de la même trempe. Nous sommes faits pour nous entendre.

— C'est vous qui le dites. Ne prenez pas vos désirs pour des réalités, madame.

— Je ne vous demande qu'une chose. Assistez avec moi au spectacle auquel je vous convie. Je vous jure que vous serez alors à même de prendre votre décision.

— Ma décision est déjà prise.

— Je crois que votre décision est prématurée, parrain.

Irène mit le téléviseur en marche. L'appareil était relié à une série de caméras dissimulées un peu partout dans les chambres à coucher du manoir.

La première image que diffusa le téléviseur embarrassa Di Caesare au plus haut point. Le parrain Fanucchi était en train de faire l'amour à La Dolores. Enfin... si on peut appeler ça faire l'amour. Sous l'emprise de pulsions dévastatrices, le septuagénaire à la peau blanche comme du petit-lait et au crâne dégarni, les yeux brûlants de fièvre, la lippe pendante, s'élançait sur La Dolores tel un train qui a perdu l'usage de ses freins. Il s'éloignait d'elle de quelques pas, puis se ruait à toute vapeur entre ses jambes, son pneu à la taille sautillant au rythme de sa course. De son côté, La Dolores haletait telle une locomotive escaladant un pic, avec des gloussements et des éclats de rire qui faisaient tinter la verroterie du plafonnier.

Di Caesare connaissait Fanucchi depuis fort longtemps, mais c'est avec une certaine consternation qu'il était témoin de son comportement amoureux.

Allongé sur La Dolores, Fanucchi la pénétrait avec la frénésie d'un marteau piqueur. Vraisemblablement, il allait atteindre l'extase finale. Il pressait les fesses, se cramponnait à la croupe de La Dolores, poussait des gémissements qui auraient pu tirer une ville entière de son sommeil. Il explosa finalement, puis s'écroula sur la poitrine de La Dolores, exténué, vidé comme une éponge. Il se redressa subitement au milieu du lit, les mains pressées sur le cœur. Il semblait vouloir se l'arracher de la poitrine. Son visage convulsé était déformé par d'horribles grimaces.

Di Caesare bondit.

— C'est une crise cardiaque! Vite, qu'on lui fasse porter ses comprimés de nitroglycérine! Il a déjà subi deux pontages.

— Rasseyez-vous, lança durement Irène. Nous n'y pouvons rien. Laissez-le crever.

Di Caesare se retourna vers elle, sans comprendre. Puis, son esprit s'éclaira. Il se rassit sans protester, se faisant ainsi le complice d'Irène.

Sur l'écran, La Dolores allongeait le bras vers sa table de nuit. Sa main cherchait hâtivement parmi les nombreuses boîtes de pilules qui s'y trouvaient. Elle s'empara d'un tube de comprimés.

— Aphro-14, fit Irène d'une voix glacée.

Les yeux rivés sur l'écran, Di Caesare et ses fils s'interrogeaient sur ce qui allait maintenant s'y dérouler.

La Dolores forçait le parrain à avaler une minuscule gélule brunâtre qu'elle lui enfonçait dans la gorge.

Ricardo protesta.

— Mais... Elle va le tuer. Il... il ne va pas remettre ça. Son cœur va claquer.

— Tais-toi et regarde, fit son père.

Sous l'effet de l'Aphro-14, Fanucchi s'était à nouveau jeté sur La Dolores, l'écume aux lèvres. Un insatiable appétit de sexe le dévorait. L'un après l'autre, il introduisit dans sa bouche les mamelons éclatés de La Dolores. Il pétrissait à pleines mains les cuisses charnues de La Dolores, comme si elles étaient de la pâte à pizza. Il mordit ses fesses rondes, y laissant l'empreinte de son râtelier. Il hennissait, bêlait, miaulait, aboyait tour à tour. Il se leva soudain et se mit à galoper autour du lit tel un vieux canasson, hurlant d'une voix aigrelette.

— Je suis ton étalon, ma belle. Je suis ton étalon.

— Pas si fort. Ta jument n'est pas sourde, s'esclaffa La Dolores.

Di Caesare restait vissé à l'écran, bouleversé, abasourdi, choqué, étonné, séduit. Il commençait à découvrir les immenses possibilités que représentait l'Aphro-14; la puissance de cette drogue pouvait transformer des êtres normaux en bêtes désaxées et avides de sensations charnelles. Il souhaita tout à coup qu'Irène ait déjà liquidé les autres parrains; plus que jamais il désirait s'emparer seul de la Kam Fung Import-Export.

Sur l'écran, Fanucchi, insatiable, venait encore une fois de se lancer à l'assaut de La Dolores. Son organe, réputé pour avoir la taille d'une arachide, s'était mis à gonfler, à doubler de volume, Dieu de Dieu, voire même à tripler, pour atteindre les dimensions phénoménales d'un rouleau à pâte. On aurait aisément pu y suspendre un haut-de-forme.

À la vue des dimensions du «simple appareil» du parrain Fanucchi, Ricardo et Paolo ne purent contenir un soupir de dépit.

— Il nous faut coûte que coûte mettre la main sur cette drogue, marmonnèrent-ils.

Sur l'écran, Fanucchi se leva au milieu du lit, bien appuyé sur ses jambes. Il se mit à sauter sur le matelas comme sur une trampoline. Il accomplissait des sauts prodigieux. À chaque bond sa tête rasait le plafonnier. Soudain, au lieu de remonter vers le plafond, son corps fut projeté dans une autre direction. Il fit un incroyable saut arrière de plus de deux mètres, puis atterrit miraculeusement sur un chiffonnier, les pieds bien à plat sur sa surface. Debout sur le meuble, la tête arrivant à la hauteur du plafond, Fanucchi n'en revenait pas de se trouver à cet endroit. Il imita le cri guttural de Tarzan, se martela la poitrine de ses mains. Puis comptant répéter son exploit, il se précipita dans le vide, en direction du lit. La Dolores l'y attendait, lui présentant fièrement sa croupe.

Mais le miracle ne se répéta pas; les vieilles jambes flageolantes du parrain ne lui permirent pas d'accomplir pareil bond, et il alla se rompre le cou sur une chaise. Le cadavre tomba sur le sol.

La Dolores se retourna et l'aperçut. Sans manifester d'émotion, elle se leva et, les yeux perdus, encore sous l'effet de l'Aphro-14, elle roula le cadavre sous son lit.

C'est alors qu'on frappa à sa porte. Elle enfila un affriolant déshabillé, puis alla ouvrir.

En bas, dans la chambre d'Irène, le visage de Di Caesare s'était figé dans une expression consternée. Son regard était devenu éthéré. Tout cela semblait si insolite, si abominable! D'autant plus qu'à ses côtés, tout le temps qu'avait duré l'insoutenable scène, Irène avait gardé son impassibilité. Di Caesare dut faire un réel effort pour regarder de nouveau le téléviseur.

Cimaglia entrait dans la chambre de La Dolores. Le cheveu blanc et lissé, le nez aquilin, racé, il faisait preuve d'une galanterie d'un autre âge. Il s'empressa de faire à La Dolores un fiévreux baisemain plein de grâce. Puis il retira son monocle et le déposa sur le chiffonnier.

Il entoura La Dolores d'une étreinte reptilienne. On voyait qu'il n'en était pas à ses premières armes. Il déshabilla La Dolores, puis l'allongea sur son lit afin de la contempler toute nue. Il retira ses vêtements. Avec des trémoussements et un sourire on ne peut plus enjôleur, La Dolores tendit au parrain deux capsules qu'il ingurgita. Il devait vite le regretter, car il se vit aussitôt affligé d'inquiétants symptômes. Des afflux sanguins lui martelèrent les tempes, son bas-ventre élançait de pulsions dévastatrices, ses testicules et son sexe semblaient sur le point d'éclater. De la racine de ses cheveux jusqu'à l'extrémité de ses ongles, son corps entier était la proie d'une troublante sensibilité. Le moindre souffle de La Dolores sur sa peau le pénétrait jusqu'au cœur et incendiait tous ses sens. Ses hanches furent soudain prises d'un incontrôlable mouvement de va-et-vient. Leur rythme s'accéléra graduellement, pour atteindre la vitesse d'un piston fou dans un cylindre de moteur. Cimaglia se jeta sur La Dolores pour lui faire l'amour, mais, sans le contrôle de ses hanches, il n'arriva pas à la pénétrer. Humilié, il se releva avec l'intention de regagner sa chambre. Il chercha à mettre la main sur ses vêtements. Ses hanches continuaient leur va-et-vient frénétique. Son visage était affligé d'une expression d'impuissance en même temps que d'une pitoyable résignation. Déséquilibré par les convulsions qui l'agitaient, il heurta en reculant le calorifère placé sous la fenêtre et bascula; la vitre vola en éclats, son corps fut précipité dans le vide et s'écrasa trois étages plus bas, sur le toit du porche.

Toujours assis aux côtés d'Irène, Di Caesare restait muet. Bien que la mort de Cimaglia provoquât chez lui quelques remords, il ne pouvait s'empêcher de s'en réjouir. La voie était désormais libre, il pouvait d'ores et déjà se considérer à la tête de la Kam Fung Import-Export. Il prévoyait éliminer sous peu Irène, considérant qu'elle ne pourrait résister à la puissance de son organisation. Il ordonna à ses fils de monter l'attendre à sa chambre.

Irène éteignit le téléviseur. Elle demanda à Di Caesare:

— Il n'y a maintenant plus que vous et moi. Que comptez-vous faire?

Le parrain fit preuve d'une étonnante franchise.

— Je compte diriger moi-même la Kam Fung Import-Export. Autant vous le dire tout de suite, à partir de maintenant, la Kam Fung Import-Export ne vous appartient plus.

— Vous vous montrez présomptueux, parrain.

— Madame, vous oubliez qu'il y a dans ces murs un escadron de tueurs prêts à vous abattre au premier signal de ma part.

— Vous ne ferez pas cela, parrain.

— Ah, non! Et qu'est-ce qui vous fait croire à une chose pareille?

— Vous ne m'abattrez pas parce que vous aurez bientôt besoin de moi.

— Je pourrai me passer de vos compétences, madame. La Kam Fung Import-Export n'est pas la première entreprise que je dirigerai.

— Et sans moi, avec quoi fabriquerez-vous l'Aphro-14?

— Par la madone! Avec de la poudre de caribou.

— Et où vous procurerez-vous cette poudre?

Di Caesare hésita.

— Euh!... D'après les renseignements qu'on m'a fournis... chez les Indiens Attisawins.

— Les Attisawins sont dirigés par le chef de bande Tommy Swallow, un ami personnel, répliqua Irène. Et jamais Swallow ne fera affaire avec vous sans mon autorisation. Il me restera toujours fidèle... Sans sa collaboration, vous «êtes fait», il n'y a pas de Kam Fung Import-Export. Autant vous le dire tout de suite, personne d'autre que Tommy Swallow ne vous approvisionnera en poudre de caribou.

— Je forcerai les Attisawins à me livrer la marchandise. J'ai un argument qui saura les convaincre.

— Lequel?

Le parrain tira de sa poche un Magnum 45.

— Celui-là.

Irène éclata d'un rire puissant.

— Eh bien, bonne chance si vous comptez rattraper les Attisawins avec ça. Ils seront insaisissables, pauvre vous. Ils se disperseront dans la nature à la première menace. Et il n'y aura alors rien à faire pour les retrouver. Le pays est une toundra désertique remplie de marécages. Des millions de kilomètres à parcourir. Des milliers de lacs. Bonne chance... Parrain, vous feriez mieux d'admettre tout de suite que je suis indispensable au bon fonctionnement de la Kam Fung Import-Export. Je vous le dis, sans moi, pas de poudre de caribou.

Ces révélations ébranlèrent Di Caesare. Il se mit à se trifouiller le nez, comme chaque fois qu'il traversait un dur moment d'indécision. Il demanda finalement à Irène:

— Que me proposez-vous?

— Une collaboration.

— En quels termes?

— Je vous approvisionnerai en poudre de caribou, en échange de quoi vous me céderez une partie de vos réseaux de distribution situés en territoire américain.

— Jamais! Je suis déjà solidement implanté aux États-Unis, j'ai des réseaux à la grandeur du pays. Ces réseaux restent et resteront sous mon entier contrôle.

— C'est à prendre ou à laisser, trancha Irène.

Et sans attendre que Di Caesare acquiesce à sa proposition, Irène élabora le plan de partage qu'elle avait conçu.

— Parrain, vous garderez sous votre contrôle les territoires de la Nouvelle-Angleterre, de New York, du Mid West, des États du Sud et de Miami.

Di Caesare sursauta devant l'apparente générosité d'Irène.

— Et vous?

— Je me réserve la Californie.

— Jamais! Même si j'admets que je dois faire des affaires avec vous, que vous ne me laissez pas le choix, je ne vous laisserai pas la Californie. J'ai la conviction que cet État sera un consommateur effréné d'Aphro-14. Beaucoup de gens y sont riches et désabusés. Ils voudront essayer l'Aphro-14. La drogue va y faire des ravages.

— Eh bien, ces ravages serviront mes profits et non les vôtres, décréta Irène. Vous aurez déjà sous votre contrôle les territoires de New York et de Miami, je juge que c'est suffisant.

— Miami! protesta Di Caesare. Mais c'est le mouroir de l'Amérique. Que des retraités. Soixante-dix pour cent de la population de Miami a déjà un pied dans la tombe, sinon les deux. Qu'est-ce que vous voulez que je tire d'un territoire comme celui-là?

— C'est mon dernier mot, menaça Irène.

Elle appuya de nouveau sur la sonnette dissimulée derrière la tête de son lit.

Tank se présenta, accompagné de son mastiff. Cette fois le truand était armé de sa Winchester.

Di Caesare fut effrayé à la vue de Tank et de son chien. La bête aux muscles saillants et aux yeux de charognard tenait dans sa gueule un objet bizarre. Di Caesare fixa l'objet: c'était une main calcinée! Il eut un haut-le-cœur. Il réalisait trop tard qu'il s'était montré imprudent en voulant rencontrer Irène seul à seule.

Ressortirait-il jamais vivant de cette pièce? se demandait-il. Le mastiff se jetterait-il sur lui? Il devait sans tarder regagner sa chambre et se placer sous la protection de ses fils. Il tendit une main ferme à Irène et mit fin à la négociation.

— Marché conclu. Vous garderez pour vous la Californie.

Et il quitta la pièce à la hâte, trop heureux de laisser derrière lui Tank et son terrifiant molosse.

Cette nuit-là il dormit mal. Dans ses cauchemars, il se vit poursuivi par le mastiff qui lui arrachait les mains et les mâchait comme du chewing-gum. Quand il se leva le lendemain, un mal de bloc lui scindait le crâne en deux, son corps courbaturé lui donnait l'impression qu'il avait passé la nuit suspendu à une corde à linge. Il devait maintenant affronter les gardes du corps de Fanucchi et de Cimaglia afin de justifier leur disparition suspecte.

Il avala le déjeuner qu'Irène leur avait fait servir, puis monta au dernier étage où se trouvait le dortoir improvisé. Il réussit à faire croire aux gardes que les parrains avaient dû partir précipitamment pendant la nuit, appelés à New York pour une affaire d'une extrême urgence. Tous se retrouveraient à la fin de la journée à la résidence de Cimaglia, à Long Island.

En regagnant sa chambre, Di Caesare réalisa qu'il devrait joindre les familles de Barberini, Fanucchi et Cimaglia, afin de leur apprendre la nouvelle de leur mort. Si jamais elles venaient à découvrir l'entente qu'il avait conclue avec le Tigre bleu, une effroyable guerre de gangs s'ensuivrait.

Chapitre 30

C'est ce qui était arrivé. Les familles siciliennes de la mafia new-yorkaise n'avaient pas tardé à découvrir que Di Caesare avait partagé le marché américain de l'Aphro-14 avec le Tigre bleu. Dans un effort concerté, elles lui avaient déclaré une guerre sans merci; Di Caesare avait vu peu à peu son clan décimé; on découvrit même sa sœur dans une bouche d'égout, flottant parmi les immondices. Afin d'éviter que ne se prolonge davantage le bain de sang, Di Caesare avait dû se résoudre à une reddition sans condition. Les autres clans lui avaient fait céder la totalité des profits qu'allaient rapporter les ventes d'Aphro-14 à l'intérieur des territoires placés sous son contrôle.

Depuis, l'Aphro-14 circulait librement dans les grandes villes américaines. Après Montréal, ce fut au tour de New York, de Los Angeles et de Chicago de se mettre à l'heure du puissant aphrodisiaque. L'Aphro-14 était vite apparu comme la nouvelle drogue chic, celle que consommaient les jeunes loups de Wall Street, les personnalités politiques, les idoles du sport et le monde du show-business. Le commun des mortels s'y était ensuite adonné. Sa consommation croissait à un rythme vertigineux, et elle n'était pas sans entraîner des conséquences désastreuses sur l'ensemble de la société nord-américaine. L'économie en était affectée, la capacité de production des grandes multinationales déclinait de jour en jour. Cadres et employés ne se présentaient tout bonnement plus au travail, occupés qu'ils étaient à récupérer après les folles nuits passées sous l'emprise de l'Aphro-14. De grandes entreprises s'étaient vues dans l'obligation de fermer leurs portes. On courait à la catastrophe. Les autorités gouvernementales tardaient à instaurer les mesures nécessaires, car bon nombre de personnes politiques, de sénateurs, de députés, tant américains que canadiens, s'étaient eux aussi mis à consommer cette drogue. La société sombrait dans l'anarchie la plus complète. La vie de chacun s'en trouvait affectée. Les autobus ne respectaient plus leurs horaires, certaines lignes aériennes accusaient des retards considérables; dans les grands magasins, on voyait fréquemment des vendeuses abandonner leurs clients. Aux portes des hôpitaux et des cliniques, les médecins laissaient pâtir leurs patients.

Les médias avaient tout de suite cherché à savoir d'où provenait cette drogue. Ils n'avaient rien trouvé de concluant, ils s'étaient tout bonnement heurtés au nom du Tigre bleu. Impossible de remonter la piste. Mais qui pouvait se cacher sous ce singulier pseudonyme? Le nom circulait sur toutes les lèvres. Les grands reporters affirmaient avoir trouvé la trace du Tigre bleu tantôt au Mexique, tantôt au Pérou, tantôt à Medellin, chez les barons du cartel de la cocaïne. Le Tigre bleu était devenu un symbole de réussite, tout comme les grandes personnalités de la mythologie financière américaine, Rockefeller, Dupont de Nemours, Howard Hugues. De même ce nom était abusivement utilisé à des fins commerciales; on ne circulait plus dans les rues de Montréal sans se voir harcelé par une profusion de Tigre bleu étalée sur les placards et les enseignes lumineuses. S'étaient multipliés les Bistro du Tigre bleu, Tigre bleu's Steak House, Tigre bleu Pool Room, Couscous Tigre bleu, Bijouterie du Tigre bleu. En dépit des affirmations des reporters, certains doutaient qu'il existât vraiment. La rumeur populaire, elle, prétendait qu'il habitait un vaste manoir surplombant la ville et qu'il était une femme affligée d'une peau violacée. Un géant défiguré par une cicatrice en forme de fer à repasser gardait sa porte, une folle aux turbans exotiques se donnait en spectacle, nue, dans ses fenêtres, un majordome portant un œil de verre qui sautait comme une puce la servait; sa fortune lui aurait permis d'acheter d'un bout à l'autre la rue Sainte-Catherine.

Quelle part avait là-dedans la réalité?

En fait, le Tigre bleu était tout cela, et bien plus encore. Depuis son association avec la mafia new-yorkaise, Irène avait amassé une fortune colossale et régnait en roi et maître sur la ville. Elle tenait l'appareil judiciaire et administratif sous sa férule, ce qui lui permettait de donner libre cours à son lucratif trafic. Elle venait justement, il y a quelques jours à peine, d'obtenir la complicité des hautes instances politiques grâce à un odieux chantage. Se présentant comme une riche veuve philanthrope, elle avait offert dans son manoir un dîner-bénéfice aux profits d'une œuvre charitable. Tout le gratin de la société y avait été invité, depuis Théodore Boucher, le maire de la ville, jusqu'au fameux Francis Boulva, le directeur de la police. À 20 heures pile, les distingués invités étaient arrivés en compagnie de leurs épouses. La tenue de soirée était de rigueur. Comme tout événement mondain, la soirée avait débuté dans une grande retenue. Elle n'avait toutefois pas tardé à prendre des allures de véritables bacchanales. Dans la vaste salle du manoir, Irène avait fait dresser un buffet somptueux où se succédaient les buissons de crevettes, les roulades de saumon fumé, les œufs en gelée, les aspics, les petits fours, le homard Thermidor et le bœuf Wellington. Un exceptionnel caviar iranien était presque servi à la louche, le champagne coulait à flots. Ce dernier jaillissait d'une gueule de lion en argent massif et s'écoulait dans un bassin en forme de conque où flottait un tapis de lys blancs. Un kilo d'Aphro-14 avait été dissous dans le précieux liquide. Quand on sait qu'une simple gélule suffisait pour délier la libido la plus timorée, il y avait là de quoi envoyer la planète en orbite pendant quelque temps. Le résultat n'avait pas tardé: les invités s'étaient peu à peu laissés aller à un comportement décadent, ils avaient abandonné les fastueuses tables du buffet pour se précipiter dans les chambres à coucher des étages supérieurs. Le manoir s'était transformé en véritable bordel; des poursuites effrénées en petites tenues avaient eu lieu jusque dans les couloirs, à la vue de tous. Des hurlements avaient jailli des gosiers les plus nobles. On se battait sauvagement, on crevait des matelas, on démembrait des tables de nuit, on charroyait des lits dans les coins les plus reculés des chambres.

Irène avait attendu que les ébats atteignent leur paroxysme avant de demander à Tank d'y mettre fin. Le truand avait vidé le chargeur de son arme sur le plafond de la salle à manger, le vacarme avait fait redescendre les invités.

Retrouvant sa lucidité, le gratin de la ville avait fait cercle autour d'Irène, honteux de son comportement. Mais que leur était-il tous arrivé? Pas un qui ne se douta qu'il s'était trouvé sous l'emprise de l'Aphro-14.

Irène avait tenu ce discours:

— Gens de la haute, je vous remercie chaudement d'avoir accepté mon invitation. J'espère que vous avez passé de bons moments. En guise de souvenir, afin que tous se rappellent cette mémorable soirée, j'ai fait enregistrer sur cassette vidéo les meilleurs moments de vos ébats.

Les invités avaient pâli d'un même effroi. L'épouse du maire Théodore Boucher s'était évanouie; quant au directeur de la police, il avait plongé une tête atterrée entre ses mains afin d'éviter les regards.

Irène avait projeté l'orgie sur un écran géant; le spectacle s'était révélé d'une cruauté sans borne. À mesure que les scènes s'étaient mises à défiler, les visages des invités avaient commencé de se décomposer. Les uns après les autres, ils avaient fondu en larmes. On pouvait maintenant associer chacun des visages à des fesses gélatineuses, à des essoufflements de phoque, à des seins affalés, à des bedaines monstrueuses, à des champs de varices ou à des organes dont les mensurations étaient jusque-là demeurées secrètes pour cause de ridicule. Au terme de la projection de dix minutes, tous braillaient en chœur.

Irène avait déclaré:

— À partir d'aujourd'hui, aucun d'entre vous ne pourra se permettre de me refuser quoi que ce soit. Mes demandes seront exécutées comme des ordres. À la moindre opposition, je me ferai un plaisir de faire parvenir cette cassette aux médias.

Quelques gémissements de protestation avaient fusé, puis les invités étaient repartis chez eux, anéantis. Plusieurs n'entrevoyaient comme solution que le suicide. Seul le directeur de la police était demeuré auprès d'Irène. Ce n'est pas tant qu'il montrât plus de courage que les autres; il était une sangsue tenace capable de vous téter à mort. Il s'était lancé en sanglots aux pieds d'Irène.

— Que voulez-vous de moi?

Irène avait répondu:

— Retrouvez-moi au plus vite mon mari et mon petit-fils. C'est une question de vie ou de mort. Je n'ai pas la moindre idée de l'endroit où ils se cachent; depuis des mois je m'efforce vainement de retrouver leur trace. Il me les faut. Mais attention, il me les faut vivants.

Irène avait ensuite fourni un signalement assez détaillé de Potter et de Lucien.

Le soir même, vers 23 heures, le directeur rappelait Irène pour lui annoncer:

— Ils sont au cinéma Vieux Hollywood. Sur le boulevard Saint-Laurent. Coin Sainte-Catherine.

Chapitre 31

Le moral de Potter et de Lucien était au plus bas; de tout l'hiver ils n'avaient pas quitté le Vieux Hollywood. Ils vivaient dans le plus total dénuement. Ils n'étaient pas arrivés à ramasser assez d'argent pour se payer une chambre, aussi minable fût-elle. Leurs tentatives pour se trouver du travail avaient été des échecs. Lucien s'était d'abord remis à mendier, mais le quartier était peuplé de pauvres hères comme lui; il s'était vu lancer des capsules de bouteilles, des boutons de culottes, des croûtes de pain, des bouts de saucisses à hot-dogs racornis.

De son côté, Potter avait joué de malchance; à plusieurs reprises il s'était décroché un emploi, qu'il n'était jamais parvenu à garder. Il avait d'abord été embauché dans un lave-auto; assigné au séchage des voitures, il avait oublié d'appliquer de l'antigel sur le mécanisme intérieur des portières. On était à la fin de janvier, la température atteignait trente degrés sous zéro; à peine ressorties du garage, les portières avaient gelé, emprisonnant les conducteurs à l'intérieur. Les clients avaient rappelé des quatre coins de la ville, vociférant à pleins poumons qu'ils avaient dû sortir par les vitres. Il avait ensuite travaillé pour Monsieur Lo, un Chinois aux allures de mandarin affable qui avait une buanderie à quelques portes du cinéma. Potter avait par mégarde jeté dans une sécheuse un lot de pulls qui appartenaient à Gigi Papillon, la célèbre effeuilleuse du Café Cleopatra. Ils avaient rétréci au point qu'ils auraient à peine pu recouvrir le dos d'un chihuahua. Potter avait de nouveau été remercié de ses services.

Au milieu de l'hiver, la misère avait pesé à tel point qu'il avait songé à se prostituer. Il s'était rasé dans les toilettes du cinéma, s'était gominé les cheveux à l'aide d'un peu de beurre fondu provenant du comptoir à pop-corn, puis s'était installé à l'intersection du boulevard Saint-Laurent et de la rue Sainte-Catherine, le cœur du «marché de la viande». Dans sa naïveté, il croyait qu'une jeune femme riche l'accosterait rapidement. Il avait dû déchanter; il était resté plus de trois heures sur le trottoir par un froid de canard, sans qu'on lui porte le moindre intérêt. Tout ce qu'il avait attrapé en fin de compte, c'était une grippe à tuer un cheval. Une pute charitable lui avait conseillé de rentrer chez lui:

— T'es trop maigre. Tu fais peur, t'as l'air d'un déterré. Y'a personne qui veut coucher avec la misère. À ta place je changerais de métier. Et puis... entre toi et moi... tu pues le beurre.

Potter était revenu au cinéma dans un état de découragement épouvantable. Il n'en pouvait plus de vivre dans l'étouffante moiteur du Vieux Hollywood. Lucien non plus, d'ailleurs. Jusqu'à ce jour, ils s'étaient tapé plus de trois cent dix-sept représentations de *La ménagère s'envoie en l'air*, c'était un miracle qu'ils ne soient pas encore devenus cinglés. Afin de ne plus entendre les dialogues débilitants du film, Potter avait inventé des sourdines rudimentaires. Il chapardait des grains de maïs soufflé au comptoir à pop-corn, les mouillait d'un peu de salive, les pétrissait puis composait une sorte de pâte qu'il enfouissait au creux de ses oreilles. L'efficacité était étonnante; une fois munis de ces bouchons, c'est à peine s'ils entendaient le bruissement des conversations.

Tout l'hiver, par mesure d'hygiène, il avait traîné Lucien au bain public une fois par semaine. Quoiqu'il fût vétuste, l'édifice du Bain Généreux était propre et bien tenu. Potter gagnait la salle de déshabillage, hissait Lucien hors de son chariot, lui retirait ses vêtements, le rassoyait au fond du chariot, puis l'installait sous la douche où il le savonnait. Lucien pouvait rester des heures à se laisser pénétrer par les jets d'eau bouillante. Il reprenait alors goût à la vie, même si son corps demeurait toujours aussi tordu.

Potter et Lucien étaient d'une maigreur effrayante, leurs visages étaient devenus émaciés et pathétiques, leurs jambes squelettiques avaient pris la forme d'échasses.

Potter n'avait maintenant plus l'espoir d'émerger un jour de cette situation. Il ne quittait plus la salle de cinéma, ne voulant pas laisser Lucien à lui-même. Il se calait dans son fauteuil et regardait avec dégoût les images sur l'écran. Le souvenir de Marie-Scapulaire et le désir de la retrouver l'aidaient à tenir le coup. Il revoyait l'éclat de son sourire, sentait se poser sur sa peau le velouté de sa main, se presser contre sa cuisse son pubis embrasé. Il n'était toutefois pas question qu'il se rende auprès d'elle, c'était beaucoup trop risqué. Il pensa un jour à demander de l'aide à la guichetière du cinéma. Cette idée n'était peut-être pas bête après tout. En effet, depuis le temps qu'elle voyait défiler des clochards et des itinérants, celle-ci devait sûrement connaître un organisme de charité chargé de leur venir en aide.

— J'aurais dû y songer avant, se reprocha-t-il.

Il se dirigea vers le hall. La préposée lui parla de la Mission du Pêcheur, un refuge tenu par une bonne sœur et qui avait pour mission de nourrir et d'habiller les sans-abri de la ville; on pouvait y manger gratuitement, on n'avait qu'à faire la queue à la porte deux fois par jour, à 10 heures et à 16 heures.

— Beaucoup de gens se rabattent là, vous savez. Et pas seulement des clochards. Des chômeurs, des malades mentaux aussi. Qu'est-ce que vous voulez, depuis que le gouvernement a ouvert les portes des asiles, les malades mentaux courent les rues.

— Et où se trouve l'endroit?

— Pas très loin. Vous descendez jusqu'au port, à la rue de la Commune vous bifurquez vers l'est, et c'est là, dans l'entresol de la chapelle Notre-Dame-de-Bonsecours. La file de clochards vous indiquera l'emplacement... Mais je vous préviens, ça joue dur dans ce coinlà.

Potter remercia la préposée et revint vers Lucien. Il l'avertit qu'il devait le laisser seul quelques heures, le temps de leur trouver de quoi se nourrir. Devant la perspective de se mettre bientôt quelque chose de consistant sous la dent, Lucien se déclara prêt à attendre aussi longtemps qu'il le faudrait. Il souhaita bonne chance à Potter, puis le laissa filer.

Potter trouva sans difficulté la Mission du Pêcheur. Une longue file de clochards en haillons, de chômeurs désespérés, de simples d'esprit aux mouvements désordonnés attendaient devant ses portes. Les murs de la chapelle étaient noircis par la pollution, une statue de la Vierge se dressait sur le toit, orientée vers le fleuve. Des nuées de pigeons venaient se poser sur les bras tendus de la Vierge, lâchant leur fiente sur son socle de tôle semi-circulaire. Les pigeons fondaient à l'occasion sur la chaussée, attirés par quelques malheureuses croûtes rassies lancées par un clochard.

Potter se plaça au bout de la file.

— C'est bien ici la Mission du Pêcheur? demanda-t-il au type devant lui.

L'autre ne lui répondit pas, les yeux dans le vague. Les clochards qui le précédaient paraissaient tout aussi décrochés que lui. L'air absent, ils donnaient l'impression d'avoir l'éternité devant eux et de ne pas savoir qu'en faire. Potter en conclut que la Mission du Pêcheur devait être la dernière étape de l'interminable errance des sans-abri, le dernier échelon avant la tombe.

Les portes de la Mission s'ouvrirent enfin. Les clochards se ruèrent, telle une meute de loups affamés.

Potter pénétra dans une salle rectangulaire dénuée de fenêtres. Des tables de réfectoire s'alignaient, déjà dressées. Un portrait du Sacré-Cœur de Jésus occupait le mur du fond; un glaive transperçait le cœur du Rédempteur, qui perdait quelques gouttes de sang. Une cuisinière à gaz, des bonbonnes, une plaque à cuire, des cuves ainsi qu'un évier s'entassaient dans un coin en guise de cuisine. L'acier des cuves et des éviers reluisait de propreté, des casseroles suspendues au plafond laissaient voir la même brillance; le linoléum du plancher exhalait des odeur d'encaustique.

Les clochards se pressèrent autour des tables, puis se jetèrent sur les couverts. Certains avaient déjà empoigné leurs ustensiles et fixaient avec voracité le fond de leurs assiettes; ils semblaient attendre qu'un miracle se produise, c'est-à-dire qu'elles s'emplissent d'elles-mêmes.

Potter s'assit à côté d'un rouquin dans la trentaine, un type vêtu d'un imperméable kaki dont la toile était défraîchie et coiffé d'un feutre mou à la Humphrey Bogart.

— Je ne t'ai jamais vu ici auparavant, fit ce dernier. C'est la première fois que tu viens?

— Oui.

— Eh bien, mon vieux, bienvenue parmi nous.

Et il tendit à Potter une main mollasse.

— Je me présente: Jean-Pierre Bogart... le frère de Humphrey.

Sous le coup de la surprise, Potter serra la main du type en se disant qu'il devait s'agir là d'un des nombreux malades qui couraient les rues de la ville.

— Moi, c'est Potter.

— Potter! s'esclaffa l'autre. Eh bien, elle est bonne, celle-là! Tu parles d'un nom! Ta mère devait te haïr pour te donner un nom semblable.

Potter esquissa un sourire embarrassé, puis se mit à rire avec lui, pensant qu'il valait peut-être mieux ne pas le contrarier.

À l'autre bout de la table, un clochard éméché avec une épaisse moustache jaunie par le tabac se leva. Pour tout vêtement, il portait un sac à ordures en polythène, d'où jaillissaient une tête hirsute et des membres tannés par le soleil. Le type se mit à uriner dans un coin de la salle. Deux clochards bondirent sur lui et l'expulsèrent séance tenante.

— Le refuge de Sœur Pitance n'est pas une porcherie, beugla le premier.

— Ouais... ouais, bredouilla l'autre, ivre mort.

— Faut pas charrier... Faut... Faut tout de même savoir se tenir. On... On est des hommes. On n'est pas des bêtes.

— C'est qui ça, Sœur Pitance? demanda Potter à Jean-Pierre Bogart.

— Une nonne. Un cœur d'or. Une sainte. C'est elle qui tient le refuge. Sans elle, nous serions tous morts de faim depuis longtemps. Elle est la seule personne en ce bas monde qui éprouve encore du respect pour nous. Elle nous a toujours nourris comme ses enfants.

Une explosion de joie secoua la salle. Potter se retourna vers la cuisine. Sœur Pitance faisait son apparition parmi les clochards, traînant un lourd chaudron derrière elle. C'était une petite femme volontaire, dont le regard fiévreux était encadré par des lunettes rondes à monture métallique. Son dynamisme paraissait le fruit de quelque adrénaline mystique; comme mère Teresa, elle semblait animée d'une force capable de lui faire porter la misère du monde sur ses épaules. Elle était vêtue d'un costume blanc de nonne, une audacieuse cornette lui dessinait un profil de licorne.

Elle se mit à distribuer le contenu de son lourd chaudron; à pleines louches, elle remplissait de yogourt les bols des clochards.

Potter reçut sa portion. Sœur Pitance se pencha vers lui et, avec un chaleureux sourire, lui fit comprendre qu'il était le bienvenu à la Mission. Puis elle s'éloigna.

Potter l'observa. Elle circulait parmi les clochards, s'adressait à eux comme à de vieux compagnons d'armes. Elle passait parfois une main rassurante sur leurs têtes cotonneuses et sales, offrait à chacun une parole d'encouragement. Si un désespéré venait larmoyer dans ses bras et se mouchait à même ses jupes, elle s'arrêtait pour le consoler. Jamais son regard, son attitude ou ses gestes ne trahissaient d'impatience; elle se donnait entièrement à sa mission, comprenant qu'elle avait devant elle des êtres brisés par la malchance, le manque d'amour ou les revers de fortune.

Potter avait ingurgité trois bols de yogourt et il se demandait si on allait lui servir autre chose. Ce yogourt lui tombait sur le cœur; il était terriblement amer et avait un arrière-goût d'échalote. Potter en avait des aigreurs. Il allait demander à Jean-Pierre Bogart si la Mission avait l'habitude de servir des préparations culinaires aussi étranges quand le clochard grimpa sur sa chaise. Il devait être victime d'un accès de démence car il tentait de saisir au vol des corneilles imaginaires, il croassait, déployait ses bras vers le plafond. Potter jugea préférable de s'adresser à son autre voisin.

Ce dernier ne se fit pas prier pour engager la conversation. Son nom était Médor Sansouci, mais tous l'appelaient Médor 1er, empereur des clochards du Vieux-Montréal. Les rats lui avaient mangé une partie du pied droit, et il s'était de lui-même coupé un pouce lors d'un pari avec ses compagnons d'infortune. Il avait autrefois dirigé un des cabinets juridiques les plus célèbres de la ville, mais tout s'était écroulé lorsqu'il avait fait l'expérience de l'Aphro-14, poudre envers laquelle il avait tout de suite éprouvé une dépendance. L'Aphro-14 l'avait propulsé à des sommets d'extase, puis l'avait totalement anéanti, transformé en épave. Le visage couperosé, son nez n'était plus qu'une profusion de boursouflures.

Pour la première fois, Potter était à même de constater les effets de l'Aphro-14 sur l'être humain. Il était sidéré devant l'état de dégradation physique de Médor 1er, qui paraissait rongé jusqu'à l'os.

— Pourquoi a-t-il fallu que je touche à ça? gémissait Médor 1er. Regarde-moi, p'tit gars, une vraie loque. J'ai l'air d'avoir cent ans et j'en ai à peine quarante-cinq. Maudite vie! Par moments, j'ai le goût d'aller me jeter dans le fleuve.

— Ne dites pas ça, m'sieur, fit Potter.

— J'aimerais bien te voir à ma place. Pour moi, c'est la fin. Je suis au bout du rouleau.

— Mais, m'sieur, rien n'est jamais fini, y'a toujours un espoir que ça ira mieux. Faut croire en l'avenir.

Médor 1er se tourna lentement vers Potter et plongea un regard de reconnaissance au fond du sien. Le monde n'était donc pas aussi pourri qu'il le croyait. Et cette preuve, aussi petite fût-elle, lui faisait entrouvrir une porte sur l'espoir.

— T'as l'air d'un bon p'tit gars, toi! lança-t-il à Potter.

Potter s'empourpra.

— Ne rougis pas comme ça, t'as l'air d'une demoiselle, ajouta Médor 1er.

— Je ne rougis pas.

— Mais si, nom d'un p'tit bonhomme, ta peau est devenue écarlate comme celle d'une tomate.

Et Médor 1er quitta aussitôt son abattement.

— Merci d'avoir pris la peine de m'écouter. Ça fait chaud au cœur. C'est rare, aujourd'hui, quelqu'un qui sait écouter. Si un jour t'as besoin d'aide, viens me voir. Un mot seulement, et tous les clochards du Vieux-Montréal se soumettront à mes ordres... Je suis un homme puissant et respecté, tu sais... Pas de faveur à me demander, p'tit gars?

— Euh!... non, monsieur... monsieur Médor 1er.

— Tu es certain que je ne peux rien faire pour toi?

— Ben... c'est-à-dire que... mon grand-père et moi... on a trouvé refuge au Vieux Hollywood. Depuis des mois qu'on y est, on voudrait sortir de là.

— Le pire des trous, décréta Médor 1er.

— On se cherche du travail. On n'a même pas de quoi bouffer. C'est pour cette raison que je me trouve ici. La Mission, c'est ma planche de salut.

— Je vais vous en donner du travail, moi. Parole d'empereur. P'tit gars, va chercher ton grand-père et reviens me voir au plus vite.

— Quelle sorte de travail?

— Serais-tu méfiant, par hasard? Ou aurais-tu peur de te salir les mains?

— Non. Si je vous demande ça, c'est que mon grand-père est invalide.

— Ça ne fait rien. Cours le chercher quand même, on prendra tous soin de lui. Pas vrai, les gars?

Et les autres clochards assis autour marmonnèrent leur approbation.

— Vous travaillerez pour moi. Vous ramasserez avec nous les cannettes consignées qui traînent dans les poubelles du Vieux-Montréal. Toutes ces poubelles m'appartiennent. Leur contenu, je veux dire.

— Qu'est-ce que vous faites avec ça?

— On les revend aux épiceries, ça nous rapporte de quoi boire. Si tu travailles pour moi, tu toucheras ta part.

— Où est-ce qu'on couchera?

— Avec nous. Te fais pas de souci pour ça, chaque chose en son temps. J'ai un endroit qui n'est pas piqué des vers, un endroit que je t'indiquerai le moment venu. Pas question de dormir dans un conteneur à ordures ou sur une bouche d'aération, Médor 1er mérite mieux que ça.

Potter considéra un moment la proposition.

— D'accord, fit-il.

Et Médor 1er demanda à Sœur Pitance un autre bol de yogourt.

— Encore faim, mon vieux? s'enquit-elle.

— Oui, ma soeur... Par la même occasion, servez donc ce jeune homme. Regardez-le. Il est affamé. Il n'a pas mangé de tout l'hiver, il est maigre comme un clou.

Sœur Pitance remplit généreusement le bol de Potter. Mais Potter ne se sentait pas le courage d'avaler encore une fois cette mixture. Il attendit que Sœur Pitance se soit éloignée puis, repoussant son bol, demanda à Médor 1er:

— Euh!... J'aimerais savoir...

— Quoi, p'tit gars?

— Est-ce qu'on mange rien que du yogourt ici?

— Non. Aujourd'hui seulement. Car aujourd'hui, c'est le jour du yogourt.

Médor 1er expliqua comment procédait Sœur Pitance pour ravitailler la Mission du Pêcheur. Avec des centaines de bouches à nourrir et un budget des plus réduits, la nonne devait accomplir des prouesses d'ingéniosité. Tous les matins, elle frappait à la porte des grandes industries alimentaires et les priait de lui refiler les produits jugés impropres à la consommation générale. Si, par exemple, un fabricant de millefeuilles avait par mégarde fourré ses pâtisseries de moutarde au lieu de crème pâtissière, elle envoyait ici le lot. La Mission du Pêcheur se voyait quotidiennement expédier les denrées les plus invraisemblables. Et Médor 1er cita de mémoire: le consommé de bleuets, les chaussons au ketchup, le ragoût de boulettes aux brisures de chocolat. Aujourd'hui, on écoulait un arrivage de yogourt à l'échalote et au vin blanc.

— À la Mission du Pêcheur, conclut Médor 1er à la blague, on ne souffre jamais de la faim, on souffre d'ulcères à l'estomac.

Potter était complètement ahuri.

— D'ailleurs, pour ce qui est des vêtements, c'est la même chose. On porte ce que les gens veulent bien nous donner. Y'a un comptoir à l'étage supérieur, où quelques bonnes sœurs nous rafistolent tant bien que mal des vêtements dignes d'être portés.

Sur ce, Médor 1er enfourna son bol de yogourt et celui de Potter, puis se leva brusquement.

— Qui m'aime me suive, lança-t-il à la ronde.

Les clochards assis autour se levèrent. C'étaient de pauvres types qui ne demandaient qu'à travailler pour lui, en échange de quoi ils se plaçaient sous sa protection.

Bien que Potter commençât de s'inquiéter du sort de Lucien, resté au Vieux Hollywood, il emboîta lui aussi le pas à Médor 1er.

— C'est quoi, ton nom?

— Potter.

— Drôle de nom.

Potter expliqua qu'il avait passé son enfance assis sur un pot de chambre dans le seul but d'échapper à la domination d'Irène.

— Irène? C'est qui, ça?

— Ma grand-mère.

Potter dressa un terrifiant portrait d'Irène et décrivit avec quelle détermination elle ratissait la ville afin de lui faire expier un crime qu'il n'avait pas commis. Pour prouver que cette histoire n'était pas inventée, il tira de sa poche la dent de La Petite.

Médor 1er examina la dent, visiblement troublé.

— Vous savez, elle est dangereusement folle, tenta de le convaincre Potter. Et j'ai de bonnes raisons de croire qu'elle se trouve maintenant à la tête de l'organisation qui fabrique l'Aphro-14, la Kam Fung Import-Export... Même qu'elle se serait donné le nom de Tigre bleu.

— Tu as bien dit le Tigre bleu??? éclata Médor 1er.

Sa voix tonitruante résonnait aux quatre coins du Vieux-Montréal, ses yeux charriaient des flots de colère, sa respiration était devenue sifflante. Avant d'être terrassé par une crise d'apoplexie, il chercha à regagner son calme. Il plongea la main au fond de sa poche, en retira un curieux flacon qu'il porta à ses lèvres, but quelques gorgées, puis laissa échapper un formidable rot.

Le liquide que contenait le flacon avait une affreuse teinte jaunâtre: c'était du Chanel n° 5.

— Vous n'avez pas avalé ça? demanda Potter avec un air de dégoût.

— Certainement, grogna l'autre. Y'a de l'alcool là-dedans. Ça chauffe les boyaux. Pis ça coûte pas cher. On le pique dans une pharmacie que je connais. Exceptionnellement, le rayon des cosmétiques n'y est pas surveillé.

Potter comprenait pourquoi l'haleine de Médor 1er empestait à ce point le parfum.

La colère de Médor 1er reprit alors de plus belle.

— L'Aphro-14 m'a lavé. J'ai tout perdu. Tout. J'ai été radié de ma profession. Qu'est-ce que je suis maintenant... hein? Un paria de la société. Un déchet dont personne ne veut. Les gens changent de trottoir pour ne pas me rencontrer. Et dire... et dire qu'il y a des centaines de types dans mon cas... Je te jure, p'tit gars, un jour qui n'est pas loin, on lui fera payer, au Tigre bleu, ce qu'il nous a fait subir.

Dans sa rage, Médor 1er échappa le flacon qui vola en éclats. Deux clochards de la troupe se jetèrent à plat ventre pour lécher la flaque.

— Les gars! Franchement! les admonesta Médor 1er.

— Chef! Y'a encore de l'alcool par terre. On ne peut pas laisser ça se perdre.

Cette vision de la déchéance arracha Médor 1er à ses pensées vindicatives.

— Allez, en route.

Il se remit à marcher d'un pas accéléré vers la place Jacques-Cartier, entraînant la bande avec lui. Ils étaient plus d'une dizaine à le suivre.

Ancienne place de marché, entourée de maisons de pierre mansardées, la place Jacques-Cartier était agrémentée de bancs, de plates-bandes et d'un kiosque à fleurs. Des mimes, des jongleurs et des équilibristes y exécutaient des numéros pour les touristes. D'un côté elle ouvrait sur le port et le fleuve, de l'autre elle donnait sur l'hôtel de ville, un bâtiment de style renaissance; elle était dominée par une colonne surmontée d'une statue de l'amiral Nelson. En ce temps de l'année, des touristes y débarquaient par autobus entiers.

Médor 1er s'arrêta sous la colonne. Les mains sur les hanches, les jambes ancrées dans le sol, il lança aux autres clochards:

— Dispersez-vous. À chacun sa poubelle. Vous me

ramenez les cannettes ici. La cueillette devrait être bonne.

Les clochards gagnèrent les quatre coins de la place et, sous l'œil intrigué des touristes, ils plongèrent leurs têtes au fond des poubelles. La récolte se révéla désastreuse. Même Potter ne réussit pas à trouver une seule cannette.

— Enfant de chienne! Il ne reste plus rien, explosa Médor 1er. Ils sont passés avant nous. C'est encore un coup de la bande au Mongol, ça.

C'était une bande rivale, dirigée par un nouveau venu, un clochard plus entreprenant que les autres qui faisait à son compte la cueillette des cannettes consignées du Vieux-Montréal. À l'occasion il prenait Médor 1er de vitesse et lui dérobait le contenu de ses poubelles. Il arborait une maigre queue de cheval et prétendait descendre en droite ligne de Gengis Khan, le grand seigneur des steppes.

— Si jamais je lui revois la face, je lui mets mon poing entre les deux yeux à celui-là.

Médor 1er se laissait aller au découragement; sa truculence et son humeur joyeuse fondaient à vue d'œil. Soudain inquiet, il se demanda de quelle façon il se procurerait l'alcool dont il avait besoin. Il avait l'habitude, une fois ses cannettes revendues, d'acheter quelques bouteilles d'alcool à friction, qu'il courait vider sur les bancs du Carré Viger en compagnie de sa bande.

— On pourrait peut-être piquer quelques flacons de parfum à la pharmacie, proposa Tête d'Or.

— Impossible, fit un autre clochard appelé Fontainebleau.

— Pourquoi?

— Ce matin, ils ont installé un nouveau détecteur de vol. Tous les contenants ont été magnétisés. Si tu passes à la caisse sans les faire démagnétiser, y'a un système d'alarme qui se met à sonner.

— Déma... quoi?

— Laisse faire, s'impatienta Médor 1er.

Le manque d'alcool se faisait criant, Médor 1er ne tenait plus en place. Il devait au plus vite trouver de quoi étancher sa soif, sinon c'était la démence. Les mains qui tremblaient, incohérent, sa langue qui enflait dans sa bouche, pris d'étourdissements, il se mit à hurler, prenant à partie les touristes massés sur la place.

— Vous..., harangua-t-il la foule, je vous accuse. Je vous accuse de complicité. Car je suis certain que vous avez vu le Mongol fouiller les poubelles. Et vous n'avez rien dit. Vous n'avez rien fait. Ces cannettes m'appartenaient.

Rassemblés autour de lui, les badauds semblaient amusés. On devinait que Médor 1er avait été autrefois un éminent juriste; il en restait quelque chose dans la fermeté de sa voix, dans l'articulation de son discours, dans son geste incisif.

— Où sont passées les cannettes? tonnait-il, le visage ruisselant, les aisselles trempées. Je veux savoir. Je veux et j'exige! Éponges que vous êtes! Bandes d'ivrognes sans conscience!

Sa voix puissante semblait vouloir déraciner la colonne Nelson plantée derrière lui. Ses propos prenaient peu à peu le ton d'un violent réquisitoire, un sentiment d'indignation s'enflait en lui, allumait ses yeux d'une fureur homicide. Il en vint à balayer l'espace de mouvements de bras dramatiques, prenant la place entière à témoin.

— Je vous le demande aujourd'hui, membres du jury, avec quoi vais-je me payer à boire? Je suis à bout de ressources... Et j'ai besoin de boire. Il me faut de l'argent... J'AI SOIF... JE VEUX MA BOUTEILLE... J'AI SOIF!

Potter songea que Médor 1er ne tarderait pas à s'attirer de graves ennuis. Il fallait au plus vite interrompre son discours.

— Écoutez, monsieur Médor 1er... Je... Je crois que vous feriez mieux de vous arrêter de crier. La police va sûrement s'amener. Et puis... Je vais vous en trouver, de l'argent, moi. Vous l'aurez bientôt, votre bouteille.

Entendant le mot «bouteille», Médor 1er se radoucit aussitôt. Il se traîna jusqu'au premier banc public, où il s'affala.

— T'as besoin de tenir ta promesse, toi, menaça-t-il Potter, les mâchoires serrées.

— Accordez-moi une heure et j'aurai l'argent, fit ce dernier.

— On vient avec toi, proposèrent Tête d'Or et Fontainebleau.

Devant leur allure de traîne-savates, Potter déclina l'offre.

— Merci, les gars. Mais je crois que j'irai plus vite seul.

Tête d'Or était un simple d'esprit au sourire naïf et touchant. À tout moment, sans que l'on sache d'où cela lui venait, il pouvait se mettre à déclamer des vers de Hugo, de Verlaine, de Rimbaud, d'Éluard. Comment les plus beaux vers de la langue française pouvaient-ils jaillir de cet esprit fêlé? On prétendait que tous ces grands poètes s'étaient réincarnés en lui.

Fontainebleau, lui, s'était vu attribuer ce nom pour une moins noble raison; sa vessie montrait des signes de fatigue évidents, il pissait au vu et au su de tout le monde, sans considération aucune pour l'endroit où il se trouvait, et son urine jaillissait avec la pression d'une généreuse fontaine.

Potter s'éloigna de la place Jacques-Cartier pour parcourir les rues avoisinantes. En moins d'une heure, de poubelle en poubelle, il réussit à trouver assez de cannettes consignées pour pouvoir offrir à Médor 1er les quelques bouteilles d'alcool à friction qu'exigeait sa soif. Il revendit les cannettes à un petit épicier de la rue Saint-Paul, puis revint glisser l'argent dans une des poches du parka de Médor 1er.

Ce geste remua celui-ci jusqu'aux tripes. Il se mit à pleurer comme un veau.

— Merci... balbutia-t-il. C'est... C'est la première fois qu'on pose pour moi un geste gratuit. Merci... Merci, merci, merci... Encore merci... Tiens, un autre merci.

— Vous boirez ça à ma santé, dit Potter.

Médor 1er cherchait les mots qui lui permettraient d'exprimer sa reconnaissance.

— Y'a pas grand monde qui ferait ce que tu viens de faire pour moi. Je suis une loque finie, c'est vrai, mais une loque qui a encore du cœur... Si jamais tu as besoin d'aide, je te le répète, viens me voir. À partir d'aujourd'hui, y'a pas un clochard du Vieux-Montréal qui ne connaîtra pas ton nom, qui ne te sera pas reconnaissant, foi de Médor 1er.

Là-dessus, il fit une puissante bourrade à Potter.

Autour, la bande au grand complet s'était mise à sangloter, elle cuvait elle aussi de vieux restes d'alcool à friction.

Potter avait l'impression d'être moins seul au monde. Songeant à Lucien, il décida de retourner sans plus tarder au Vieux Hollywood. Il se voyait déjà annoncer fièrement à Lucien que Médor 1er, l'empereur des clochards du Vieux-Montréal, les avait pris tous deux sous son aile. Jamais il ne s'était montré si confiant en l'avenir.

Chapitre 32

Arrivé au cinéma, Potter remarqua que la guiche-tière cherchait à éviter son regard. Elle avait pourtant l'habitude de lui adresser de larges sourires. L'inquié-tude le gagna aussitôt. Il accéléra le pas, poussa à toute volée les portes de la salle et entra. Les clochards étaient toujours calés en rangs dans leurs fauteuils, le dos droit, ils dormaient d'un sommeil de plomb malgré leurs yeux fixés sur l'écran. Potter dévala l'allée centrale et se dirigea vers la première rangée de fauteuils. Le chariot de Lucien avait disparu.

— Bon Dieu de bon Dieu, je n'aurais jamais dû le laisser seul, se reprocha-t-il.

Il remonta l'allée centrale, puis se précipita vers les toilettes. Peut-être Lucien s'y était-il fait conduire... Il n'était pas là non plus. Peut-être le gardien l'avait-il sur-pris à dormir et l'avait-il expulsé? Oui, c'est ça, ce devait être ça, le gardien avait sûrement jeté Lucien à la porte, il ne pouvait en être autrement. Il accourut vers le comp-toir à pop-corn.

— Où est-il?

— Mais de qui parles-tu?

Visiblement, le gardien était de mauvaise foi.

— De mon grand-père. Le vieux qui était assis dans le chariot.

— Où ça?

— Sous l'écran. Hé! as-tu fin de te payer ma tête?

Niaise pas. Tu sais de qui je parle. Où est-il?

— Je ne l'ai pas vu.

— L'as-tu expulsé parce qu'il dormait?

— Je viens de te dire que je ne l'ai pas vu.

Potter accusa le gardien de lui cacher quelque chose. Il durcit le ton. Le gardien finit par perdre patience.

— Si tu continues d'insister, avorton, je te sors les deux pieds devant, compris?

— J'en ai vu des plus costauds que toi, le défia Potter.

Cette fois, c'en était trop. Le gardien bondit, il empoigna Potter par le col de sa chemise et le poussa vers la sortie.

Dans la salle, des clochards furent tirés de leur sommeil, ameutés par les éclats de voix. Sans trop savoir ce qui se passait, ils crurent que le gardien s'apprêtait à les expulser. Aussi entonnèrent-ils en chœur d'une même voix pâteuse et abrutie de sommeil:

— On ne dormait pas, m'sieur. C'est pas juste. On ne dormait pas.

Le gardien s'arrêta à quelques pas de la sortie de secours et se retourna vers eux.

— Vous ne perdez rien pour attendre.

Potter profita de l'inattention du gardien pour lui décocher un furieux coup de pied entre les jambes. Le gardien poussa un mugissement d'orignal émasculé et s'écroula sur le sol en se tortillant comme un ver. Retrouvant sa liberté de mouvement, Potter détala vers le guichet de l'entrée.

— Où est passé mon grand-père? Hein? Répondez. Qui est venu le chercher? Où l'ont-ils emmené?

Terrifiée, la guichetière balaya le hall d'un rapide coup d'œil afin de s'assurer que le gardien ne s'y trouvait pas, puis répondit d'une voix couverte:

— Ils l'ont emmené.

— Qui ça, «ils»?

— Des hommes.

— Bon Dieu de bon Dieu, quels hommes?

— Je ne sais pas. Un type avec une cicatrice... en... en

forme de fer à repasser. Un autre... avec un œil... un œil qui saute.

— Tank et Fridolin, conclut Potter.

Le gardien venait de faire irruption dans le hall; les jambes écartillées, il se tenait d'une main l'entre-jambe et brandissait de l'autre une longue barre de fer. Potter eut juste le temps de déguerpir et de plonger dans la foule qui encombrait le trottoir.

Le gardien se lança à ses trousses. Il courait vite, le bougre, c'était étonnant pour un type de son poids. Potter avait beau allonger ses foulées, il ne parvenait pas à le distancer. La main du gardien s'abattit sur son épaule.

Il va me réduire en bouillie, se dit Potter.

L'autre se préparait à lui envoyer son poing au visage.

Potter esquiva le coup et plongea dans la première porte ouverte. C'était un petit commerce de fruits exotiques. Il traversa en trombe l'épicerie et sortit par l'arrière.

Il se retrouva dans une ruelle nauséabonde encombrée de poubelles. Des escaliers de secours en spirale permettaient d'accéder aux toits. De quel côté s'enfuir? Droite? Gauche? Devait-il emprunter un escalier? filer par les toits? Il opta finalement pour la droite. Il courut sur une cinquantaine de mètres, puis déboucha sur un terrain de stationnement municipal. S'y dressait un immense chapiteau de toile grise d'où émanait une rumeur feutrée de foule. Potter se rua vers l'entrée, remarquant au passage une immense banderole:

SALON DE L'ÉSOTÉRISME AMATEUR
DU GRAND MONTRÉAL

Il s'engagea à l'intérieur. L'endroit baignait dans une atmosphère étrange, comme si soudain la réalité avait glissé dans les insondables profondeurs du fantastique. Plus rien ne paraissait réel, ni les gens, ni l'éclairage, ni le décor. Il mettait pied dans un autre monde. Une dizaine de kiosques avaient été érigés en contre-plaqué, des projecteurs dramatiquement disposés les éclairaient:

Les dés de la destinée, Médium cet inconnu, Interprétation des rêves, Révélation du cristal, Divines planètes et Cartomancie mon amie.

Essoufflé, Potter ralentit l'allure et s'avança jusqu'au centre du chapiteau. Il se mit à examiner la foule. Elle se composait en majeure partie d'exaltés en mal de sensations fortes, d'illuminés au regard éthéré, de vieux hippies rescapés de l'ère de l'acide et de quelques fervents de l'astrologie portant sur leur poitrine le pendentif de leur signe du zodiaque. Tous marchaient d'un pas traînant, inexplicablement occupés à scruter la paume de leur main gauche avec la concentration de microbiologistes penchés sur un virus.

Intrigué, Potter passait à proximité d'un kiosque quand il se fit happer par un bras ratatiné. Il sursauta. Une vieille femme au facies de singe, la chevelure platine, couverte de breloques et de bracelets, la peau plissée comme un iguane, venait de lui saisir la main.

— Yo vais te faire lectoure dé ta main. Y'aperçois déjà dans ta main oune passé des plous éprouvants.

Potter tenta de retirer sa main.

— Madame, je suis pressé, excusez-moi, je n'ai pas le temps de m'arrêter.

Mais la vieille ne voyait pas les choses de cette façon. Elle l'agrippa, lui enfonça ses ongles dans la chair, puis le plaqua contre la surface du comptoir. Elle disait s'appeler Betty Star et tenir ses dons de voyance d'une mère romanichelle et d'un père tzigane.

Une dame dans la foule massée autour d'eux eut pitié de Potter et déclara à qui voulait l'entendre que l'art de Betty Star était de la frime, qu'elle était née à quelques rues de chez elle, dans le Faubourg-à-la-Melasse, de parents français, catholiques et pratiquants. Tout ce qu'elle voulait, c'était faire les poches de ses clients.

Betty Star fit celle qui n'entendait rien.

— Oh! vous pouvez vous attendre à oune vie mouvementée, déclara-t-elle solennellement en examinant la main de Potter.

Bien qu'il n'eût qu'une seule idée en tête, s'échapper au plus vite, Potter se sentit poussé par la curiosité et lui abandonna un instant sa main. Peut-être la romanichelle lui révélerait-elle où se trouvait Lucien? Il ne perdait rien à essayer. Il s'accouda au comptoir. À ce moment, il vit surgir de la pénombre le gardien du Vieux Hollywood. Ce dernier ne l'avait par encore aperçu.

Potter tenta de ramener vers lui sa main. Mais Betty Star ne voulait pas le laisser filer aussi facilement; elle se cramponna à lui avec l'ardeur d'une noyée à une bouée de sauvetage.

— Lâchez-moi, protesta Potter qui se débattait comme un diable dans l'eau bénite.

Le gardien entendit la voix de Potter, le repéra, s'élança vers lui. Betty Star retenait toujours Potter.

— Vous ne pouvez partir maintenant. C'est important. Croyez-moi. Votre vie est actouellement troublée.

— Je sais que ma vie est troublée. Elle est même à ce point troublée que si vous ne me lâchez pas au plus vite, elle va se terminer à l'instant même.

Le gardien fondit sur Potter. Il l'empoigna avec férocité et l'arracha des mains de Betty Star. Un coup de poing atteignit Potter à la mâchoire. Le gardien le projeta ensuite sur le sol ainsi qu'une poche de patates. Il plongea sur lui et l'écrasa de tout son poids. Cramponnés l'un à l'autre, les deux corps se mirent à rouler, fauchant tout sur leur passage. Dans la mêlée, ils renversèrent le kiosque de Sandra Beaudry, ménagère du West-Island et voyante qui lisait dans la boule de cristal. Elle était justement en train d'interpréter les reflets de sa boule pour un vieux garçon qui désirait savoir s'il allait enfin trouver chaussure à son pied.

Sous l'impact, Sandra Beaudry et le vieux garçon furent projetés cul par-dessus tête. Leurs visages se figèrent de surprise. Par bonheur, la boule de cristal avait roulé par terre sans se briser.

Toujours accrochés l'un à l'autre, Potter et le gardien continuaient de rouler. Tout à coup, la main de

Potter frôla la boule. Elle la ramena, la brandit et en assena un coup sur le crâne du gardien. Ce dernier perdit connaissance, tandis que la boule volait en mille petits cristaux de verre. Potter se dégagea de sous le corps du gardien et se releva.

Sandra Beaudry se jeta sur lui comme une hyène, le martelant de ses poings.

— Tu as détruit l'âme de la boule! hurlait-elle. Ton âme périra. Tu m'entends? Ton âme périra aussi.

Potter estimait qu'il avait récolté son lot de malédictions pour la journée; il repoussa Sandra Beaudry et détala sans demander son reste.

Malheureusement pour lui, il n'était pas parvenu au bout de ses peines. Il fuyait dans la pénombre quand, tournant la tête pour voir s'il était suivi, il heurta de plein fouet une femme assez corpulente. Il eut l'impression de pénétrer dans une motte de beurre. La chair était molle et chaude. C'était la poitrine de Réjeanne Lafleur, une cartomancienne considérée de tous.

Les cartes du tarot que tenait Réjeanne Lafleur volèrent dans les airs, puis se répandirent sur le sol. La cartomancienne n'accorda pas d'importance à Potter ni à sa propre chute; elle se jeta sur les cartes, préoccupée par leur position sur le sol. Elle vit Potter qui cherchait à se défiler et lui lança:

— Attendez... Attention!... Oui, attention à... à l'homme à l'œil de verre. Par lui viendra...

Potter interrompit net sa course. L'air catastrophé, Réjeanne Lafleur considérait toujours les cartes.

— Mon garçon! Ce ne sera pas drôle... Non... Tu cherches le vieil homme hein?

— Oui, répondit Potter, estomaqué. C'est mon grand-père.

— Eh bien!... je peux te dire ceci. Je le vois... Oui, il est là.

Le cœur de Potter se mit à pomper.

— Il est là! Mais où?

— Il est... là-haut... Très haut. Oui, il est là-haut.

Potter crut comprendre par là que Lucien était mort et qu'il était monté au paradis. Cette révélation lui porta un coup terrible. Il ne désirait plus en connaître davantage. Il se releva, des larmes inondant ses yeux. Soûl de douleur, il sortit du chapiteau et se retrouva sur le boulevard Saint-Laurent. Comme sa vie avait toujours été intimement liée à celle de Lucien, il ne s'imaginait pas pouvoir vivre sans lui. La douleur s'enfonçait un peu plus en lui à chaque pas. Sans savoir pourquoi, il se mit à courir. Où allait-il? Cherchait-il maintenant à échapper au gardien du Vieux Hollywood, à Irène, à Tank, à Fridolin, son père, l'homme par qui viendrait...? Il ne le savait plus. Il lui semblait que toutes ces poursuites ne finiraient jamais, qu'Irène réussirait à le débusquer où qu'il se trouve, qu'elle le harcèlerait sans répit. L'envie lui prit de se jeter sur le trottoir et de supplier qu'Irène l'achève. Un éclair dans ses yeux l'arracha à sa douleur et à son désarroi; une enseigne brillait devant lui:

TIGRE BLEU TOURIST ROOM

Il crut qu'il était devenu fou. Il s'arrêta. Une autre enseigne, à quelque distance de la première, clignotait.

TAVERNE DU TIGRE BLEU
BIENVENUE AUX DAMES

C'était bien vrai, il avait perdu la raison. Par quel phénomène ce nom se trouvait-il sur ces enseignes? C'était à n'y rien comprendre. Les rouages de son cerveau s'enrayaient, ses pensées plongeaient peu à peu dans un épais brouillard. Il se sentit devenir infiniment petit. Vulnérable. Déboussolé. Minable. Perdu dans l'univers. Il n'était plus rien. Il n'avait plus personne vers qui aller. Dans un dernier geste d'espoir, il tira de sa poche la dent de La Petite, la retourna dans la paume de sa main.

— Qu'est-ce que je fais? Aide-moi, Petite. Est-ce que je deviens fou? Je t'en supplie, aide-moi.

Quelques minutes passèrent, quelques minutes qui lui parurent une éternité. Il était planté au milieu du trottoir, les yeux fermés.

La Petite avait dû entendre sa prière car lorsqu'il ouvrit les yeux, Potter vit Médor 1er qui haranguait quelques curieux à l'intersection du boulevard Saint-Laurent et de la rue Notre-Dame. Il semblait lancé dans une éloquente plaidoirie.

Potter remercia La Petite, puis rassembla le peu de forces qui lui restaient. Médor 1er ne le vit pas venir, emporté par son réquisitoire contre les effets destructeurs de l'Aphro-14 et par les vapeurs de l'alcool.

Potter repoussa les curieux puis, vaincu par une extrême lassitude, s'écroula sur le banc où Médor 1er était juché. L'empereur des clochards mit fin à ses élucubrations et congédia son auditoire.

— Foutez-moi le camp, bande de tout nus!

Tous déguerpirent. Médor 1er s'assit à côté de Potter et s'envoya une lampée d'alcool à friction. Après quelques disgracieuses éructations, il lui demanda d'une voix traînante:

— On dirait que t'as perdu un pain de ta fournée, p'tit gars... Qu'est-ce qu'y'a qui va pas?

Potter était plongé dans une torpeur dont il n'arrivait plus à s'extirper. Médor 1er posa sa main calleuse sur son épaule.

— Elle l'a tué, éclata Potter. C'est de ma faute. Je n'aurais jamais dû le laisser seul. Il ne fallait pas... J'ai fait une erreur monumentale, une erreur que je ne me pardonnerai jamais. Qu'est-ce que je vais faire sans lui? Il était tout ce que j'avais. Mon seul ami. Mon unique raison de vivre. Je n'ai plus rien. Après La Petite, lui. Qu'est-ce qui m'attend maintenant? Je voudrais mourir... Grand-p'pa! Ah, grand-p'pa, où êtes-vous?

Ses pleurs déchirants tirèrent quelque peu Médor 1er de son état d'ébriété; le clochard fit de réels efforts pour rassembler ses esprits.

— Mais... Mais qui est mort, p'tit gars?

— Mon grand-père. Elle l'a tué.

— Qui ça, elle?

— Irène... Je n'aurais jamais pensé qu'elle irait jusque-là.

Médor 1er ne sembla pas surpris par la nouvelle. Il marqua un silence, puis déclara:

— P'tit gars, cesse de brailler. Fais un homme de toi. Allez!... T'es pas une chiffe molle, à ce que je sache. Surtout que...

Il arborait un sourire triomphant.

— ... que je crois que j'ai une nouvelle des plus réjouissantes à t'annoncer.

Potter mit fin à ses larmes.

— P'tit gars, que le diable m'emporte si je mens, mais je crois que ton grand-père est toujours vivant.

Une expression de surprise mêlée de joie craintive apparut sur le visage de Potter.

— Comment ça?

— Les nouvelles vont vite. J'ai des oreilles partout, tu sais. Je suis au courant de tout ce qui se passe en ville. Un clochard, ça n'a l'air de rien, mais ça voit tout. Un de mes hommes a vu ton grand-père monter dans une limousine, et un autre l'en a vu redescendre à l'autre bout de la ville.

— Où?

— À Westmount. À la porte d'une riche propriété de la rue du Belvédère. Aux dernières nouvelles, il était bel et bien vivant.

— Comment se fait-il qu'il se trouve à cet endroit?

— Depuis une semaine, mes hommes sont sur le coup; ils surveillent la maison. J'ai de bonnes raisons de croire que c'est là que se cache le Tigre bleu... Depuis le temps que je le cherche, celui-là. J'ai juré que je finirais par avoir sa peau et je l'aurai. Ça n'est maintenant plus qu'une question de temps.

— Le Tigre bleu! s'étonna Potter. Vous avez dit que Lucien était séquestré chez le Tigre bleu? Alors, il... il est tombé aux mains d'Irène! Autant dire qu'il est mort.

— Pas si vite. Un homme n'est pas mort tant qu'on n'a pas retrouvé son cadavre.

— Mais on ne peut pas laisser Lucien aux mains d'Irène?

— Ce n'est pas mon intention non plus.

— Qu'est-ce qu'on fait? s'enhardit Potter, qui reprenait soudain espoir.

Maintenant qu'il croyait Lucien vivant, il se sentait tous les courages. Il n'avait plus qu'une idée en tête, le tirer de la cruauté d'Irène. Il savait qu'elle ne manquerait pas d'assouvir sur lui son épouvantable rage. Elle le ferait mourir à petit feu.

— Pour le moment, je ne sais pas, fit Médor 1er, l'air plutôt vague.

Potter proposa:

— On pourrait peut-être le sortir de là nous-mêmes! Avec l'aide des clochards qui sont sous vos ordres, à plusieurs, on pourrait assiéger l'endroit?

— Mais est-ce que tu serais tombé sur la tête, p'tit gars?

Médor 1er retrouvait peu à peu ses facultés. Il grommela:

— Ce serait beaucoup trop risqué. On se heurte ici à un personnage influent qui contrôle tout l'appareil judiciaire. Autant essayer de lutter contre l'administration de toute une ville. P'tit gars, quand bien même tous les clochards du Vieux-Montréal s'uniraient pour tirer ton grand père de là, ils n'y parviendraient pas.

Il interrompit son discours, comme étonné par l'idée qui venait de surgir à travers ses paroles.

— Quoique... forcer l'endroit... tous les clochards... ce n'est peut-être pas impossible, après tout. Peut-être que... peut-être qu'en demandant l'aide d'une personne que je connais, on pourrait y arriver. Ouais... Cette idée n'est pas folle. L'entreprise est risquée, bien entendu, mais réalisable.

— L'aide de qui?

— Ah! Une vieille connaissance. Une femme étonnante à qui j'ai sauvé la vie jadis, au cours d'une rixe dans le métro, alors qu'une bande de skinheads s'apprêtait à l'étriper. Elle m'en est restée reconnaissante. Faut dire qu'elle me doit une fière chandelle. Elle est aujourd'hui à la tête d'une organisation considérable. On l'appelle la Mère des Amuseurs publics. Elle est considérée comme la protectrice des amuseurs publics, des clochards et des sans-abri qui hantent les couloirs du métro. Plus d'une centaine de personnes. Chacun lui voue un véritable culte et sacrifierait sa vie pour elle. Son organisation est en quelque sorte une grande fraternité. Elle-même est une force de la nature à laquelle il vaut mieux ne pas se frotter. Ouais!... Plus j'y pense, plus cette idée me paraît intéressante. Je connais la haine de cette femme envers le Tigre bleu; si je venais à la convaincre, elle pourrait bien marcher dans le coup. Et alors, on pourrait sûrement envisager de tirer ton grand-père de là. Nom d'un p'tit bonhomme, il faut convaincre cette femme au plus vite! Est-ce que ça te dirait de venir la rencontrer avec moi?

— Certainement, répondit Potter plein d'enthousiasme.

— Quand?

— À l'instant même, si vous le voulez. Chaque minute compte. Moins nous perdons de temps, plus nous courons la chance de retrouver Lucien vivant.

— D'accord. Mais je te préviens: parvenir à elle ne sera pas une sinécure. Il se peut aussi qu'elle refuse de nous rencontrer.

— Je cours le risque.

Et sans attendre, Médor 1er et Potter entreprirent la tournée du Vieux-Montréal afin de recruter des clochards. Seulement les plus costauds. Tête d'Or et Fontainebleau étaient de ceux-là.

La bande se lança dans la chasse aux cannettes consignées; la somme d'argent recueillie servit à chacun à payer son billet de métro. Médor 1er les conduisit ensuite à la station Berri-Uqam. Il s'assura que chacun était en état de suivre, puis entra.

Cette station était le centre d'un réseau de tunnels, de couloirs et de quais d'embarquement. Plusieurs centaines de milliers de personnes y transitaient quotidiennement en provenance des quatre coins de la ville. Les quais étaient congestionnés de voyageurs impatients et pressés, des bandes d'adolescents désœuvrés détroussaient les voyageurs isolés. Les tentatives de suicide, les agressions et les vols à la tire n'étaient pas rares. Les policiers fermaient parfois les yeux, conscients que leur zèle risquait de leur attirer des ennuis. La lumière crue des néons creusait les traits des voyageurs, les teints étaient terreux, les sourires inexistants. À cette heure, la foule était majoritairement constituée de fonctionnaires aux vestons bon marché, aux cols gras et à l'arrière-train prospère, qui regagnaient leurs foyers après une journée abrutissante.

Fontainebleau venait à peine de franchir les tourniquets qu'il éprouva une furieuse envie de pisser. Il allait se soulager le long d'un mur quand Médor 1er l'interpella:

— Hé, le taon! Un peu de retiens-bien! On n'est pas dans la rue ici.

Sur quoi Fontainebleau maugréa:

— J'en peux plus, chef. Ça me remonte jusqu'aux oreilles.

— Fais un nœud, rétorqua l'autre.

La bande enfila un couloir où quelques amuseurs publics faisaient montre de leur talent, puis affronta un flot ininterrompu de voyageurs qui remontaient en sens inverse. Les passants jetaient sur les clochards des regards de mépris, car une haleine d'alcool propre à tuer un cheval les précédait. La bande franchit les tourniquets, emprunta successivement deux escaliers mobiles, puis s'engagea dans ce qui semblait être un labyrinthe de couloirs. À mesure qu'elle s'enfonçait plus profondément dans la terre, les voyageurs devenaient moins nombreux et, inversement, sans explication apparente, les amuseurs publics, eux, se multipliaient. La bande parvint au dernier niveau de la station. Au loin, fondu dans la rumeur, un accordéon jouait un air mélancolique. Venu d'une autre direction, un harmonica lui répondait, poussant une plainte lancinante. Alignés le long des murs, des contorsionnistes malhabiles demandaient l'aumône. Un chœur composé de quatre ou cinq vieillards pauvrement vêtus chantait pour les passants de vieilles chansons populaires du répertoire français, Mistinguett, Édith Piaf, Maurice Chevalier. Plus loin, une femme aux traits faméliques esquissait quelques pas de flamenco, elle brandissait des castagnettes que ses doigts arthritiques n'arrivaient plus à faire claquer. Une autre exhibait une photographie de la beauté qu'elle avait été dans sa jeunesse. Beaucoup de ceux qui composaient cette faune hétéroclite étaient d'un âge avancé, c'était une pitié de les voir se désâmer ainsi à gagner leur vie. C'était le grand cirque de la misère humaine qui défilait. Potter se demandait où il aboutirait. Allait-il se heurter au fameux personnage dont Médor 1er lui avait parlé?

Au terme d'une longue marche, la bande se trouva sur le quai de la ligne Montréal-Longueuil. Cette ligne plongeait sous le fleuve afin de desservir un casse-tête de banlieues. Une rame était en attente.

Potter croyait qu'il devait s'engouffrer au plus vite dans l'un des wagons, il se mit à courir. Médor 1er le rattrapa par le bras.

— C'est pas pour nous. Viens.

Et il invita Potter à s'asseoir sur un banc placé en retrait. Les clochards s'éparpillèrent sur le quai. Il était 21 heures.

— Maintenant, qu'est-ce qu'on fait? s'impatienta Potter.

— On attend.

— On attend quoi?

— Que le temps passe.

La rame s'échappa de la station dans un glissement feutré.

Potter, Médor 1er et sa bande attendirent de longues heures, assis sur leurs bancs, sans s'adresser un mot.

Il était une heure du matin quand Médor 1er décida

enfin de se lever. Le quai était désert, une dernière rame venait de quitter la station. Médor 1er s'assura qu'aucun préposé à l'entretien n'était en vue, il se dirigea vers la voie, puis pressa Potter et les autres de s'approcher. La bande se réunit autour de lui. Médor 1er sauta sur la voie avec une surprenante agilité et atterrit entre les rails.

— Allez! Tous derrière moi. Surtout, ne posez pas les pieds sur les rails. Y'a un courant de 750 volts là-dedans. Ça serait fatal.

Potter se lança à son tour. La bande fit de même. Compte tenu du piètre état physique de chacun, c'était un vrai miracle que personne ne soit tombé sur les rails. Médor 1er se dirigea vers l'entrée du tunnel.

— C'est pas dangereux qu'une rame s'amène? s'inquiéta Potter.

— P'tit gars, à cette heure le métro est fermé pour la nuit.

La bande s'engagea à l'intérieur du tunnel, un trou noir et humide qui semblait conduire aux enfers. Les lumières de la station s'estompèrent derrière elle; seuls quelques clapotis causés par des gouttes d'eau tombaient de la voûte de béton et résonnaient par intermittence. Les murs suintaient d'une humidité grasse, l'air se raréfiait. La bande franchit une centaine de mètres. Un vol de chauves-souris passa en claquant. Des détritus de toutes sortes commençaient de joncher le sol, pelures d'oranges, épluchures de pommes de terre, papier journal chiffonné, vieux sacs de polythène. Potter se demanda comment ces détritus étaient parvenus jusque-là, il n'y avait pourtant pas d'autre signe de vie.

Médor 1er aperçut un rai de lumière au loin sur la voie et annonça:

— On y est presque, les gars.

Puis il tira de sa poche un paquet d'allumettes. Il en gratta une, une flamme jaillit, illuminant la voûte.

Apparut un fascinant spectacle: à cet endroit, la paroi du tunnel, recouverte d'une épaisse croûte cristalline, était devenue d'une blancheur phosphorescente. De longues stalactites descendaient de la paroi de chaque côté de la voûte et se détachaient dans l'obscurité ainsi que des crocs gigantesques venus frôler le sol. Ils réfléchissaient comme des milliers de miroirs l'allumette que tenait Médor 1er. La bande avançait d'un pas incertain, comme si elle pénétrait dans le ventre d'un glacier.

— Mais qu'est-ce que c'est que ça? demanda Potter, indiquant l'épaisse croûte blanche.

— Du calcium, p'tit gars.

— D'où cela provient-il?

— De là-haut. De la surface. Phénomène causé par l'épandage du calcium dans les rues de la ville pour faire fondre la neige. Le calcium se mêle à la neige, il imbibe la terre et réussit à s'infiltrer dans la paroi. Il finit par sécher, ce qui entraîne la formation d'une épaisse croûte.

Potter s'approcha de la paroi et tendit son bras vers la croûte cristalline. Il allait y poser le bout des doigts quand une large plaque de calcium se détacha du mur et s'abattit avec fracas sur le sol.

— Pas de temps à perdre, p'tit gars, allez, viens, lança Médor 1er.

Et il reprit sa marche vers le faisceau de lumière qui s'allongeait quelques pas plus loin en travers de la voie. La lumière provenait d'une ampoule placée au-dessus d'une porte métallique dans un renfoncement de la paroi. Sur la porte était écrit en lettres rouges:

GROUPE ÉLECTROGÈNE 104
ATTENTION DANGER.

Une tête de mort complétait l'avertissement.

— C'est là, fit Médor 1er.

Chapitre 33

Médor 1er frappa sur la porte trois coups légers, puis trois coups soutenus, puis de nouveau trois coups légers, S.O.S. en morse. La porte s'ouvrit dans un sinistre grincement. Apparut une très vieille femme aux cheveux blancs et épars, qui traînait un pied bot. D'une main tremblante elle brandissait une lampe-tempête, de l'autre elle serrait une poupée de chiffon contre sa poitrine. Elle n'adressa pas un mot à la bande mais lui fit signe d'entrer. Elle parlait à sa poupée comme à un être humain.

— Regarde, Annie! Regarde qui vient nous voir!

Le visage de la vieille était crevassé de rides profondes, sa bouche édentée était toute ratatinée.

— On vient voir la Mère des Amuseurs publics, fit Médor 1er d'une voix rassurante.

La vieille femme ne répondit pas; elle referma la porte, puis entraîna la bande dans un dédale de couloirs. Elle trouvait son chemin grâce aux lueurs de la lampe-tempête. À tout moment elle se retournait vers Médor 1er pour lui présenter sa poupée.

— Annie. C'est Annie. Regardez comme elle est belle.

La poupée avait été éventrée, et sa tête pendait, quasi décapitée. La vieille n'avait pas meilleure mine: elle était engoncée dans un pyjama d'homme à larges rayures, serré à la taille par un bas de nylon et recouvert d'un épais manteau en peluche troué aux manches.

— Annie! Annie! geignait maintenant la vieille.

Elle secouait sa poupée comme pour la ramener à la vie. Ses plaintes montaient dans les ténèbres. La vieille s'arrêta bientôt devant une lourde porte métallique qu'elle poussa. La bande se trouva dans une gigantesque caverne. Les murs de ciment distants d'une cinquantaine de mètres atteignaient une hauteur de plusieurs étages; là-haut, au milieu d'un plafond qu'on parvenait tout juste à distinguer, une grille de fer laissait pénétrer quelques faibles rayons de la lumière du jour. Une vaste rumeur habitait l'endroit. Des rires joyeux, des cliquetis de casseroles, des chants mélancoliques, des aboiements se mêlaient aux chants d'un coq et aux accords d'une guitare électrique. Le souffle puissant d'une trompette monta soudain. Des odeurs de pain rôti, de désinfectant, de suie, de gaz propane et de tabac flottaient dans l'air. Des tentes de fortune, construites à l'aide de couvertures de laine, de draps déchirés et de cordes, se dressaient au milieu de la salle et formant une sorte de village autour duquel s'affairaient une cinquantaine de personnes. Chacun s'occupait à une tâche ménagère. Des femmes âgées, voûtées, ceintes de long tabliers, pelaient des pommes de terre, tandis que d'autres, plus jeunes, penchées sur des réchauds à gaz, les faisaient bouillir. Elles jacassaient ferme et riaient; un climat d'entente et de cordialité régnait entre elles. Plus loin, des hommes lavaient le sol à grande eau. Des cordes à linge surchargées tissaient entre les tentes des toiles d'araignées.

L'endroit était éclairé d'innombrables chandelles posées çà et là sur des conserves retournées, à même le sol. Les murs étaient noirs de suie. Derrière le village de tentes, une énorme boîte métallique de couleur grise, atteignant plusieurs mètres de haut, abritait un groupe électrogène. Au pied du groupe électrogène se dressait un théâtre de fortune dont la scène prenait assise sur des barils de bois. Des pans de jute cousus, suspendus à un fil de fer, servaient de rideaux. Des bancs d'église au vernis écaillé étaient alignés devant la scène, occupés par plusieurs personnes qui regardaient un contorsionniste répéter son numéro: étendu par terre, il semblait sur le point d'avaler son pied droit.

Médor 1er expliqua à Potter que la Meute des Amuseurs publics se composait de pauvres hères dont personne ne voulait, surtout pas les services sociaux gouvernementaux et les hôpitaux. Ces parias gagnaient leur vie en exécutant des numéros dans les couloirs du métro. Les amuseurs publics qu'il avait tout à l'heure vus, guitaristes, chanteurs, danseurs, équilibristes, appartenaient tous à cette Meute.

Apercevant Médor 1er et sa bande, les gens de la Meute surgirent de partout. Dans une grande excitation, ils coururent à leur rencontre. Il y avait belle lurette que des nouveaux venus ne s'étaient présentés au repaire.

Ça augure bien, se dit Potter.

La foule avait l'allure d'une véritable cour des miracles; des éclopés, des vieillards, des simples d'esprit, des clochards, des jeunes gens aux yeux de fauves, des repris de justice. La foule entraîna Potter, Médor 1er et sa bande vers le petit théâtre où se trouvait la Mère des Amuseurs publics.

Ils arrivèrent en vue de la scène. Le rideau du petit théâtre avait été ouvert, une imposante silhouette vêtue d'un blouson de motard et d'un pantalon de cuir noir y jouait de la guitare électrique. Un micro sur pied posé devant elle, elle s'apprêtait à chanter.

Cette silhouette sembla familière à Potter; mais comme la scène n'était éclairée que par une rangée de bougies plantées dans des assiettes en aluminium, il ne pouvait distinguer son visage. Enracinée au milieu de la scène, poussant agressivement sa guitare de ses hanches, la silhouette se mit à chanter.

— Mignonne! hurla Potter, euphorique.

Autour, les gens de la Meute lui adressèrent des regards réprobateurs, car jamais auparavant on n'avait osé interrompre la Mère des Amuseurs publics pendant son tour de chant.

Mignonne reconnut aussi la voix de Potter et s'arrêta de chanter. D'un bond spectaculaire elle sauta en bas de la scène et s'élança vers lui. Elle l'étreignit de ses bras puissants, fut près de l'étouffer.

— Mais qu'est-ce que tu viens faire ici, toi? lui demanda-t-elle après avoir souhaité une chaleureuse bienvenue à Médor 1er et à sa bande.

Malgré les raisons urgentes qui l'amenaient au repaire, Potter était sidéré, ayant peine à croire que Mignonne était la Mère des Amuseurs publics. C'est tout juste s'il arriva à bredouiller:

— Il... il fallait que je te voie.

Emportée par l'enthousiasme, Mignonne entraîna Potter vers son quartier général, une vaste tente des Forces armées canadiennes qui occupait un coin de la salle.

— C'est vraiment toi, la Mère des Amuseurs publics? lui demanda Potter, décontenancé.

— Oui, mon vieux. Et ce n'est pas une tâche facile, crois-moi. Parfois ici, c'est l'enfer. Mais qu'est-ce que tu veux, c'est ma destinée. Moi, ma mission, c'est de veiller sur ces gens et de les aider à survivre. Je leur apprends à gagner leur vie. Sans moi, ils crèveraient tous de faim. Je les aide à monter des numéros qu'ils vont ensuite présenter dans les couloirs du métro. Je les aide à se découvrir un talent pour quelque chose et à l'exploiter. Si tu voyais... Avec le temps, je suis parvenue à mettre sur pied un cirque des plus étonnants.

— Mais on vous laisse vous produire comme ça dans les couloirs du métro?

— Certainement. Chacun s'est procuré la carte de travail nécessaire, une sorte de permis qu'émet l'administration municipale. Il faut dire qu'à ce chapitre, je donne un petit coup de pouce. Chaque année je fais parvenir mille dollars au fonctionnaire qui distribue les cartes et qui est chargé d'évaluer la qualité des numéros.

Car l'administration municipale exige un minimum.

— Tous ont l'air d'éprouver de la considération pour toi.

— Oui. Ils m'aiment. Et je les aime aussi. Y'a rien que je ne ferais pas pour eux. Tous les jours, je risque ma vie pour les défendre. Tu sais, le métro n'est pas sûr. Les couloirs sont infestés de skinheads armés prêts à les détrousser. Et puis y'a aussi les autres amuseurs publics, ceux qui ne font pas partie de la Meute. Ils cherchent constamment à les déloger de leurs emplacements. Mais les voleurs et les agresseurs, j'en fais mon affaire. Encore la semaine passée, j'ai empalé sur un tourniquet le chef d'une bande de voyous de la station Villa-Maria qui avait cogné Gazou en pleine gueule avec un poing américain.

Un type rondouillard, court sur pattes, se présenta. Il souhaita la bienvenue à Potter, à Médor 1er et à sa bande. C'était Gazou, le bras droit de Mignonne. Son visage affichait de la bonhomie et son corps était couvert de tatouages de femmes nues. Il s'était fait faire ces tatouages à la prison de Cowansville où il avait purgé une peine de cinq ans. Il avait commis un hold-up afin de nourrir ses enfants. Doté d'un estomac de fer, il pouvait avaler n'importe quoi; Mignonne lui avait fait mettre au point un numéro d'avaleur d'ustensiles. Fâcheuse conséquence toutefois, à chacun de ses pas les ustensiles accumulés dans son estomac s'entrechoquaient et provoquaient des bruits de ferraille. Gazou les salua puis s'éloigna, son estomac résonnant de cliquetis métalliques.

Un couple de Vietnamiens timorés s'approcha à son tour. Ils se tenaient par la main comme des amoureux transis. C'étaient la Femme-Chat et Dur-à-Cuire, deux boat people qui s'étaient rencontrés au repaire et qui filaient depuis le parfait bonheur. La Femme-Chat était née avec ce don de pouvoir faire dresser tous les cheveux de sa tête ainsi qu'un chat hérissé. Quant à Dur-à-Cuire, son cerveau avait depuis longtemps été déconnecté. Insensible à la douleur, il avait monté un numéro où il invitait les passants frustrés à se défouler sur lui; moyennant un dollar, les gens le mordaient pour apaiser leurs frustrations. Son corps, couvert de morsures, donnait l'impression d'avoir été mastiqué par une colonie d'anthropophages. Les deux saluèrent Mignonne puis se dirigèrent vers le théâtre.

On arrivait au quartier général de Mignonne.

Potter ne tenait plus en place, il brûlait de faire part à Mignonne du sort effroyable que risquait de connaître Lucien. Il se demandait s'il arriverait à la convaincre de partir à l'assaut du manoir avec Médor 1er et ses hommes.

Mignonne fit pénétrer Potter sous la tente, laissant Médor 1er et sa bande attendre à l'extérieur quelques instants.

La tente de Mignonne reflétait sa démesure. Le seul meuble de la pièce était un lit sur lequel était posée une couverture de peluche orangée. L'aménagement était un hommage à la carrière d'Elvis Presley. Des affiches, des photos de magazines tirées de son film *Viva Las Vegas*, des dédicaces, des portraits de lui torse nu ou en costume de scène, des photos de sa maison natale à Memphis, au Tennessee, de son domaine de Graceland, tapissaient toutes les parois de la tente. Dans un coin, un petit oratoire avait été dressé autour d'un buste en plâtre du chanteur, sous lequel brûlaient des lampions. Un arsenal de guitares électriques étaient éparpillées sur un tapis-gazon. Un couple de vieillards y faisaient le ménage. On les appelait les champions-cracheurs. Ils avaient monté un numéro où ils invitaient les passants à les affronter dans des concours de crachats à distance et à faire des paris. Depuis le temps qu'ils perfectionnaient leur tir, ils ressortaient infailliblement vainqueurs. Mignonne les pria gentiment de quitter la tente.

La vieille femme qui avait ouvert les portes du repaire se trouvait là, assise à l'extrémité du lit. Comme on regarde la Vierge Marie, elle jetait sur Mignonne un regard implorant. Elle cajolait sa poupée de chiffon en gémissant.

— Annie! Annie!

Mignonne se pencha sur elle, caressa sa nuque d'une large main protectrice.

— Oui, ma belle. Elle est toujours vivante Annie.

La vieille parut rassurée. Elle s'échappa de la tente, courant comme une petite fille.

— Elle s'est fait avorter par un boucher à l'âge de quinze ans. Elle ne s'en est jamais remise. Depuis, elle traîne son bébé mort avec elle.

— C'est terrible, fit Potter d'une voix émue.

— Non. Ici c'est le lot du quotidien. Y'a des cas pires que ça, tu sais... Puis, mon vieux, qu'est-ce qui t'amène? Peux-tu me dire par quel hasard tu te retrouves chez moi en compagnie de Médor 1er.

Potter trembla et ses yeux s'embuèrent.

— Je viens implorer ton aide. Lucien est en danger.

En entendant le nom de Lucien, Mignonne frémit. Elle lui vouait un vrai culte, presque aussi grand qu'à Elvis Presley.

— Il lui est arrivé quelque chose?

Elle contenait avec peine sa fureur.

Potter ne savait trop par quel bout commencer, il voulait tout dire à la fois, il voulait surtout réussir à la convaincre de joindre ses forces à celles de Médor 1er afin de tirer Lucien des mains meurtrières d'Irène. Il bafouilla d'abord puis il s'éclaircit la voix, rassembla ses idées et précipita le récit des événements qui avaient ponctué les derniers mois.

— Où est Lucien? demanda Mignonne, un poignard dans la voix.

— Je ne sais pas... Enfin... je n'en suis pas encore sûr.

— Comment ça, tu n'es pas sûr?

— Il a disparu... Ou plutôt, on l'a enlevé. Il se pourrait qu'il se trouve...

— La chienne! rugit Mignonne. Si elle touche à Lucien, je lui déchire moi-même le cœur au couteau. Attends voir, je vais lui préparer un coup dont elle ne se relèvera pas.

Mignonne n'écoutait plus Potter; aveuglée par la rage, elle arpentait de long en large la tente, les yeux injectés de sang.

— Je la reconnais bien, là. Je l'ai toujours dit, ce n'est pas une femme, c'est un monstre. Elle serait capable de faire mourir Lucien juste pour se venger de toi. Elle n'a aucune estime pour lui. Elle ne l'a jamais aimé. C'est tout juste si elle le considère comme un torchon... Je ne sais pas si je t'apprends quelque chose, mais le Tigre bleu, c'est elle. Elle ne perd rien pour attendre. Depuis le temps qu'elle exerce sa tyrannie sur tous, je ne la manquerai pas... Tu sais que son organisation a déjà tenté d'infiltrer la Meute? La chienne! Elle voulait inciter les amuseurs publics à vendre son Aphro-14 aux passants.

Mignonne laissa échapper un rire sardonique qui glaça Potter.

— Mais elle a compris. La police a retrouvé deux de ses revendeurs au fond d'une poubelle, le crâne défoncé à coups de guitare.

Mignonne se planta au milieu de la tente, la tête renversée, le regard au plafond, les mâchoires serrées. Elle interrompait Potter chaque fois qu'il tentait de lui parler. Elle voulait qu'on la laisse réfléchir. Elle garda quelques secondes cette position, perdue dans quelque pensée meurtrière, puis se ficha les doigts dans la bouche et poussa un long sifflement.

Gazou accourut aussitôt. Il entra avec fracas sous la tente et s'arrêta devant elle.

— Tu disposes de combien d'hommes en état de se battre? l'interrogea Mignonne d'un ton impératif de général.

— Voyons... Heu!... Vingt-cinq tout au plus.

— C'est pas beaucoup. Va me chercher Médor 1er.

Le clochard attendait toujours devant la porte. Il entra. Le regard de Mignonne le parcourut des pieds à la tête. Bien qu'il fût passablement amoché par la vie, Mignonne le considérait comme étant une imposante pièce d'homme.

— Écoute, lui lança-t-elle. Je sais que depuis long-temps je te dois la vie. Crois-moi, un jour je te rendrai ce service au centuple, je ne suis pas une ingrate... Seule-ment... aujourd'hui... c'est encore moi qui ai besoin de toi. Libre à toi de refuser, remarque bien, mais c'est de la plus haute importance... Serais-tu prêt à marcher dans un coup avec moi?

— Ça dépend, hésita Médor 1er.

— Une grosse affaire.

— Ça m'en dit pas long.

— Je m'attaque au Tigre bleu. Marches-tu avec moi?

Le visage de Médor 1er s'éclaira d'une expression d'étonnement.

— Mais certainement! Eh, comment donc! Tu parles d'une affaire, nom d'un p'tit bonhomme, j'étais juste-ment venu te proposer la même chose.

Les deux éclatèrent d'un rire tonitruant.

— Toi, t'es un homme! lui lança Mignonne.

Et elle lui appliqua une formidable chaque dans le dos. Les deux géants s'étreignirent avec vigueur.

— D'après toi, mis à part ceux qui t'accompagnent, y'a combien de clochards de la Mission du Pêcheur qui seraient prêts à te suivre? demanda Mignonne.

— Je ne sais pas. Une dizaine peut-être.

— Comment? C'est tout?

— Câliboire, c'est déjà beau! Surtout quand on sait qu'on monte à l'abattoir... Ils vont être difficiles à con-vaincre. Le Tigre bleu, c'est pas qu'une mince affaire... Remarquez... Sœur Pitance accepterait peut-être de partir en croisade contre le Tigre bleu, la plupart des clochards qui fréquentent la Mission du Pêcheur en sont venus là à cause de l'Aphro-14. Sœur Pitance a beaucoup plus d'influence auprès d'eux que moi. Elle réussirait sûrement à les convaincre... Ouais!... En y pensant bien, Sœur Pitance est la personne qu'il nous faut.

Bien que Mignonne la connût de réputation, elle n'avait pas les bonnes sœurs en très haute estime.

— Pouah! Une pisseuse! Du bois mort! Je ne traîne pas de bois mort avec moi.

— C'est une femme étonnante, tu sais. Elle pourrait nous en montrer. Elle est née dans une famille de mineurs de l'Abitibi, seule fille parmi douze petits gars. Elle en a vu d'autres, crois-moi. Un vrai bulldozer. Elle est capable de tout, elle flanquerait la trouille au plus audacieux des truands.

Le visage de Mignonne s'illumina.

— Parfait! conclut-elle. Je la veux. Je les veux tous. Tu vas courir chercher la nonne et ses clochards, tu me les ramènes ici.

— Quand?

— Demain matin à la première heure.

— Tu as bien dit ici?

— Oui. Tu connais le chemin. Mais attention! Ne vous amenez pas tous en même temps! Une nonne à la tête de cent clochards, c'est assez pour attirer sur nous l'attention des flics. Formez plusieurs groupes et entrez par des portes différentes.

— D'accord. Tu peux compter sur moi.

Médor 1er tira de sa poche une bouteille d'alcool à friction qu'il vida d'un trait. Ragaillardi, il fit ses salutations à la ronde, puis sortit.

Potter se retrouva seule avec Mignonne.

— Qu'est-ce que je fais, moi? lui demanda-t-il.

Mignonne réfléchit quelques instants, puis, sur un ton qui laissait voir qu'elle savait où elle allait, elle lui proposa:

— Tu te rends dès maintenant au manoir. Un de mes hommes t'indiquera où il se trouve.

Saisi de panique, Potter crut avoir mal entendu.

— Mais tu es devenue folle? Je ne peux pas me rendre là. C'est justement ce qu'Irène cherche à provoquer. Je vais y laisser ma peau.

— Ne dramatise pas. Fais-moi confiance, j'ai un plan derrière la tête. Va te livrer à Irène, histoire de t'assurer qu'elle ne touche pas à Lucien... Le reste, j'en fais mon affaire.

Mignonne poussa alors un rugissement triomphal qui ébranla jusqu'à la voûte du repaire.

Chapitre 34

Gazou fut chargé de conduire Potter au manoir d'I-
rène. Ils empruntèrent le métro, l'autobus, puis se retrouvèrent à Westmount, dans la rue Greene, réputée pour
être la plus chic de la ville. Vêtus de leurs hardes, ils firent
l'effet de deux pouilleux débarqués par inadvertance au
milieu d'une soirée mondaine. Ils remontèrent jusqu'à la
rue Sherbrooke, qu'ils traversèrent, puis, une fois au pied
du mont Royal, ils bifurquèrent sur Mount-Pleasant, une
avenue aux riches demeures victoriennes. Ils empruntèrent là un escalier qui coupait à travers les propriétés.
Après une montée exténuante, ils se retrouvèrent dans la
rue du Belvédère, à quelques pas du manoir. Gazou
marchait sur la pointe des pieds, de peur que les cliquetis
qui montaient de son abdomen n'annoncent sa présence.

À première vue, le manoir parut à Potter plutôt lu-
gubre. La demeure semblait inhabitée. Une tour sinistre
hérissée de créneaux dominait la façade et rappelait un
château humide des landes écossaises fouetté par les
vents. Les jardins étaient à l'abandon, un épais lierre recouvrait les murs et masquait les fenêtres. Le crépuscule
approchait, des ombres mauves obscurcissaient peu à
peu le soleil. Gazou semblait terrifié à l'idée de s'aventurer plus loin. Arrêté devant les grilles de la propriété,
il déclara à Potter:

— Euh!… Voilà, tu y es. Bonne chance… Maintenant
je dois partir.

— Déjà! Mais pourquoi?

— Ma mission était de t'amener ici, un point c'est tout. Alors, maintenant que tu y es…

— Tu ne vas pas me laisser seul ici…?

Gazou détala sans permettre à Potter d'achever sa phrase. Les cliquetis de son abdomen s'éloignèrent peu à peu, puis s'évanouirent dans la nuit naissante.

Potter se retourna vers le manoir, épouvanté à l'idée d'affronter Irène. Il franchit les grilles, considérant qu'à partir de là tout pouvait lui arriver. Une puissante angoisse l'étreignait; même si Mignonne l'avait assuré qu'elle interviendrait rapidement, il regrettait de s'être soumis à son plan.

Un vent du diable ululait entre les branches et secouait le faîte des arbres.

Il s'arrêta devant la porte d'entrée du manoir, une porte massive et cloutée ayant l'aspect d'une porte de donjon. Il s'apprêtait à appuyer sur la sonnette quand, venue de nulle part, d'outre-tombe peut-être, la voix d'Irène retentit, déformée comme au travers d'un long porte-voix.

— Je savais que tu viendrais.

La voix était faible et le souffle qui la portait semblait court. On eût dit qu'Irène était au plus mal. Peut-être était-elle en train de mourir, espéra Potter. Et peut-être alors l'absoudrait-elle de la mort de La Petite.

Il se tourna de tous les côtés, ne vit personne.

— Lucien t'attend, ajouta la voix moribonde.

Là-dessus, un bruit de clefs et un glissement huilé retentirent; la porte s'ouvrit.

— Tu peux entrer sans crainte. Lucien est impatient de te retrouver.

Potter trouvait à la voix d'Irène quelque chose de rassurant et d'apeurant à la fois. Comme si elle dissimulait une terrible réalité.

Il franchit la porte d'un pas hésitant, puis entra. Ii se heurta à l'obscurité et ne sut où se diriger. Le mastiff de Tank surgit alors devant lui et lui barra le chemin.

L'animal paraissait calme. Ses yeux exprimaient davantage la curiosité qu'une intention malfaisante. Potter chercha à amadouer la bête en lui tendant une main amicale. Mieux valait la mettre de son côté, estimait-il. La bête renifla d'abord l'extrémité de ses doigts, puis, lui accordant sa confiance, les lécha de quelques lapements rugueux et mouillés.

Potter avait deux doigts à vif, car il avait la manie de se ronger les ongles au sang. En les léchant, la bête entra dans un curieux état d'excitation; elle dressa les oreilles, frétilla de la queue, puis se jeta sur la porte, tournant sur elle-même tel un derviche. Elle semblait inviter Potter à la suivre à l'extérieur.

Potter s'interrogea. Était-ce la volonté d'Irène qu'il suive cette bête? Le mastiff insistait tant qu'il lui ouvrit finalement la porte et courut derrière lui à travers les jardins de la propriété.

La bête le conduisit à une centaine de mètres de là, aux portes d'un vaste garage. Mais qu'est-ce que l'animal cherchait à lui montrer? La bête posa ses pattes de devant sur une des portes du bâtiment et sembla de nouveau vouloir se faire ouvrir.

Potter se pencha, saisit la poignée et fit coulisser la porte vers le plafond. Pris d'une véritable frénésie, le mastiff se précipita à l'intérieur. Potter le suivit.

Trois Cadillac noires y étaient garées. L'une d'elles semblait en état de fonctionner; la deuxième avait une carrosserie affreusement calcinée; quant à la troisième, ses portières et ses banquettes avaient été arrachées. Les murs et le plafond étaient incroyablement noircis, comme si l'endroit avait été la proie des flammes.

Le mastiff s'élança dans l'escalier rudimentaire qui menait à l'étage. Potter grimpa derrière lui. Des taches rougeâtres mouchetaient le bois des marches. En gravissant l'escalier, Potter pensa que le mastiff le conduisait à Lucien.

— Grand-p'pa! appela-t-il. Grand-p'pa, êtes-vous là-haut?

Ses espoirs furent de courte durée car, parvenu à l'étage, il constata que l'endroit servait de remise: s'y entassaient des outils, des pneus usés, des chaises de jardin et un réservoir d'huile à chauffage. Mais pas de Lucien. La pièce n'était éclairée que par un œil-de-bœuf encrassé d'où coulait un faible jet de lumière qui tranchait la poussière en suspension dans l'air.

Le mastiff s'était taillé un chemin jusque sous l'œil-de-bœuf et il sautait sur place en cherchant à s'emparer d'un chiffon suspendu à une solive du plafond. Potter empila des pneus et alla décrocher le chiffon. Le mastiff essaya de le lui arracher des mains; il bondit et fit claquer ses mâchoires à quelques centimètres de ses doigts. Intrigué, Potter sauta en bas de la pile de pneus, puis s'approcha de l'œil-de-bœuf afin d'examiner le chiffon de plus près. Il comprit bientôt.

Un morceau de flanelle... fleuri... comme... comme la robe de sa mère. Imbibé de sang, de sang séché, de sang presque noir!

Margot!!! Potter lâcha le chiffon comme s'il lui eut brûlé les doigts et s'enfuit, le mastiff rugissant à ses trousses.

Mais quelle horrible mort, quel supplice avait-on fait subir à sa mère?

Potter eut juste le temps de redescendre et de se faufiler sous la porte du garage à moitié relevée. Comme l'animal s'apprêtait à bondir, il saisit la poignée et la tira vers lui. La porte retomba sur la bête. Potter l'abandonna à son sort et reprit sa course vers le manoir, en gémissant.

— Dieu de Dieu! Elle a fait tuer Margot! Elle a fait tuer sa propre fille! Quelle abominable boucherie! Jusqu'où nous mènera sa folie? Elle va sûrement s'en prendre à Lucien maintenant. Quels tourments va-t-elle lui faire subir? Il faut que je le trouve. À tout prix!

Le cœur qui lui sautait dans la poitrine, il poussa la porte d'entrée du manoir. Il traversa à pas prudents le vestibule, s'engagea dans un long couloir, puis aboutit devant un escalier colossal.

— Y'a quelqu'un? demanda-t-il d'une voix blanche.

Seul le silence lui répondit, le glaçant jusqu'à la moelle. Soutenu par l'obsession de trouver Lucien, il emprunta le couloir qui plongeait sous l'escalier. Quelques appliques murales jetaient sur le corridor une lumière feutrée, une odeur de vieux bois patiné émanait des murs lambrissés et se mêlait aux relents du parfum d'Irène qui commençaient d'envahir l'atmosphère par petits nuages toxiques.

Potter passa devant plusieurs portes sans oser les ouvrir. À chacun de ses pas le plancher laissait retentir de sinistres craquements. Il avait l'impression de pénétrer dans un sépulcre, de creuser de ses mains sa propre tombe. Il entendit des pas derrière lui. Il sursauta.

— Qui est là?

Aucune réponse ne vint. Il aurait pourtant juré avoir entendu quelqu'un se déplacer. Et même là, écoutant plus attentivement, perdu dans l'obscurité, il percevait le froissement d'un tissu contre un des murs du couloir.

— Je sais qu'il y a quelqu'un. Sortez que je vous voie!

Personne ne se montra.

Décidément, on jouait avec ses nerfs. Sous le coup d'une terreur qu'il ne parvenait plus à contenir, il se mit à hurler qu'il n'avait pas tué La Petite, qu'il ne voulait pas mourir.

— Je suis innocent... INNOCENT!

Au milieu de ses supplices, il se retrouva devant de larges portes à vantaux laissées ouvertes. Il s'arrêta de crier et entra dans un immense salon. De hautes draperies de velours grenat avaient été tirées sur les fenêtres, des divans moelleux donnaient une impression de confort. Quelques gerbes de jonquilles égayaient la pièce.

Potter se dirigea vers un foyer de pierre sculpté au fond de la pièce. Un feu d'enfer y flambait. Il s'arrêta à mi-chemin, son attention attirée par le fauteuil à oreilles qui y faisait face. Quelqu'un s'y trouvait assis. Les jambes allongées vers les flammes, la personne semblait se laisser pénétrer par la chaleur du feu.

Potter redoubla de prudence. L'étourdisssante odeur du parfum d'Irène inondait la pièce. Il se remit à marcher et s'éclaircit la gorge pour signaler sa présence. Il put voir finalement que la personne assise était emmitouflée dans une couverture de laine rabattue sur sa tête à la façon d'un capuchon; elle ne semblait pas l'entendre venir, elle regardait fixement les flammes.

Potter s'immobilisa à quelques pas du fauteuil.

— Est-ce que je peux venir? fit-il timidement.

Mais le mystérieux inconnu ne répondit pas, il semblait s'être assoupi. Potter contourna le fauteuil et ne put retenir une exclamation de surprise.

C'était Lucien. Il dormait, ses yeux étaient clos, une expression paisible adoucissait son visage. Potter se sentit submergé par la joie, Lucien était vivant. Et il semblait en meilleure condition physique que lorsqu'ils s'étaient quittés. Potter voulut se jeter dans ses bras. Mais par crainte de le tirer trop brusquement de son sommeil, il s'agenouilla à ses pieds.

Lucien était transfiguré; sa peau était devenue lisse, son visage était tout à fait calme. Potter posa une main sur son front: il était glacé. Il ramena en vitesse sa main vers lui. Le corps de Lucien se détacha alors du fauteuil et s'abattit sur lui tel un arbre foudroyé. Il l'entraîna vers le sol, l'ensevelissant.

Saisi d'effroi, Potter hurla. Il se dégagea du corps et le fit glisser de côté.

— Fallait m'attendre, grand-p'pa, sanglota-t-il en prenant la tête de Lucien dans ses bras. Oh! grand-p'pa! grand-p'pa! Qu'est-ce qu'on vous a fait? Il ne fallait pas vous laisser mourir. Qu'est-ce que je vais devenir sans vous? Je ne peux pas vivre seul. J'ai encore besoin de vous. Revenez à la vie, grand-p'pa, revenez à la vie, il le faut. Oh, Dieu du ciel, ramenez-le à la vie!

Il étreignait Lucien, comme pour empêcher son âme de quitter définitivement son corps. Il était anéanti.

La voix d'Irène retentit alors, toujours déformée comme au travers d'un long porte-voix.

— Tu souffres, Potter. Oui, tu souffres. Et tu m'en vois comblée. Tu souffres comme j'ai souffert avant toi. Telle une bête marquée au fer rouge. Tu peux maintenant comprendre ma douleur... Lucien ne reviendra jamais à la vie... pas plus que La Petite... Tu comprendras avec le temps que la mort d'un être cher est quelque chose de définitif et d'infiniment douloureux.

— Mais je n'ai pas tué La Petite, protesta Potter.

— Oui. Tu l'as poussée au suicide.

— C'est faux. Je n'avais pas d'autre choix que de la faire interner. Elle était elle-même venue implorer mon aide. Elle était désespérée.

— Tu mens! s'emporta Irène, dont la voix se brisa soudain, étranglée par une vague de sanglots. Tu mens comme tu m'as toujours menti. La... Pe-Pe-Petite était heureuse avec moi.

Potter fut d'abord déconcerté d'entendre Irène se répandre ainsi en sanglots. Jamais il ne l'avait entendue pleurer. Puis, étrangement, la voix d'Irène s'adoucit. Elle semblait soulagée, débarrassée de tout désir de vengeance, simplement triste.

— Maintenant nous sommes quittes. Chacun de nous a perdu sa raison de vivre. À quoi bon poursuivre cette lutte? Je suis malade, lasse, il ne me reste plus beaucoup de temps à vivre... Je te propose de mettre fin à cette guerre qui nous déchire... Je désire désormais que la paix règne entre nous. Tu peux fuir si tu le désires, la porte d'entrée est toujours ouverte. Tu as ma parole que personne ne te poursuivra... Mais si le désir te prenait de me revoir une dernière fois avant que la mort m'emporte, eh bien je suis là... tu n'as qu'à venir.

Potter ne reconnaissait plus Irène. Il avait l'impression d'entendre une autre femme. Une femme qui avait souffert, qui avait traversé des jours d'angoisse, ravagée par la maladie et la douleur, une femme qui devenait pour la première fois de sa vie un être humain. Il désirait lui aussi mettre un terme à cette haine. Aussi, malgré la mort de Lucien, croyant que pour continuer à

307

vivre il lui faudrait d'abord pardonner à Irène et faire table rase du passé, il répondit:

— D'accord. Je viens. Où êtes-vous?

— Rends-toi sous le manteau de la cheminée.

Il obéit. Le manteau montrait un imposant bas-relief sculpté dans la pierre: dans une scène de chasse d'inspiration médiévale, un paysan armé d'une pique transperçait le cœur d'un chevreuil éventré. Le cœur de l'animal gisait sur le sol. Potter était fasciné par le réalisme de la scène.

— Presse le cœur avec tes doigts.

Potter tendit la main et poussa le cœur de pierre, qui s'enfonça dans la paroi.

Un souffle chaud et humide jaillit d'entre les briques du foyer et balaya les flammes vers Potter. De fortes secousses ébranlèrent les murs de la pièce. Épouvanté, Potter recula d'un pas.

Le manoir semblait glisser sur ses fondations, d'inquiétantes vibrations montaient des entrailles de la terre. Une immense tapisserie des Gobelins accrochée à un mur glissa vers la droite et tout à coup apparut l'entrée d'un tunnel.

— Tu peux t'y engager sans crainte, fit Irène.

Une brise chargée d'odeurs familières montait des profondeurs du tunnel et se répandait à travers la pièce. Potter s'y engouffra.

Il marchait dans l'obscurité depuis un moment déjà quand lui parvint le doux bruissement de feuilles agitées par le vent. Il en conclut que le tunnel le conduisait probablement à l'extérieur. Puis lui vint aux narines une poignante odeur d'eau croupie, qui n'était pas sans lui rappeler l'eau morte du lac Chloroforme. Elle se mêlait à d'autres odeurs plus soutenues: l'irrésistible odeur du gâteau aux carottes d'Irène, l'odeur tenace de citronnelle qui imprégnait les vêtements des habitants de Notre-Dame-du-Soûlon, l'odeur âcre des cigares de Lucien-le-Sanguin. Mais où ce tunnel le conduisait-il? De pénibles souvenirs jaillissaient en Potter, le ramenant plusieurs mois en arrière alors qu'il se trouvait toujours à Notre-Dame-du-Soûlon. Les souvenirs de Lucien et de La Petite.

Un jet de lumière l'éblouit brusquement. Il porta les mains à son visage pour se protéger les yeux. Bientôt habitué à l'intensité de la lumière, il abaissa ses mains. Ce qu'il découvrit alors ébranla sa raison.

— Je... Je... suis... fou, arriva-t-il tout juste à balbutier. Ou c'est un piège diabolique.

Il se trouvait à Notre-Dame-du-Soûlon, sur les rives maudites du lac Chloroforme, les pieds enfouis dans le sable granuleux de la petite plage en face de la maison d'Irène. Menaçante, la maison se dressait à quelques pas derrière lui, intacte, comme s'il ne l'avait jamais quittée. Il se trouvait au cœur de ce pays de merde qu'il avait eu toutes les misères du monde à fuir. Mais comment était-ce possible? Assommé par l'horreur, il chancela. Au loin, les hurlements des chiens-loups affamés déchiraient le silence; des nuées de moustiques l'assaillirent, emportant avec eux des morceaux de chair.

— Je suis fou. Quelqu'un manipule mon cerveau. Je ne suis plus maître de moi, pensa-t-il.

Il s'élança vers le lac pour s'assurer qu'il n'était pas la proie d'un cauchemar et que celui-ci existait vraiment. Il s'engagea sur le quai, les planches craquant sous son poids. Il courut jusqu'à l'extrémité du quai et s'arrêta. Son regard parcourut les rives du lac, en quête d'un signe de vie. Personne en vue, l'endroit paraissait avoir été vidé de ses habitants. Fait encore plus troublant, il se rendait compte, après coup, que le bruit de ses pas sur les planches du quai n'avait pas provoqué d'écho, comme il aurait dû le faire. Une insoutenable angoisse le saisit. Quelque chose d'imperceptible avait changé, la réalité n'était plus tout à fait la réalité. Il se pencha au bout du quai, enfonça sa main dans la surface lisse du lac. L'eau était glacée, comme toujours à pareil moment de l'année.

— Je ne peux pas être ici. C'est de la folie pure.

À une cinquantaine de mètres environ, la chaloupe de Lucien flottait au fond d'une crique.

— Non... Ce n'est pas possible!

La Petite était là, assise sur un des bancs de l'embarcation; elle pêchait, les jambes écartées, complètement absorbée par sa ligne qui plongeait dans les flots. Un frisson secoua Potter des pieds à la tête ainsi qu'un courant électrique.

— Mais... qu'est-ce qu'elle fait là?

Il plongea la main au fond de sa poche et en ressortit la dent de La Petite. Il ne comprenait plus rien, il devait être emporté par un vent de délire.

— La Petite est morte! Elle est morte, j'en suis sûr, je l'ai vue mourir. Qu'est-ce qui m'arrive?... Je deviens fou?... Ou peut-être suis-je en train de rêver? Oui, c'est ça. Je suis en train de rêver. Actuellement je rêve, je suis la proie d'un absurde cauchemar. Je vais bientôt me réveiller. Tout cela sera bientôt une chose du passé... C'est ça... Je n'ai pas tué La Petite. Elle n'est pas morte. Lucien non plus. Ni Margot. Je ne suis coupable de rien. Tout cela est le fruit de mon imagination... Merci, merci, mon Dieu. La vengeance d'Irène n'existe pas. Elle n'a jamais existé. Elle n'a existé que dans ma tête. Aucun lien avec la réalité... Je vais bientôt me réveiller, et je serai de nouveau libre. Je vais VIVRE. Enfin VIVRE.

La voix d'Irène coupa net son euphorie démente.

— Potter, tu fais erreur. Cela n'est pas un cauchemar.

Potter se retourna prestement vers la maison.

Fridolin poussait sur la véranda un lit d'hôpital sur lequel Irène était étendue. Il immobilisa le lit.

— Approche, fit Irène d'un ton ferme malgré la faiblesse de sa voix.

Les yeux de Fridolin réfléchissaient une terreur folle. Ses cheveux avaient blanchi prématurément, ses traits s'étaient aiguisés, ils avaient durci, sa peau avait pris une texture parcheminée.

Potter comprit tout à coup qu'Irène l'avait trompé.

Il s'élança vers le tunnel qui conduisait au manoir.

Mais Tank jaillit d'un buisson et freina sa course. Il s'empara de lui, puis le poussa à coups de crosse dans les côtes jusqu'à l'escalier de la véranda. En moins de deux, Potter se retrouva devant Irène. Il priait le ciel que Mignonne arrive au plus vite.

Irène gisait, un bras relié à un sac de soluté, des fils branchés à sa poitrine. Elle semblait à l'article de la mort. Seuls ses yeux avaient gardé une vivacité terrifiante. Elle porta un regard méchant sur Potter, puis grogna à l'adresse de Tank:

— Emmène-le à la cave.

Tank fit dégringoler l'escalier à Potter et le poussa devant le lourd panneau qui fermait la cave de Lucien-le-Sanguin. Il obligea Potter à le soulever puis à se jeter de lui-même dans le trou.

Une fois le panneau refermé, Potter demeura un bon moment blotti contre la paroi, incapable de réagir. Ses côtes élançaient terriblement, son esprit vacillait. Il finit par se relever et marcha jusqu'à la cave de Lucien. Il poussa la porte.

L'endroit n'avait pas changé depuis la dernière fois qu'il y avait mis les pieds, le jour de son départ de Notre-Dame-du-Soûlon. Des odeurs de cigare et de bois vert flottaient dans l'air vicié, le lit de fer de Lucien occupait toujours un coin de la pièce, quelques épouvantails attendaient d'être terminés, appuyés à l'établi. Les outils étaient impeccablement rangés, la berceuse portait toujours la scrupuleuse empreinte des fesses de Lucien.

Mais sans pouvoir dire quoi, Potter sentait que quelque chose avait changé. Tout était à sa place, oui, sauf que les objets ne dégageaient plus la même chaleur. L'atmosphère semblait artificielle. Plus il regardait autour de lui, plus il sentait s'installer en lui un trouble. Mais où donc se trouvait-il? Harassé, la tête prisonnière d'un étau, il finit par s'affaler dans la berceuse de Lucien. Il resta des heures à fixer l'ampoule électrique qui pendait du plafond. Il fut finalement tiré de sa contemplation hypnotique par des bruits de pas venant du tunnel. Le temps de porter son regard sur la porte, il vit celle-ci s'entrebâiller, laissant apparaître Le Singe qui lui apportait un bol de soupe.

Le Singe posa le plateau sur la table et fit signe à Potter de ne pas lui parler.

Potter se leva, intrigué. Était-ce bien Le Singe qu'il avait devant lui? Il s'en approcha, l'empoigna par les épaules et le palpa pour s'en assurer.

— Toi... ici? s'exclama-t-il.

Le Singe lui fit de nouveau signe de se taire:

— Pas si fort!... Irène est couchée à l'étage au-dessus.

Potter baissa le ton.

— Je suis en train de devenir fou, moi. Je ne comprends plus rien. Comment se fait-il que je me trouve ici, dans la cave de Lucien? Il y a à peine une heure j'étais à Montréal. Je peux le jurer. Comment m'a-t-on transporté jusqu'ici? Je n'ai eu connaissance de rien. D'absolument rien. Tout à l'heure j'ai aperçu La Petite. Pourtant La Petite est morte à la clinique, je l'ai vue mourir de mes yeux. Je te jure que je l'ai vraiment vue mourir... Dis-moi... Tu le sais, toi aussi, que La Petite est morte, hein? Tu le sais? Dis-moi que tu le sais.

Potter secouait les épaules du Singe à lui en arracher la tête.

— Non. Tu n'es pas fou, le rassura Le Singe.

— Alors, qu'est-ce qui se passe? Que signifie tout cela?

Le Singe raconta.

Irène allait mourir. Ce n'était plus qu'une question de jours. L'usure du cœur, avait déclaré le Doc MacNicoll. Depuis des mois elle était au courant de sa mort prochaine, mais cette nouvelle, au lieu de la plonger dans un état de torpeur, avait plutôt décuplé son énergie, elle avait éveillé en elle le désir d'un dernier projet, d'un projet insensé: celui de recréer l'univers où elle avait toujours vécu, de ramener à la vie le souvenir de La Petite, afin qu'elle-même puisse mourir en paix avec celle qui avait constitué sa seule source de bonheur.

Elle s'était lancée dans une entreprise titanesque, avait englouti des millions de dollars afin de reconstituer l'effigie de La Petite, puis la maison dans laquelle celle-ci avait grandi, ainsi que les rives du lac Chloroforme. Pour mener à bien cette œuvre, elle avait engagé un décorateur scénique venu à grands frais de Hollywood, un des derniers grands maîtres du carton-pâte. Ce perfectionniste de génie avait déployé toute l'ampleur de son talent. Il s'était d'abord rendu à Notre-Dame-du-Soûlon afin de s'imprégner de l'atmosphère des lieux, d'en étudier les perspectives, il avait dessiné les moindres configurations du terrain, ratissé le village en quête de photographies anciennes de la maison d'Irène aujourd'hui disparue, puis s'était placé à la tête d'une armée de plus de cinquante artisans.

Il avait érigé une nouvelle aile au manoir. D'une superficie de plus de mille mètres carrés, cette aile abritait un studio de cinéma des plus sophistiqués. Une sorte de hangar en béton doté d'une acoustique irréprochable, équipé des dernières techniques audio-visuelles, un son en Dolby Stéréo, des rampes d'éclairage commandées électroniquement. Afin de reconstituer le lac, sur les conseils d'Irène, il avait fait mettre à jour les réservoirs de l'ancien château d'eau de la municipalité de Westmount, précisément enfouis à cet endroit. L'aménagement du plan d'eau avait exigé vingt-six tonnes de pierre, de terre, de sable, de roches et de galets. Une fois les bassins dégagés, il avait dessiné les rives autour d'eux, puis y avait jeté trois millions de litres d'eau. Des milliers d'épinettes et de bouleaux nains avaient été plantés, chacun ayant été confectionné à la main, les aiguilles et les feuilles en pure soie, ce qui donnait au mouvement des branches un réalisme saisissant.

Une salle de contrôle abritée dans une des cabanes de retraités qui bordaient le lac régissait les conditions atmosphériques du studio: à partir de là on pouvait déchaîner des bourrasques, des orages, des tempêtes de neige, ou faire souffler de caressants zéphyrs. La température et le degré d'humidité étaient réglés selon la saison qu'on cherchait à recréer: l'eau du lac pouvait s'évaporer sous le coup d'une soudaine canicule, ou elle pouvait geler sous l'effet d'un froid sibérien. Dans ce cas, des bordées de neige tombaient de gicleurs dissimulés dans le plafond. On avait lâché dans cette vaste nature artificielle pas moins de trois millions de maringouins, capturés par les retraités de Notre-Dame-du-Soûlon, au prix d'atroces démangeaisons. Le plafond était semi-circulaire et on y projetait en permanence le panorama montagneux et les ciels changeants du pays. On pouvait aussi y voir virevolter, plonger, s'envoler les palmipèdes de la région.

La Petite avait été reconstituée avec un soin maniaque. Son corps avait été façonné à l'aide d'un caoutchouc synthétique. L'effigie était d'une ressemblance frappante, à cette différence près que ses yeux étaient en verre, donc dénués de vie. Elle avait été placée là où Irène s'était toujours plu à la voir, c'est-à-dire assise dans la chaloupe de Lucien à taquiner le poisson, à portée de vue de la véranda.

Potter écoutait attentivement Le Singe et émergeait peu à peu de l'état de confusion qui l'avait accablé. C'est avec soulagement qu'il constatait qu'il n'était pas fou. Il était toutefois terrifié par la démence d'Irène. Jusqu'où irait-elle? Irène chercherait-elle à entraîner l'univers entier dans le gouffre de sa mort? Il se demandait comment il arriverait à s'échapper du manoir. Il commençait à désespérer de revoir Mignonne. Le temps pressait, et elle n'avait toujours pas donné signe de vie. Qu'est-ce qu'elle attendait, Dieu de Dieu?

Potter eut soudain l'idée d'envoyer Le Singe la chercher.

— Écoute, commença-t-il d'un ton grave. Tu es la seule personne qui puisse me sortir d'ici.

— Comment ça? demanda Le Singe, un brin de méfiance dans la voix.

— Mon instinct me dit qu'Irène s'apprête à se débarrasser de moi. Mes heures sont comptées. Les minutes mêmes sont précieuses. Je le sens. Mignonne devrait déjà être ici avec sa bande pour me tirer d'affaire. Je ne comprends pas ce qui se passe, elle n'est toujours pas arrivée. Il faut que quelqu'un aille la chercher coûte que coûte, c'est une question de vie ou de mort.

— Mignonne? Ta tante? Sa bande?

— Mignonne est à la tête d'une bande d'amuseurs publics et de clochards. Elle et ses hommes devaient prendre le manoir d'assaut afin de nous tirer, Lucien et moi, des mains d'Irène. Je n'ai pas le temps de t'expliquer davantage. Il faut que tu te rendes au plus vite auprès d'elle. Compris?

— Mais je ne sais pas où elle se trouve, moi, ta tante, protesta Le Singe, effrayé par cette mission.

— Écoute. Je sais que ce que je te demande là comporte un certain danger; mais si tu ne te rends pas dès maintenant auprès de Mignonne, tu signes mon arrêt de mort.

L'argument sembla porter.

— Et puis qu'est-ce que tu risques? continua Potter. Une fois que tu te seras échappé du manoir, tu n'as qu'à ne plus y remettre les pieds. De toute façon, avec ce qui se prépare, tu n'as pas intérêt à être ici.

Le Singe s'imaginait déjà coincé entre les parties adverses. Il demanda:

— Et où puis-je trouver Mignonne?

— Son repaire est dans le métro. Il te sera relativement facile de te rendre jusqu'à elle.

Et Potter lui décrivit avec force détails le chemin à suivre pour parvenir au refuge de Mignonne. Comme Le Singe était peu débrouillard, Potter dut lui répéter plusieurs fois le nom de la station, le niveau du quai, la distance à parcourir à l'intérieur du tunnel ainsi que les mots inscrits sur la porte métallique:

GROUPE ÉLECTROGÈNE 104
ATTENTION DANGER.

Il l'implora ensuite d'aller chercher du même coup Marie-Scapulaire qui se trouvait au Gloria's.

Avant de sortir, Le Singe se retourna vers Potter et lui demanda d'une voix chargée d'hésitation:

— Tu m'as bien dit GROUPE ÉLECTROGÈNE 4?

Chapitre 35

Le Singe perdit un temps fou; à trois reprises il s'engouffra dans une mauvaise station avant d'entrer finalement à la station Berri-Uqam. Comme le lui avait indiqué Potter, il descendit au dernier niveau, puis gagna le quai de la ligne Montréal-Longueuil.

Il attendit plus de deux heures la fermeture du métro.

À l'heure dite, il s'approcha de la voie et se jeta entre les rails électrifiés. Mais une fois sur la voie, il ne se souvint plus de quel côté aller. Il prit vers le nord. C'était évidemment la mauvaise direction.

Heureusement, de ce côté le tunnel conduisait à un cul-de-sac, une sorte de petite cour de triage; il fut donc forcé de revenir sur ses pas et de prendre l'autre direction, c'est-à-dire sous le fleuve. Il se mit à chercher la porte qui indiquait GROUPE ÉLECTROGÈNE 4. Bien entendu, il ne la trouva pas.

Après avoir traversé une étrange forêt de stalactites phosphorescentes, il se trouva devant une porte marquée GROUPE ÉLECTROGÈNE 104.

Il hésita longtemps avant de frapper. Trois coups brefs, trois coups soutenus, puis encore trois coups brefs, comme le lui avait expliqué Potter. À sa grande surprise, la porte s'ouvrit. Une vieille femme à l'œil égaré, une poupée de chiffon éventrée serrée contre sa poitrine, le fit entrer et le guida dans le repaire.

Il entendit soudain les éclats d'une voix qu'il identifia tout de suite comme étant celle de Mignonne. Au loin, debout sur une scène, cramponnée à un micro, Mignonne était emportée dans un discours vindicatif; elle flambait d'une fureur inextinguible. Le Singe traversa un village de tentes rudimentaires, puis parvint à la scène. Une centaine d'itinérants étaient là, le visage pathétique, et écoutaient religieusement les propos de Mignonne.

— Il faut agir! Il est temps que quelqu'un se lève et ait le courage d'affronter l'organisation du Tigre bleu. Il en va de la survie de notre société. L'Aphro-14 ne doit plus circuler. Mais pour cela, vous et moi savons que nous ne pouvons plus compter sur la police, ni sur la justice, car les deux sont complices. Il n'y a plus qu'une solution... que de petites gens comme nous décident de passer à l'action et se fassent justice eux-mêmes. Mes frères, c'est notre devoir aujourd'hui de prendre les armes. Nous devons absolument arriver à démanteler cette organisation.

Mignonne avait beau être convaincante, elle ne parvenait pas à déclencher l'enthousiasme de la foule; une faible clameur monta, pour s'éteindre aussitôt. L'idée d'affronter une organisation aussi puissante que celle du Tigre bleu semblait inspirer à chacun les craintes les plus vives.

Constatant que ses arguments ne portaient pas, Mignonne durcit le ton.

— Je sais que la majorité d'entre vous sont réticents à s'engager dans un affrontement d'une telle envergure. Vous avez peur... Et vous avez raison.

Sa voix tonnait.

— Mais j'ai maintenant une nouvelle importante à vous annoncer, une nouvelle qui devrait vous réjouir, une nouvelle susceptible de vous redonner du cœur au ventre. Nous ne sommes pas seuls à vouloir partir en guerre contre le Tigre bleu. Je vous annonce officiellement que Sœur Pitance, Médor 1er ainsi que tous les clochards du Vieux-Montréal ont décidé de joindre leurs forces aux nôtres.

La foule commença à se dégeler. Quelques exclamations fusèrent. Puis la clameur gonfla, devint générale. Mignonne savait qu'elle avait réussi à enhardir la Meute. Elle poursuivit:

— Nous représentons maintenant une force de plus de deux cents hommes. Jamais l'organisation du Tigre bleu ne pourra résister à l'assaut que nous allons donner! Le Tigre bleu n'a qu'à bien se tenir, nous allons en finir une fois pour toutes avec lui. Êtes-vous prêts à vous battre?

— Oui, répondit une partie de la Meute.

— Êtes-vous prêts à me suivre?

— Oui.

— Prêts à aller jusqu'au bout?

— Oui.

— Pour la bonne cause?

— Oui.

C'était maintenant toute la Meute qui clamait devant Mignonne.

— Sans peur?

— Oui.

— Sans possibilité de revenir en arrière?

— Oui.

— Alors, c'est le moment. Suivez-moi. Préparez-vous à passer à l'attaque... Que les plus braves rejoignent sans tarder Gazou, il vous attend derrière le groupe électrogène, il vous apprendra le maniement d'une arme terrible. Les autres... rendez-vous auprès de La Bombe, il vous donnera quelques instructions.

La foule se scinda en deux.

Gazou enseignait déjà aux plus braves les rudiments d'une arme simple mais dévastatrice, le cocktail Molotov. Des flammes déchiraient l'obscurité. De son côté, La Bombe, un hydrocéphale dont la tête donnait à croire qu'elle contenait l'équation de la bombe atomique, demandait aux autres de se trouver au plus vite une arme offensive. La Meute fouilla donc ses tentes et rapporta des canifs ébréchés, des coûteaux de cuisine dépourvus de manche, des fourchettes, des aiguilles à tricoter, des tessons de bouteilles, des casseroles cabossées.

Noyé dans le mouvement de la foule, assommé par les explosions et les bruits qui retentissaient de tous côtés, Le Singe figea d'abord sur place, dépassé par les événements. Il ne savait plus où donner de la tête. Il se mit ensuite à chercher Mignonne aux quatre coins du repaire; mais chaque fois qu'il allait parvenir à elle, elle s'évanouissait dans la pénombre pour aller dispenser ailleurs conseils et recommandations. Il la croisa finalement par hasard à la porte de son quartier général. Il se jeta sur elle. Elle le reconnut tout de suite.

— Qu'est-ce que tu fais là, avorton? l'apostropha-t-elle.

— Potter m'a envoyé vous chercher.

— Comment ça, me chercher? Je lui ai dit de m'attendre. J'ai besoin de temps. On ne constitue pas une troupe efficace comme ça, en cinq minutes. Au fait, comment va Lucien?

— C'est justement là la question.

— Il est arrivé quelque chose à Lucien?

— Il... est...

— Envoye! Parle!

— Il est... mort.

— La chienne! rugit Mignonne.

Elle serra les poings, s'enfonça les ongles dans la chair, se mordit les lèvres au sang. Après avoir inspiré profondément, elle courut sur la scène et arracha violemment le micro.

— Écoutez bien, vous tous! Plus une seconde à perdre. L'heure est venue. Ça va jouer dur. D'ici quinze minutes, il faut que nous soyons tous sortis de la station. Mais allez-y par petits groupes. Attention aux flics et aux skinheads, ce n'est pas le temps de se colleter avec eux. On ne peut pas attendre davantage Sœur Pitance, Médor 1er et leurs clochards. Je leur fais porter sur-le-champ le message de nous retrouver au manoir. Ils prendront place à un endroit que je leur ferai désigner, conformément à mon plan d'attaque. Allons-y! Soyez prudents! Une fois en surface, tout le monde se retrouve au stationnement du Palais du Commerce.

Pendant un moment, Mignonne éprouva du découragement. La Meute faisait pitié à voir. Elle ressemblait davantage à un bataillon d'estropiés craintifs qu'à une troupe en état de se battre. Et puis la conviction et l'ardeur de la Meute étaient à la baisse, c'était évident. Mignonne s'empara encore une fois du micro et hurla:

— Tous ensemble vers la victoire, mes frères! Aucune force au monde ne viendra à bout de notre détermination. Rien n'est impossible. Rien. Il suffit de se donner un but et d'y croire, torrieu! Vous êtes de vrais êtres humains, pas des déchets de la société. Plus personne désormais ne vous considérera comme des parias. Reprenez confiance en vous-mêmes! On est traités comme on donne aux autres le droit de nous traiter, m'avez-vous compris? Allez! Retroussez vos manches! Courage! À l'attaque!

Des exclamations d'une étonnante vigueur s'élevèrent, un courant d'enthousiasme électrisa la Meute. On eût dit que chacun se remettait à croire en la justice de ce monde; le repaire résonnait de dizaines de voix pleines d'espérance.

Mignonne sauta en bas de la scène et retourna à son quartier général. En guise d'arme, elle s'empara de sa guitare et ressortit aussi vite.

Quinze minutes plus tard, la Meute était réunie dans l'immense stationnement du Palais du Commerce. Mignonne la conduisit à l'extrémité nord du stationnement, en bordure de la rue Ontario.

Une flotte de taxis attendait là, garée contre le trottoir. Mignonne avait obtenu de Tom Barsalou, un ancien de la Meute qui avait réussi à s'en sortir, qu'il les amène au manoir dans ses véhicules. Quand tout le monde fut casé, Mignonne lança aux chauffeurs:

— En route! Et grouillez-vous le cul!

Chapitre 36

Potter était toujours séquestré dans l'étouffante moiteur de la cave. Il appréhendait le pire. D'infernales heures d'attente s'étaient écoulées depuis le départ du Singe; il connaissait la nature de ce dernier et craignait qu'il ne soit jamais parvenu au repaire de Mignonne. Quel sort Irène lui réservait-elle maintenant? À tout moment il s'attendait à ce que Tank fasse irruption dans la pièce pour lui régler son compte. Il ne se fiait plus à l'arrivée de Mignonne. Il savait désormais qu'il devait se tirer d'affaire par lui-même. Il cherchait un moyen qui lui permettrait de s'échapper de la cave.

L'idée de simuler un suicide lui traversa l'esprit. Bien que l'entreprise lui parût d'abord insensée, il se convainquit qu'elle constituait sa planche de salut.

Il alla prendre sur l'établi de Lucien un tournevis à tige escamotable, trempa sa main dans un pot de peinture rouge, revint s'asseoir dans la berceuse et, de l'autre main, se planta le manche entre deux boutons de sa chemise à carreaux; il le tint là d'une main ensanglantée, comme s'il s'était planté le tournevis dans les entrailles. Il n'avait plus qu'à attendre la venue de Tank. Quelques minutes plus tard, des pas retentissaient dans le tunnel.

Tank poussa la porte et aperçut Potter, le tournevis planté en lui, les yeux révulsés, le corps tordu.

— Le p'tit Christ! laissa-t-il échapper. Je savais qu'il ne fallait pas le laisser seul.

Couchée dans la pièce au-dessus, Irène perçut le juron. Quelque chose d'anormal était arrivé dans la cave.

— Qu'est-ce qui se passe en bas?

— Il s'est suicidé.

Irène fut secouée par la rage.

— Après tant d'efforts! Je le tenais! Je n'aurai pas la satisfaction de le voir agoniser! Quel coup du sort, tonnerre du Christ!

Maudissant sa malchance, Tank pensa à monter le cadavre de Potter à l'étage pour qu'Irène le voie une dernière fois. Il se dirigea vers l'établi, y déposa sa Winchester et libéra la porte.

Potter en profita pour bondir dans le tunnel. Tank le vit et comprit qu'il venait de se faire jouer.

— Il est toujours vivant! Il s'est enfui! beugla-t-il à l'adresse d'Irène.

Et il se lança à sa poursuite.

Potter avait déjà parcouru toute la longueur du tunnel; il allait atteindre la sortie quand il trébucha. Tank se rua sur lui et l'assomma d'un coup de poing. Il l'empoigna à bras-le-corps, le hissa en travers de ses épaules et sortit du tunnel pour se diriger vers le lac. Potter se dit qu'il allait le balancer dans les flots. Comme il ne savait pas nager, il se débattit furieusement. Mais les bras noueux du truand étaient solidement enroulés autour de lui et l'empêchaient de se dégager. Potter leva les yeux et vit Fridolin occupé à rabattre la lourde trappe qui menait à la cave de Lucien.

— P'pa! cria-t-il. Aide-moi! Ne me laisse pas mourir. Je suis ton fils, p'pa... Ne les laisse pas faire.

Mais Fridolin, le regard vide, resta sourd. Aucun sentiment paternel ne l'habitait plus, la peur l'avait déconnecté de la réalité. Il lui tourna le dos, se dérobant à ses appels désespérés.

Tank se dirigea vers la crique où était ancrée la chaloupe de La Petite. Il longea la rive la plus accidentée et la plus sauvage du lac, puis piqua à travers la forêt d'épinettes plantées serré. Il éprouvait de la difficulté à se frayer un chemin dans l'encombrement d'arbres morts et de taillis qui lui écorchaient la peau. Impatient, exaspéré par les nuées de maringouins qui le harcelaient, il hâta le pas et se mit à écraser les buissons sous ses pieds. Il se retrouva devant la crique. Irène lui avait donné l'ordre d'y noyer Potter, sous les yeux de La Petite. Tank trouva l'endroit peu propice à l'exécution, car la rive était trop marécageuse et le niveau de l'eau trop bas. Aussi alla-t-il quelques mètres plus loin escalader un rocher qui surplombait la crique. La chaleur qui régnait à l'intérieur du studio était étouffante; l'humidité atteignait les quatre-vingt-dix pour cent. Incommodé par la moiteur, suant comme une vache qui pisse, Tank interpella Fridolin resté sur l'autre rive du lac.

— Baisse le thermostat! lui hurla-t-il. C'est pas tenable!

Fridolin obéit prestement et se dirigea vers la cabane de poutres qui abritait la salle de contrôle. Il dut actionner les mauvaises manettes, car des vents d'une extrême vélocité se mirent à souffler. En quelques secondes seulement, une tempête sévit; les toits de plusieurs cabanes de retraités furent emportés, une partie des arbres de la forêt fut déracinée. Le ciel s'obscurcit. Un véritable cyclone. Les flots du lac se gonflèrent en vagues écumantes, des débris de toutes sortes, branches, feuilles de tôle, barils et rochers de carton-pâte, se fracassèrent contre les murs ou au milieu des eaux. La pression du vent était telle qu'à plusieurs endroits la toile qui recouvrait la voûte se déchira et découvrit une armature métallique ainsi que de larges plaques de béton. Le sifflement du vent entre les branches écorchait les oreilles, le vent soulevait des nuages de poussière qui piquaient atrocement les yeux.

Ces perturbations ne décontenancèrent pas Tank qui continua son sale ouvrage. Il devait liquider Potter, il le liquiderait. Il laissa tomber le corps de Potter sur le rocher puis lui enfonça un genou dans le plexus. Il tira des bouts de corde de ses poches afin de le ligoter. Potter n'arrivait plus à respirer. Son regard affolé balayait les alentours et cherchait vainement de l'aide.

Tank le souleva et s'approcha du bord du rocher pour le précipiter dans les flots. Alors, couvrant le tumulte de la tempête, une sirène déchira l'air. Tank sursauta, laissa retomber le corps de Potter sur le sol. C'était l'alarme générale. Quelqu'un tentait de pénétrer sur la propriété.

Le truand se fraya un chemin parmi les débris et regagna l'entrée du tunnel qui menait au manoir. Les vents soufflaient toujours, renversaient arbres, cabanes, planches, animaux empaillés et rochers de carton-pâte. Le vacarme croissait, le toit de la maison d'Irène semblait sur le point d'être emporté.

Abandonné sur son rocher, Potter luttait désespérément pour se libérer de ses liens. Il sentit soudain la température du studio chuter. Le temps pour lui de s'étonner du changement, la température dégringola jusqu'au point de congélation. Les vents se changèrent en blizzards sibériens, charriant une neige poudreuse. Le ciel s'était complètement couvert. La neige s'accumulait à vue d'œil et commençait à recouvrir Potter.

Dans la salle de contrôle, effrayé par la tournure des événements, Fridolin luttait avec les manettes et les boutons, car il cherchait à rétablir les conditions atmosphériques normales. Dans une dernière tentative pour apaiser les éléments, il actionna l'ensemble des curseurs et cadrans de la console. Cette manœuvre ne fit que détériorer la situation, la console se dérégla définitivement, des gerbes d'étincelles et un épais nuage de fumée jaillirent, forçant Fridolin à fuir les lieux.

Potter, impuissant, disparaissait peu à peu sous la neige. Il regardait avec effarement l'effigie de La Petite à quelques mètres de lui. Sous l'effet du froid intense, le caoutchouc synthétique s'était fendillé, une infinité de craquelures étaient apparues sur son visage, comme si La Petite avait vieilli prématurément. Les boudins qui ornaient sa chevelure s'étaient affaissés sous le poids de la neige.

Potter sentit une présence étrange s'approcher de lui. Il se retourna. Étonné, il vit Fridolin se pencher sur lui.

— P'pa, c'est toi? Je suis content, s'exclama-t-il, reprenant espoir.

Mais Fridolin ne semblait pas l'écouter. Après l'avoir dégagé de la neige, il commença à le rouler vers les flots. Potter comprit que son propre père venait terminer la sinistre besogne entreprise par Tank.

— P'pa! Tu ne peux pas faire ça! Détache-moi! Je t'en supplie! hurla-t-il.

Des tonnes de poutrelles et de chevrons se détachèrent alors du plafond et entraînèrent avec eux des rampes chargées de réflecteurs. La lumière s'assombrit. Fridolin continua quand même à rouler le corps ligoté de Potter vers le lac avec des mouvements lents d'automate et le visage impassible. Potter évaluait la distance qui le séparait de l'eau.

— P'pa! P'pa! Pourquoi?

Plus que quelques centimètres! Quelques centimètres avant l'inexorable fin!

Fridolin laissa le corps de Potter en équilibre au-dessus de l'eau, sur la pointe du rocher, hésitant à lui donner la poussée finale.

Potter sut qu'aucune force ne l'empêcherait désormais de basculer dans l'autre monde. Il cessa de résister. Il eut une dernière pensée pour Marie-Scapulaire, puis posa les yeux sur l'effigie de La Petite, se perdant au fond de son aberrant regard vide.

Chapitre 37

Tank escaladait la tour qui dominait le corps central du manoir; de là-haut, il aurait une meilleure vue d'ensemble sur la propriété. Il parvint à une terrasse à ciel ouvert ceinturée d'un parapet de pierre armé de créneaux, puis il se jeta sur une petite boîte métallique attachée au parapet. Cette boîte commandait l'électrification des grilles et le système d'alarme, et contenait un récepteur téléphonique. Il ouvrit la boîte, puis actionna le bouton de commande du système d'alarme. La sirène s'arrêta aussitôt de beugler.

Il passa sa tête entre les créneaux et parcourut du regard l'ensemble du domaine.

— Maudite racaille! s'écria-t-il.

Devant les grilles de l'entrée, Mignonne dirigeait une troupe désordonnée vêtue de haillons. Des types roupillaient sur le trottoir, d'autres se disputaient des bouteilles d'alcool, d'autres encore escaladaient les grilles avec une surprenante agilité. Ils étaient presque parvenus au sommet.

Tank jugea la situation critique. Il se précipita sur la boîte métallique et rabattit une manette. Les corps accrochés aux grilles se convulsèrent, puis retombèrent lourdement sur le sol, inertes et désarticulés. Voyant leur peau noirâtre, Mignonne comprit qu'ils avaient été électrocutés et que les grilles étaient électrifiées.

—J'aurais dû y penser, torrieu! J'aurais dû y penser!

Mais pas question de laisser tomber l'opération. Après s'être apitoyée quelques instants sur le sort des malheureuses victimes, elle prit la décision de sonner l'assaut général. Sans attendre, elle ordonna à Gazou d'utiliser les cocktails Molotov.

— Pulvérise-moi les grilles.

Gazou s'approcha, entouré des quelques braves qu'il avait familiarisés avec le maniement de cette arme; il fit reculer la Meute, brandit quelques bouteilles, enflamma les torchons qui pendaient de leurs goulots, puis les projeta vers les grilles. La série de déflagrations qui suivit tonna aux quatre coins de la ville, le souffle puissant des explosions broya jusqu'au faîte des arbres.

Mignonne attendit que l'écran de fumée se dissipe, puis elle s'approcha pour évaluer l'ampleur des dégâts. Elle constata avec consternation que les grilles étaient intactes.

Du sommet de la tour, Tank avait vu jaillir les flammes et avait aussitôt rejoint Irène. Bien qu'elle fût presque mourante, cette dernière était décidée à se défendre. Elle appela le directeur de la police.

— Y'a une bande de pouilleux qui cherchent à entrer chez moi. Si d'ici cinq minutes ils se trouvent encore à ma porte, j'envoie aux journaux les photos de votre dernière sauterie avec La Dolores.

Le directeur se lança instantanément sur le poste émetteur du quartier général de la rue Gosford.

— Appel à toutes les voitures! Appel à toutes les voitures! Rendez-vous d'urgence au 12 B, rue du Belvédère. Vous jouez vos têtes. Embarquez-moi tout le monde. Inutile de prendre des gants blancs. Vous avez affaire à une bande de pouilleux qui n'ont rien à perdre, alors pas de quartier!

Une horde de voitures de patrouille roulèrent à tombeau ouvert en direction du manoir.

Conformément au plan de Mignonne, Sœur Pitance, Médor 1er et leurs clochards étaient parvenus au sommet du mont Royal. Ils s'apprêtaient à prendre position dans le dernier lacet de rue qui menait au manoir. Cette voie était la seule qui conduisait au sommet. La troupe s'était arrêtée en contrebas de la propriété, avec pour mission d'empêcher quiconque de passer, ce qui laisserait à Mignonne et à la Meute le temps de donner l'assaut au manoir sans être pris à revers. D'un pas martial, Sœur Pitance conduisait la troupe. Toujours vêtue de son costume blanc de nonne, elle avait enfilé une paire de bottes de bûcheron. Médor 1er, Tête d'Or et Fontainebleau marchaient sur ses talons, imitant son pas volontaire. Seule, elle poussait sans difficulté un tombereau monté sur des roues de bicyclette et qui contenait une énorme cuve en aluminium munie d'un robinet. Durant la saison froide, cette cuve servait à distribuer une soupe chaude aux sans-abri qui erraient dans les rues de la ville. Sœur Pitance y avait dissimulé quelques bâtons de dynamite subtilisés par Médor 1er sur un chantier de construction du Vieux-Montréal. En escaladant la rue, Sœur Pitance caressait la soupière de sa main boudinée.

— Les gars, ça va bientôt chauffer!

Elle menait enfin sa croisade contre le Tigre bleu.

Les clochards dégoulinaient de sueur, ils pétaient, rotaient, puisaient leur courage à même le goulot de leurs bouteilles. Sœur Pitance les regardait s'enivrer, haussant les épaules. Au fond, elle savait qu'elle ne pourrait pas vraiment compter sur eux, qu'elle serait seule à livrer bataille. Cette idée ne l'effrayait d'ailleurs pas. Elle en avait vu d'autres. Et puis elle se considérait sous la protection de Dieu le Père.

Elle immobilisa le tombereau contre un escarpement de roche calcaire qui s'élevait à une vingtaine de mètres et qui formait une falaise dominant la propriété d'Irène. Mignonne lui avait donné l'ordre de défendre cette position. Un concert de sirènes retentit et sembla gravir à toute vitesse les lacets de rue qui escaladaient la montagne.

— La police! cria Sœur Pitance.

Pris de frayeur, les clochards coururent se réfugier dans les bosquets des riches villas avoisinantes, pendant que la nonne grimpait sur le tombereau. Elle souleva le couvercle de la cuve et plongea sa main au fond. Elle ramena un paquet ficelé de bâtons de dynamite.

L'intensité des sirènes s'amplifiait, la police approchait. Les véhicules allaient surgir du dernier virage d'un instant à l'autre.

À la course, Sœur Pitance gagna l'escarpement, glissa le paquet de bâtons de dynamite sous le cordon qui enserrait sa taille, puis entreprit d'escalader la falaise.

Douée d'une agilité d'alpiniste, elle s'agrippait aux fissures de la pierre, s'élevait de plus en plus. À mi-hauteur de l'escarpement, elle s'empara du paquet de dynamite, le planta dans une des crevasses de la paroi. En hâte elle alluma les mèches, puis sauta d'une hauteur de plus de six mètres. Dans sa chute, ses jupes remontèrent jusqu'à ses cuisses et découvrirent des muscles puissants qui auraient laissé pantois le plus averti des marathoniens. Elle atterrit les pieds bien à plat sur la chaussée.

— Planquez-vous, les gars! fit-elle en esquissant un rapide signe de croix.

Une voiture de police surgit alors du virage et se lança sur elle tel un bolide fou. Une explosion du tonnerre retentit au même moment. Une épaisse tranche de roc se détacha de la montagne et s'abattit sur la voiture.

Sœur Pitance se couvrit la tête de ses mains, car une pluie de roches et de gravier menaçait de lui perforer le crâne. Elle savait que le morceau de roc tombé n'arrêterait pas les autres voitures et se demandait ce qu'elle pouvait maintenant faire. Elle se jeta à genoux au milieu de la chaussée et adressa au ciel une courte prière. Un mince jet d'eau jaillit alors d'une fissure de l'escarpement et s'écoula dans la rue. Elle eut à peine le temps de s'étonner que déjà le jet d'eau s'était considérablement élargi, pour se métamorphoser en fontaine, puis en ruisseau, puis en cascade bouillonnante. Des trombes d'eau surgissaient maintenant de l'escarpement, élargissaient la fissure, dévalaient la pente. Des millions de litres d'eau s'écoulaient en grondant comme une rivière écumante, une crue dévastatrice qui emportait tout sur son passage. C'était un véritable raz de marée qui déferlait. Il faucha des clôtures, tordit des arbres et des lampadaires, noya dans son tourbillon une boîte aux lettres, une voiturette d'enfant qui heureusement était vide ainsi qu'une camionnette du Gaz Métropolitain garée le long du trottoir. Il finit par heurter de plein fouet les autos de patrouille qui montaient en sens inverse. Il les retourna sauvagement, les souleva de terre, les balaya ainsi que des brins de paille, les emporta vers le virage où il quitta la rue. De là il se lança dans le vide et se jeta sur une villa d'inspiration mauresque en contrebas. Il l'arracha littéralement à ses fondations.

Puis, aussi inexplicablement qu'il était apparu, le torrent cessa de jaillir de l'escarpement.

Sœur Pitance se releva.

— La main vengeresse de Dieu! s'exclama-t-elle.

Une large coulée de vase nauséabonde s'échappait de la fissure de l'escarpement et laissait voir un trou béant.

Chapitre 38

Mignonne était toujours bloquée devant les grilles du manoir. Tank la tenait en respect avec sa Winchester. La Meute restait planquée derrière les piliers de pierre des grilles.

Mignonne piaffait, impatiente d'aller secourir Potter. Mais comment venir à bout de la résistance de Tank? Elle eut alors une idée.

Elle fit venir la Femme-Chat et lui exposa son plan. D'abord réticente, la Vietnamienne s'y soumit. Elle rampa jusqu'aux grilles de l'entrée, feignit de les saisir à pleines mains et fit dresser d'un seul coup tous les cheveux de sa tête, simulant une électrocution.

Ainsi que Mignonne l'avait escompté, Tank interrompit son tir.

— Hé! Tank! Sois humain torrieu! fit Mignonne.

La Femme-Chat donnait vraiment l'illusion d'avoir été électrocutée; son corps disloqué semblait malgré lui accroché aux grilles, ses mains soudées aux barreaux.

— Coupe le courant. Le temps de la décrocher. Une minute, je ne t'en demande pas plus.

Mignonne dut paraître convaincante, car Tank abaissa la manette qui commandait le courant. Mignonne se jeta sur la Femme-Chat et fit semblant de lui décrocher un à un les doigts.

Pendant ce temps, Gazou, Médor 1er et les deux vieillards qui étaient champions-cracheurs escaladaient plus loin les grilles. Malheureusement, Gazou provoqua un retentissant cliquetis d'ustensiles lorsqu'il retomba par terre de l'autre côté des grilles. Tank remonta aussitôt la manette d'électrification. Il dévala l'escalier de la tour et fit irruption dans la porte d'entrée. Un goût de sang giclait dans sa bouche. Il épaula sa Winchester, prêt à tirer.

Gazou, Médor 1er et les deux vieillards s'étaient dissimulés derrière les bosquets de chèvrefeuille qui bordaient l'allée centrale; ils retenaient leur respiration. Au bout de quelques minutes, les deux vieillards décidèrent de passer à l'action; ils retirèrent leurs râteliers, accumulèrent de la salive sur leurs langues, prirent une profonde inspiration, puis projetèrent dans les airs de volumineux crachats. Les crachats retombèrent quelques mètres plus loin et agitèrent le feuillage d'un bosquet.

Alerté par le froissement des feuilles, Tank déchargea frénétiquement son arme dans cette direction. Les deux vieillards exultaient. La tactique s'avérait efficace. Ils recommencèrent leur manège, dans une autre direction cette fois. Tank tomba de nouveau dans le piège et lança une autre volée de balles.

Il constata alors que son chargeur était vide. Il battit en retraite, revint vers la porte, essaya de l'ouvrir. À sa grande stupeur elle était verrouillée de l'intérieur. Il entreprit aussitôt de l'enfoncer, mais il n'eut pas le temps de l'abattre car les grilles de l'entrée s'entrouvraient et laissaient déferler sur lui la Meute.

Tank recula de quelques pas et aperçut Médor 1er au sommet de la tour. La Meute l'encercla, mais resta en retrait à quelques mètres de lui. Tank se ramassa comme une bête traquée, ploya les épaules, puis hurla que le premier téméraire qui porterait la main sur lui paierait de sa vie.

Prudemment à l'écart, les deux vieillards qui crachaient à distance évaluaient la situation. Après s'être concertés, ils calculèrent au centimètre près leur tir et crachèrent simultanément vers Tank. Leurs crachats montèrent très haut dans les airs, telles des fusées télé-guidées, puis atterrirent en plein sur le visage de Tank. Le truand ferma instinctivement les yeux. Le temps d'essuyer ce qu'il croyait être quelque fiente d'oiseau, la Meute était sur lui. Un avaleur de feu lui cracha une flamme au visage, puis chacun lui enfonça dans le corps l'arme dont il s'était muni. Des paires de ciseaux, des aiguilles à tricoter, des rasoirs, des décapsuleurs lui déchirèrent le dos; c'est finalement Mignonne qui lui donna le coup de grâce, elle lui fendit le crâne à coups de guitare.

Médor 1er apparut dans l'entrebâillement de la porte et invita la Meute à entrer.

— Tous derrière moi! clama Mignonne.

Et la Meute pénétra dans les obscures profondeurs du manoir. Mignonne ordonna à l'avaleur de feu de précéder la troupe et d'éclairer ses pas. L'avaleur se mit à cracher des flammes; chaque illumination faisait scintiller le cristal des lustres. Émerveillés, les membres de la Meute poussaient des oh et des ah, car aucun d'eux n'avait jamais contemplé un spectacle d'une telle richesse. L'angoisse les étreignait chaque fois qu'ils se trouvaient plongés dans l'obscurité. Serrés les uns contre les autres, prenant appui sur ceux qui les précédaient, ils s'engagèrent dans un long couloir, puis aboutirent devant l'escalier majestueux du hall d'honneur.

— Écoutez! s'écria Mignonne.

Une rumeur feutrée parvenait de très loin, des grondements faisaient frémir le plancher, des craquements parcouraient l'intérieur des murs.

— Mais qu'est-ce que c'est que ça?

Effrayés, plusieurs membres de la Meute demandaient à rebrousser chemin. Mignonne passa outre aux protestations. Les fureurs répercutées du vent lui semblaient provenir d'un couloir qui plongeait sous l'escalier. Sans hésiter elle se risqua dans le couloir, entraînant de force la Meute derrière elle. À l'extrémité du couloir, elle se trouva devant les portes ouvertes d'un immense salon.

À l'intérieur, elle sentit les effets d'un brusque changement de température: l'endroit était glacé. Des frissons parcouraient ses avant-bras. En outre, le tumulte s'était amplifié, il devenait assourdissant. Grincements de tôle et cognements de planches retentissaient avec netteté. On eût dit un cataclysme. Mais d'où pouvait venir ce vacarme? Elle traversa une enfilade de salons puis s'arrêta devant une cheminée massive. À droite dans un mur, s'ouvrait une sorte de tunnel. Elle s'y engagea.

— De la neige? s'étonna-t-elle en regardant le sol. Mais on est au beau milieu du mois d'août!

La Meute lui emboîta le pas, poussée par les encouragements d'un Médor 1er quelque peu éméché.

— Allez-y, les gars! C'est le temps de prouver qu'on a des couilles au cœur.

Il voulait évidemment dire des couilles au cul ou du cœur au ventre.

Guidée par les flammes de l'avaleur de feu, la Meute traversa le tunnel. Elle lutta quelques moments contre le vent et se retrouva en pleine tempête. Un blizzard charriait de cinglantes rafales de neige. Désorientée, Mignonne se demandait dans quel enfer elle venait de pénétrer et s'il ne valait pas mieux retourner sur ses pas. Soudain, sans qu'elle sache par quel phénomène, le blizzard cessa de souffler. Peu à peu la poudrerie se dissipa et la température se mit à grimper.

D'étonnement en étonnement, Mignonne découvrait l'endroit. Elle était arrivée devant une étendue de boue dont la configuration n'était pas sans évoquer quelques vagues souvenirs. Des débris de toutes sortes et des arbres démembrés s'amoncelaient autour de cette étendue. La température continuait de grimper, la neige fondait quasiment à vue d'œil. En se retournant, Mignonne vit une petite maison de bois blanc à moitié détruite par la tempête. Son toit et ses lucarnes avaient été en partie arrachés, deux des pilotis qui la soutenaient s'étaient affaissés. Elle trouva à la maison des ressemblances avec celle d'Irène: même style, mêmes dimensions; aux fenêtres, mêmes rideaux de dentelle. Un malaise monta en elle. Elle observa alors le lac de boue plus attentivement. Le lac Chloroforme? Se pouvait-il que…?

Elle se crut en plein délire. Elle brandit sa guitare comme un manche de hache et se dirigea vers la maison. La chaleur continuait d'augmenter, devenait suffocante. Elle s'arrêta devant la porte et constata qu'elle était verrouillée. Elle en brisa la vitre avec le manche de sa guitare et fit glisser le verrou.

Elle se retrouva, atterrée, dans le salon qui avait vu couler les jours tragiques de son enfance. Rien n'avait bougé: les meubles étaient aux mêmes places, sur les murs les cadres penchaient toujours vers la droite, c'était toujours le même tapis élimé.

Elle sentit des émanations du parfum d'Irène. Celle-ci ne devait pas être loin.

Derrière elle, Gazou et Médor 1ᵉʳ s'apprêtaient à entrer. Leurs yeux pâles étaient emplis de terreur.

— N'entrez pas! leur lança Mignonne.

Elle se rendrait seule à la chambre d'Irène et, si elle se heurtait à sa mère, elle lui réglerait son compte elle-même, une fois pour toutes, sans l'aide de quiconque. Elle se cramponna à sa guitare.

Elle découvrit Irène étendue sur un lit d'hôpital, les bras, les jambes et le thorax branchés à un moniteur cardiaque posé sur un chariot. Sa mère vivait encore, car des signaux sonores indiquaient la fréquence de ses pulsations. Les signaux se répétaient avec une obsédante régularité, comme de petits cris stridents. La chambre avait été dépouillée de ses meubles et de son ornementation; seule une génératrice au ronronnement continu alimentait en électricité une lampe de chevet et le moniteur cardiaque. Une photographie de La Petite était accrochée au mur, face au lit. La peau violacée d'Irène fit tressaillir Mignonne. Elle ne reconnaissait plus sa mère, devenue horrible à voir, rongée de l'intérieur.

Mignonne n'arrivait pas à croire que cette vieille moribonde l'avait jadis terrorisée. Elle s'approcha du lit, déposa sa guitare.

Irène avait gardé sur ses lèvres un sourire énigmatique et cruel. Mignonne passa le revers de son pouce sous ses narines afin de voir si elle respirait encore. Le souffle d'Irène était brûlant. Mignonne s'approcha d'elle.

— Où se trouve Potter? lui marmonna-t-elle dans l'oreille.

À sa grande surprise, les lèvres d'Irène s'entrouvrirent et murmurèrent péniblement:

— Au... fond... du... lac.

— Chiennc!! éclata Mignonne.

Elle saisit sa guitare et bondit. Elle traversa à la course le salon, écarta les gens de la Meute massés sur la véranda et dévala les marches de l'escalier. Comme si elle avait perdu la raison, sans explication, elle se campa sur la rive du lac de boue où elle se mit à appeler.

— Potter? Tu es là. Je le sais. Tu es vivant. Il faut que tu sois vivant. Il le faut... Où es-tu?

Les membres de la Meute s'étaient rassemblés autour d'elle. C'était la première fois qu'ils la voyaient chialer. Elle clamait son désespoir, tournait en rond, devenait hystérique. Elle devait retrouver Potter. Mais il n'y avait en face d'elle que des tonnes et des tonnes de boue. Potter était là, enfoui quelque part, elle en avait la certitude.

Guidée par son instinct, elle se dirigea vers la crique où se trouvait ancrée la chaloupe de La Petite. Elle aperçut ce qui lui sembla être la quille d'une embarcation retournée. Elle se jeta dans la boue.

— Potter, réponds-moi! Tu es là? Dis-moi que tu es là. Tu es vivant, je le sais! Réponds-moi.

Les cuisses enfoncées dans la vase, elle arrachait rageusement les débris qui se trouvaient sur son chemin, sa guitare en bandoulière rejetée vers l'arrière. Des algues s'enroulaient autour d'elle, ralentissaient son allure. La boue dégageait une forte odeur de moisi.

— Potter! Il **faut** que tu vives, geignait-elle en serrant les dents.

Le rire d'Irène se répercuta alors autour du lac. Un rire sardonique qui prenait au cœur, roulait dans d'interminables cascades, s'étranglait parfois, rappelant celui d'un malade mental prisonnier d'une camisole de force.

Mignonne éprouva pendant un moment de la frayeur. Puis elle se ressaisit. Elle parvenait à l'embarcation. Elle colla son oreille à la quille. Son cœur se mit à battre car elle entendait des halètements convulsifs. Elle banda tous ses muscles puis retourna l'embarcation. Potter gisait dans la boue.

— Ah! Torrieu! Vivant, tu es vivant. Je le savais.

Potter avait toujours les mains liées derrière le dos. Des spasmes déchiraient sa poitrine, il toussait, crachait, cherchait à expulser la boue qui obstruait ses voies respiratoires. Mignonne le dégagea, puis le transporta jusqu'à la rive, où elle trancha ses liens à l'aide de ses dents. Potter ouvrit les yeux, la reconnut. Son visage n'était plus qu'un masque de boue visqueuse. Il lui fit un pâle sourire de reconnaissance. Il semblait encore trop faible pour se relever. Mignonne essuya son visage englué avec un mouchoir et attendit qu'il soit en état de parler.

Retrouvant peu à peu ses forces et sa lucidité, Potter la remercia de lui avoir sauvé la vie, puis exprima le désir de quitter au plus vite l'endroit. Il était étonné de se retrouver vivant, et abasourdi devant l'état des lieux. Tout était dévasté, à part la maison d'Irène. Il frissonna au souvenir du contact de l'eau glacée sur sa peau.

Il se releva. Mignonne vit qu'il avait peine à tenir sur ses jambes, elle le prit dans ses bras, puis le transporta jusqu'à la maison où l'attendaient les membres de la Meute. Tous exprimèrent leur allégresse de retrouver Potter vivant. Même si aucun ne le connaissait vraiment, chacun éprouvait la satisfaction de l'avoir tiré des griffes du Tigre bleu. On se bousculait pour le toucher, on lui serrait la main. La vieille femme qui avait ouvert les portes du repaire à Potter lui présenta sa poupée.

— Annie! C'est Annie! Elle est heureuse de te voir! Dis bonjour, Annie.

Le rire dément d'Irène déchira à ce moment l'atmosphère et se répercuta encore une fois autour du lac. Tous figèrent, tremblant d'incertitude. Potter devint livide.

— Mais qu'est-ce que c'est? D'où ça vient? demanda-t-il à Mignonne.

— De la maison.

— Mais… C'est le rire d'Irène?… Comment?…

— Je ne sais pas, mon vieux. Je ne cherche plus à comprendre quoi que ce soit. Ici on nage en plein délire. Lorsque j'ai quitté Irène tout à l'heure, elle était à l'agonie, elle devrait normalement être morte à l'heure qu'il est.

Le rire obsédant d'Irène s'éteignit.

— Emmène-moi auprès d'elle, fit Potter.

Il voulait en avoir le cœur net, seule la vue de son cadavre l'apaiserait enfin. Il suivit Mignonne, pénétra dans la chambre d'Irène.

Sur le lit, la poitrine d'Irène ne se soulevait plus, le moniteur cardiaque n'émettait plus qu'un signal prolongé. Pourtant, une violence sourde et palpable habitait encore le cadavre. Potter voulut toucher le corps froid, il s'avança vers le lit. Irène lui apparut à ce moment sous les traits d'une vieille femme, démunie face à l'implacabilité de la mort. L'aura de violence qui l'avait enveloppée se dissipait peu à peu, faisait place à une expression de sérénité. Son visage s'était adouci, il invitait à la paix et à la réconciliation.

La paix! se dit Potter. Il allait maintenant connaître la paix. L'idée lui vint d'oublier le passé, d'effacer de son esprit toutes ces horreurs. Il valait mieux qu'il se débarrasse des derniers ressentiments qui l'habitaient encore. Il demanda à Mignonne de quitter la pièce.

Il regarda longuement le cadavre, puis décida de

pardonner au bourreau de sa vie. Il se pencha sur le lit et appuya ses lèvres sur le front d'Irène. Il sursauta car la peau dégageait une chaleur brûlante! Irène était vivante.

Il chercha à se redresser, mais des bras d'une force monstrueuse se rabattirent sur lui, l'enlaçant, pressant sa poitrine à l'étouffer. Il fut arraché du sol, il se retrouva étendu sur le lit, plaqué contre Irène, soudé à elle.

Il fit une tentative pour mettre le pied à terre, il étira une jambe hors du lit. Sa jambe battit l'air frénétiquement, en quête d'un point d'appui, et percuta le moniteur cardiaque. L'appareil tomba à la renverse. Des signaux sonores au rythme saccadé retentirent, reproduisant les pulsations cardiaques d'Irène à travers toute la chambre.

Bip... bip... bip... bip... bip... bip... bip...

Les tintements résonnaient dans le cerveau de Potter comme d'assourdissants coups de gong.

Un des bras d'Irène venait de relâcher son emprise pour fouiller sous le drap. Potter profita de ce moment de liberté relative pour tenter de se dégager. Il repoussa de toutes ses forces le corps d'Irène et parvint à se redresser. Le canon glacé d'un revolver se posa alors sur sa tempe.

Alerté par le bruit du moniteur qui était tombé à terre, Mignonne fit irruption dans la pièce et vit le revolver appuyé sur la tempe de Potter. Elle se précipita vers le lit.

— Il n'a pas tué La Petite. Il est innocent. Non, m'man! Tu n'as pas le droit!

Elle arracha Potter à l'étreinte d'Irène, le jeta sur le sol.

Irène rugit. Elle pointa le canon de l'arme vers Mignonne et lui cracha une décharge en plein cœur.

Sous l'impact, le corps de Mignonne se tendit comme une corde de violon, puis s'écrasa de tout son poids sur celui de sa mère. En tombant, il fit reculer le lit de quelques centimètres et renversa une chaise dissimulée derrière. D'un magnétophone qui avait été posé sur la chaise, monta le rire démoniaque d'Irène.

Au même moment, les signaux sonores du moniteur cardiaque s'espacèrent, bip... bip... bip..., ralentirent, puis se transformèrent en un signal continu.

Irène venait de rendre l'âme.

Potter laissa échapper un cri de supplicié.

— Grand-m'man, t'es le diable! T'avais même réglé ta mort!

Les corps d'Irène et de Mignonne se détachèrent des draps ensanglantés, puis roulèrent sur le sol, enlacés comme ceux d'amants.

Potter s'enfuit, cherchant à effacer de sa mémoire l'insoutenable vision. À quoi bon vivre maintenant? Tous ceux qu'il aimait avaient disparu. La Petite, Lucien, Mignonne. Sans eux l'avenir était un gouffre.

Sans savoir où le menaient ses pas, il s'éloigna de la Meute et gagna le manoir. Il traversa en titubant plusieurs pièces, se traîna le long d'un corridor et se retrouva devant la porte d'entrée. Dieu! Si l'autre côté pouvait donner sur un précipice, il s'y jetterait d'un bond.

Il rassembla ses forces, ouvrit. Ses jambes se dérobèrent; Le Singe, Sœur Pitance, Médor 1er et ses clochards et Marie-Scapulaire se tenaient devant lui. Ses yeux ébahis s'embuèrent. La vie avait donc un sens malgré tout? Marie-Scapulaire! Avec son visage irradiant de bonheur et son sourire qui éclairait comme un phare. Marie-Scapulaire! Le triomphe de la vie sur la mort, l'espoir et toute la beauté du monde! Il se jeta dans ses bras, plongea la tête au creux de son épaule.

— Tu m'as manqué, belle des belles, lui murmura-t-il à l'oreille.

Ils échangèrent un regard intense et complice où se lisait la conviction que tout était à reconstruire et qu'ensemble ils allaient y arriver, puis se laissèrent aller à une étreinte passionnée.

Sœur Pitance, Médor 1er et ses clochards levèrent les yeux vers le ciel et entonnèrent de leurs voix brisées l'hymne pathétique des sans-abri.

Il y aura toujours des étoiles
sous la grande voûte des cieux,
il y aura toujours des nuits sans voile
pour le bonheur de tous les gueux.